*Este libro está dedicado a las familias,
víctimas e investigadores que
han contribuido a los extraordinarios
avances en el tratamiento del cáncer infantil*

En la ciudad había ya de tiempo atrás un hombre llamado Simón que practicaba la magia y tenía atónito al pueblo de Samaria y decía que él era algo grande. Y todos, desde el menor hasta el mayor, le prestaban atención y decían: «Este es la Potencia de Dios llamada la Grande». Le prestaban atención porque los había tenido atónitos por mucho tiempo con sus artes mágicas. Pero cuando creyeron a Felipe que anunciaba la Buena Nueva del Reino de Dios y el nombre de Jesucristo, empezaron a bautizarse hombres y mujeres. Hasta el mismo Simón creyó y, una vez bautizado, no se apartaba de Felipe; y estaba atónito al ver las señales y grandes milagros que se realizaban.

Al enterarse los apóstoles que estaban en Jerusalén de que Samaria había aceptado la Palabra de Dios, les enviaron a Pedro y a Juan. Estos bajaron y oraron por ellos para que recibieran el Espíritu Santo; pues todavía no había descendido sobre ninguno de ellos; únicamente habían sido bautizados en el nombre del Señor Jesús. Entonces les imponían las manos y recibían el Espíritu Santo. Al ver Simón que mediante la imposición de las manos de los apóstoles se daba el Espíritu, les ofreció dinero diciendo: «Dadme a mí también este poder para que reciba el Espíritu Santo aquel a quien yo imponga las manos». Pedro le contestó: «Vaya tu dinero a la perdición y tú con él; pues has pensado que el don de Dios se compra con dinero. En este asunto no tienes tú parte ni herencia, pues tu corazón no es recto delante de Dios».

*Hechos de los Apóstoles 8: 9-21*

# 1

La transición de Jack Stapleton de un sueño inquieto al despertar total fue instantánea. Iba en un coche a toda velocidad, bajando por una calle de la ciudad en pendiente, en dirección a una fila de niños en edad preescolar que cruzaban en parejas y cogidos de la mano, ignorantes de la calamidad que se precipitaba sobre ellos. Jack tenía el pedal del freno aplastado contra el suelo, pero sin éxito. En todo caso, la velocidad del coche iba en aumento. Chilló a los niños que se apartaran, pero se contuvo al caer en la cuenta de que estaba mirando el techo del dormitorio, bañado por la luz de una farola, de su casa de la calle Ciento seis Oeste de Nueva York. No había coche, ni pendiente, ni niños. Había sufrido otra de sus pesadillas.

Sin saber si había gritado o no, Jack se volvió hacia su esposa, Laurie. A la tenue luz que entraba por la ventana desprovista de cortina vio que estaba profundamente dormida, lo cual sugería que había logrado reprimir su grito de horror. Cuando devolvió su atención al techo, se estremeció al pensar en el sueño, una pesadilla recurrente que siempre le había aterrorizado. Había empezado a principios de los noventa, poco después de que la primera esposa y las dos hijas pequeñas de Jack, de diez y once años, murieran en un accidente de avión después de ir a visitarlo a Chicago, donde él estaba siguiendo un curso de reciclaje en patología forense. En sus comienzos era cirujano ocular, pero Jack había decidido cambiar de especialidad con el fin de escapar de lo que consideraba la progresiva intrusión de los cuatro jinetes del Apocalipsis médico: los seguros de enfermedad privados, la atención médica dirigida, un gobierno iletrado y un público al parecer indiferente. Había confiado en que, al huir de la medicina clínica, aunque pareciera paradójico, podría recuperar el sentido de altruismo y compromiso que le había atraído hacia el estudio de la medicina. Si bien lo consiguió a la larga, durante el proceso se había sentido despojado de su amada familia, lo cual le había sumido en una espiral de culpa, depresión y cinismo. La pesadilla del coche lanzado a toda velocidad había sido uno de los síntomas. Aunque los sueños habían desaparecido por completo varios años antes, habían regresado de nuevo recrudecidos durante los últimos meses.

Jack se concentró en el juego de la luz, procedente de la farola situada delante de su edificio, sobre el techo, y volvió a estremecerse. Al entrar, los rayos atravesaban las ramas desprovistas de hojas del árbol solitario plantado entre su casa y la farola. Cuando la brisa nocturna movía las ramas, provocaba que la luz parpadeara y proyectara una serie de dibujos ondulantes tipo Rorschach. Como consecuencia, se sentía solo en un mundo frío e implacable.

Jack se palpó la cabeza. No estaba sudando, pero después se tomó el pulso. Estaba acelerado, unas ciento cincuenta pulsaciones por minuto, señal de que su sistema nervioso simpático se hallaba dominado por el instinto de luchar o huir, típico después de experimentar la pesadilla del coche sin frenos.

Lo específico de este sueño en particular eran los niños. Por lo general, el temido motivo central era puramente personal, como una barandilla endeble que corría a lo largo de un precipicio, una sólida pared de ladrillo, o una corriente de agua insondable plagada de tiburones.

Volvió la cabeza hacia el reloj. Pasaban unos minutos de las cuatro de la mañana. Con el corazón acelerado, supo que no podría volver a dormirse. Retiró las sábanas con cuidado para no molestar a Laurie y salió de la cama. El suelo de roble estaba tan frío como el mármol.

Se levantó y estiró sus músculos entumecidos. Pese a haber rebasado ya los cincuenta años, Jack todavía jugaba al baloncesto siempre que el tiempo y sus horarios se lo permitían. La noche anterior, en un intento de calmar sus angustias actuales, jugó hasta quedar casi exhausto. Sabía que pagaría el precio por la mañana, y tenía razón. Superó el dolor y la incomodidad a base de flexiones, hasta apoyar las palmas de las manos en el suelo. Después, se encaminó al cuarto de baño, mientras meditaba sobre los niños de su pesadilla. No estaba sorprendido por este tormento reciente. El origen de su angustia actual, el sentimiento de culpa resucitado y la depresión en ciernes era un niño: su propio hijo, de hecho, John Junior, J.J., como Laurie y él lo llamaban. El niño había llegado en agosto, unas semanas antes de lo previsto, pero estaban preparados para la eventualidad, sobre todo Laurie. Se había tomado toda la experiencia con calma. En contraste, cuando el parto finalizó, unas diez horas después, Jack estaba tan agotado como si hubiera sido él quien hubiera dado a luz. Si bien había colaborado en el nacimiento de sus dos hijas, había olvidado la dificultad emocional de la experiencia. Se quedó aliviado al saber que madre e hijo se encontraban bien y descansaban sin problemas.

Las cosas habían ido razonablemente bien durante el primer mes. Laurie estaba de baja por maternidad y disfrutaba con su recién adquirida condición de madre, pese a los berrinches de J.J. Los temores de Jack de que el niño hubiera nacido con un problema genético o congénito se disiparon. Nunca había admitido ante Laurie que, después del parto y la confirmación de que se encontraba bien, se había precipitado a mirar por encima del hombro del pediatra.

Jack, presa del pánico, había examinado el rostro del niño y contado los dedos de manos y pies. No estaba seguro de poder apechugar con un niño discapacitado, tan culpable se sentía por el destino de sus dos hijas. Le había costado asumir la idea de tener otro hijo, así como la vulnerabilidad y responsabilidad de la paternidad, sobre todo en el caso de que el niño tuviera alguna discapacidad. Se había mostrado reticente a volver a contraer matrimonio. De no ser por la paciencia infinita y el apoyo incondicional de Laurie, no habría dado el paso. En el fondo, Jack no podía desprenderse de la sensación de que estaba condenado a arrastrar al desastre a los seres que amaba.

Cogió el albornoz de la percha que había detrás de la puerta del cuarto de baño y se dirigió a la habitación de J.J. Aún en la oscuridad, Jack admiró la soberbia decoración del cuarto, cortesía de su suegra, Dorothy Montgomery, que había tirado la casa por la ventana para el nieto que ya temía no tener jamás.

El cuarto estaba tenuemente iluminado por varias luces nocturnas situadas a la altura del zócalo. Jack, vacilante, se acercó a la cuna blanca. Lo último que deseaba era despertar al bebé. Conseguir que se durmiera después del último biberón había sido una lucha. Como llegaba muy poca luz a las profundidades de la cuna, Jack no podía ver gran cosa. El bebé estaba tendido de espaldas, con las manos extendidas a los lados en un ángulo de cuarenta y cinco grados. Escondía el pulgar en el puño cerrado. Un poco de luz se reflejaba en la frente del niño. Sus ojos estaban ocultos en las sombras, pero Jack sabía que debajo había círculos oscuros, solo uno de los primeros síntomas del problema. La piel oscura había aparecido paulatinamente al cabo de unas semanas, y ni Jack ni Laurie se habían dado cuenta. Fue Dorothy quien llamó la atención sobre esta anomalía. Poco a poco, otros síntomas dieron a conocer su presencia. Lo que al principio había sido calificado de «berrinches» por un pediatra despistado, dio paso con rapidez a noches de insomnio en el hogar de los Stapleton.

Cuando emitieron el diagnóstico, Jack experimentó una sensación de haberse quedado sin aire, como si le hubieran golpeado en la boca del estómago con un bate de béisbol. La sangre abandonó su cerebro de una forma tan drástica, que tuvo que sujetarse a los brazos de la silla en la que estaba sentado para no caer al suelo. Todas sus peores angustias habían cobrado realidad. El temor a que una maldición hubiera recaído sobre sus seres queridos, en especial los hijos, revivió en toda su magnitud. A John Junior le habían diagnosticado un neuroblastoma, una enfermedad responsable del quince por ciento de las muertes por cáncer infantil. Todavía peor, el cáncer había hecho metástasis e invadido todo el cuerpo de J.J., hasta llegar a los huesos y el sistema nervioso central. John Junior padecía lo que llamaban «neuroblastoma de alto riesgo», el peor de todos.

Los siguientes meses habían sido un auténtico infierno para los nuevos padres, a medida que el diagnóstico adquiría tintes más sombríos y se decidía el tratamiento. Por suerte para John Junior, Laurie había conservado la serenidad durante todo este tiempo, sobre todo durante los cruciales primeros días, mientras Jack se esforzaba por no precipitarse en el mismo abismo mental y emocional que había conocido años antes. Saber que John Junior y Laurie le necesitaban había sido determinante. Con un gran esfuerzo, Jack se sacudió de encima la culpa y la rabia abrumadoras, y fue capaz de convertirse en una fuerza razonablemente positiva.

No había sido fácil, pero los Stapleton tuvieron la suerte de ser derivados a un programa de neuroblastoma en el Memorial Sloan-Kettering Cancer Centre, donde enseguida se pusieron en manos de la profesionalidad, experiencia y empatía del prestigioso equipo. Durante un período de varios meses, J.J. fue sometido a varias sesiones de quimioterapia personalizada, cada una de las cuales exigió su ingreso en el hospital por si aparecían secuelas preocupantes. Cuando la quimioterapia alcanzó el resultado que se consideraba deseable, J.J. fue sometido a un tratamiento nuevo y prometedor que implicaba la inyección intravenosa de anticuerpos monoclonales de ratón, dirigidos contra las células neuroblastómicas. El anticuerpo, llamado 3F8, buscaba las células cancerígenas y ayudaba al sistema inmunitario del cuerpo a destruirlas. Al menos, en teoría.

El protocolo del tratamiento consistía en continuar ciclos de dos semanas de inyecciones diarias durante un número determinado de meses, o quizá un año, en caso necesario. Por desgracia, al cabo de unos pocos ciclos hubo que detener el tratamiento. El sistema inmunitario de John Junior, pese a la quimioterapia anterior, había desarrollado una alergia a la proteína del ratón, lo cual provocó un efecto secundario peligroso. El nuevo plan consistía en esperar uno o dos meses, para después volver a examinar la sensibilidad de John Junior a la proteína de ratón. Si descendía lo suficiente, el tratamiento empezaría de nuevo. No había alternativa. La enfermedad de John Junior estaba demasiado extendida para recibir terapia con células madre, cirugía o radioterapia.

—Es tan adorable cuando duerme y no llora —dijo una voz en la oscuridad.

Jack se sobresaltó. Sumido en sus pensamientos, no se había dado cuenta de que Laurie estaba a su lado.

—Siento haberte asustado —añadió Laurie, con la mirada fija en su marido.

—Y yo siento haberte despertado —dijo Jack compadecido. Teniendo en cuenta las exigentes circunstancias relativas al cuidado de J.J., sabía que Laurie siempre estaba agotada.

—Ya no dormía cuando has pegado un bote y te has despertado. Tenía miedo de que estuvieras sufriendo otra pesadilla, debido a tu respiración agitada.

—Era una pesadilla. Era mi viejo sueño del coche sin frenos, solo que esta vez me precipitaba hacia un grupo de niños de preescolar. Ha sido terrible.

—Ya me lo imagino. Al menos, no es difícil interpretarlo.

—Eso crees tú —dijo Jack con cierto sarcasmo. Detestaba que lo psicoanalizaran.

—No te alteres —añadió ella. Tocó el brazo de Jack—. Por enésima vez: la enfermedad de J.J. no es culpa tuya. Debes dejar de torturarte por ello.

Jack respiró hondo y exhaló el aire ruidosamente. Sacudió la cabeza.

—Es fácil decirlo.

—Pero ¡es verdad! —insistió Laurie, al tiempo que apretaba con la mano el brazo de Jack—. Ya sabes lo que dijeron los médicos del Memorial cuando insistimos en conocer la etiología. Joder, lo más probable es que haya sido yo, teniendo en cuenta los productos químicos a que estamos expuestos los patólogos forenses. Cuando estaba embarazada, intenté evitar todos los disolventes, pero fue imposible.

—No se ha demostrado que los disolventes sean la causa del neuroblastoma.

—No está demostrado, pero es muchísimo más probable que la maldición sobrenatural con la que no paras de atormentarte.

Jack asintió de mala gana. Tenía miedo del camino que estaba tomando la conversación. No le gustaba hablar de su maldición, del mismo modo que no creía en lo sobrenatural, ni tampoco era muy religioso, dos ideas que creía relacionadas. Prefería ceñirse a la realidad inmediata, cosas que podía tocar y palpar, y reconocer con sus propios sentidos.

—¿Y cuando tomé fármacos para la fertilidad? —dijo Laurie—. Fue otra de las sugerencias del médico. ¿Te acuerdas?

—Pues claro que me acuerdo —admitió Jack irritado. No le gustaba hablar del tema.

—¡La verdad es que no se conoce la causa del neuroblastoma, punto! Escucha, vuelve a la cama.

Jack negó con la cabeza.

—No podría volver a dormirme. Además, son casi las cinco. Lo mejor será que me dé una ducha y me afeite. Me iré al trabajo temprano. Necesito mantener la cabeza ocupada.

—Una idea excelente —dijo Laurie—. Ojalá yo pudiera hacer lo mismo.

—Ya hemos hablado de eso, Laurie. Podrías volver al trabajo. Contrataríamos enfermeras. Tal vez sería mejor para ti.

Laurie sacudió la cabeza.

—Ya me conoces, Jack. No podría. He de ocuparme de esto en persona, pase lo que pase. Nunca me lo perdonaría.

Laurie miró al niño, que parecía dormir plácidamente, sus ojos algo saltones ocultos en las sombras. Contuvo el aliento cuando una oleada de emoción la inundó, como le ocurría de vez en cuando sin previo aviso. Había deseado muchísimo ser madre. Nunca había imaginado que tendría un hijo que sufriría tanto como J.J., y solo contaba cuatro meses de edad. Ella también había forcejeado con la culpa, pero al contrario que Jack, había encontrado cierto consuelo en la religión. Había sido educada en la religión católica, pero no era practicante. De todos modos, deseaba creer en Dios, aunque lo hacía de una manera vaga, y conseguía considerarse cristiana. Rezaba en secreto por J.J., pero al mismo tiempo no podía comprender que un ser supremo permitiera que existieran abominaciones como el cáncer infantil, sobre todo el neuroblastoma.

Jack detectó el cambio en el estado de ánimo de Laurie por el sonido de su respiración. Mientras reprimía las lágrimas, pasó el brazo sobre la espalda de su esposa y siguió su mirada hasta John Junior.

—Lo más difícil para mí en estos días —logró articular Laurie, al tiempo que se secaba las lágrimas— es la sensación de que estamos en un punto muerto. En este preciso momento, mientras esperamos a que se apacigüe su alergia a la proteína de ratón, no lo estamos tratando. En cierta manera, la medicina ortodoxa nos ha abandonado. ¡Es tan frustrante! Me sentía muy esperanzada cuando empezamos con los anticuerpos monoclonales. Era mucho más lógico para mí que el tratamiento con inyecciones de quimioterapia, sobre todo en un niño tan pequeño. La quimio mata todas las células, mientras que los anticuerpos solo matan las células cancerígenas.

Jack quiso responder, pero fue incapaz. Solo pudo mostrarse de acuerdo con Laurie asintiendo con la cabeza. Además, sabía que si intentaba hablar en aquel momento, las palabras se estrangularían en su garganta.

—La ironía es que este es uno de los fracasos de la medicina convencional —continuó Laurie, mientras iba recuperando el control de sus emociones—. Cuando la medicina basada en la evidencia tropieza con un obstáculo, el paciente sufre, al igual que la familia, cuando lo dejan en la estacada.

Jack asintió de nuevo. Lo que Laurie estaba diciendo era desafortunadamente cierto.

—¿Has pensado en alguna medicina alternativa o complementaria para J.J.? —preguntó Laurie—. Quiero decir, mientras tengamos atadas las manos con relación al tratamiento de anticuerpos monoclonales.

Jack enarcó las cejas y miró a Laurie con estupefacta sorpresa.

—¿Hablas en serio?

Laurie se encogió de hombros.

—No sé gran cosa al respecto, si quieres que sea sincera. Nunca lo he intentado, a menos que cuentes los complementos vitamínicos. Tampoco he leído mucho sobre el tema. Por lo que yo sé, todo es vudú, excepto algunas plantas activas desde el punto de vista farmacológico.

—Eso tengo entendido yo también. Todo se basa en el efecto placebo, por lo que yo sé. Tampoco me ha interesado nunca leer nada al respecto, ni mucho menos probarlo. Creo que es para personas con más esperanza que sentido común, o para gente que arde en deseos de ser estafada. Además, creo que es para la gente desesperada.

—Estamos desesperados —dijo Laurie.

Jack escudriñó la cara de su mujer en la oscuridad. Ignoraba si hablaba en serio o no. Pero sí, estaban desesperados. No cabía la menor duda. Pero ¿estaban tan desesperados?

—No espero una respuesta —añadió Laurie—. Solo estaba pensando en voz alta. Me gustaría hacer algo por nuestro hijo. Odio pensar que esas células del neuroblastoma campen a sus anchas.

# 2

*12.00 h, lunes, 1 de diciembre de 2008,*
*El Cairo, Egipto*
*(5.00 h en Nueva York)*

Shawn Daughtry pidió al taxista egipcio que se detuviera ante el mausoleo de al-Ghouri, la tumba del líder mameluco que había entregado el gobierno de Egipto a los otomanos a principios del siglo xvi. La última visita de Shawn había sido diez años antes, en compañía de su tercera esposa. Ahora había regresado con la quinta, de soltera Sana Martin, y disfrutaba de la visita mucho más que en la primera ocasión. Sana había sido invitada a participar en un congreso internacional de seguimiento genealógico. Como reputada bióloga molecular especializada en genética mitocondrial, el tema de su tesina para el doctorado, era la estrella de los conferenciantes del congreso. Las ventajas incluían el viaje con todos los gastos pagados para los dos. Shawn había aprovechado la oportunidad para asistir a un congreso de arqueología que se celebraba al mismo tiempo. Como era el último día, se había saltado la comida de clausura para dedicarse a una ocupación muy concreta.

Shawn bajó del taxi al polvoriento y sofocante calor, y después vadeó el tráfico que invadía la calle al-Azhar. Todos los coches, camiones, autobuses y taxis tocaban el claxon, mientras carretillas de mano y transeúntes se abrían paso entre los vehículos, la mayoría parados. El tráfico de El Cairo era un desastre. En los diez años transcurridos desde la última visita de Shawn, la población metropolitana de la capital había aumentado hasta alcanzar la impresionante cifra de dieciocho millones setecientas mil personas.

Shawn subió por la calle al-Mukz li-Den Allah y se internó en las profundidades del zoco de Khan el-Khalili, formado por estrechas callejuelas. En el laberíntico bazar del siglo XIV se vendía de todo, desde menaje de hogar, ropa, muebles y comestibles hasta recuerdos baratos. Sin embargo, nada de esto le interesaba. Se encaminó a la zona especializada en antigüedades, en busca de una tienda que recordaba de su anterior visita, llamada Antica Abdul.

Shawn era un arqueólogo avezado, y a los cincuenta y cuatro años estaba en la cima de su carrera, como director del departamento de arte del Oriente Próximo en el Metropolitan Museum de Nueva York. Aunque su interés principal era la arqueología bíblica, era una autoridad en todo Oriente desde Líbano, Israel, Siria, Jordania hasta Irán. Su esposa de aquella época, Gloria, le había arrastrado al mercado con ocasión de su última visita. Separados en la confusión de callejuelas sinuosas, Shawn se había topado con Antica Abdul. Se quedó cautivado por un asombroso objeto exhibido en el polvoriento escaparate de la tienda, una pieza intacta de terracota de unos seis mil años de antigüedad, adornada con un dibujo de espirales que giraban en dirección contraria a las agujas del reloj. En aquella época se exhibía una vasija muy parecida en la sección del antiguo Egipto del Metropolitan Museum, aunque la pieza expuesta en el escaparate de Antica estaba mejor conservada. No solo el dibujo era más definido, sino que la vasija del museo había sido descubierta hecha pedazos, y tuvieron que restaurarla por completo. Fascinado, pero también convencido de que la vasija de Antica Abdul era, como otras muchas supuestas antigüedades del bazar, una inteligente falsificación, Shawn había entrado en la tienda.

Si bien su intención era llevar a cabo una inspección superficial de la vasija y regresar al hotel, al final terminó quedándose varias horas. Su furiosa esposa, suspicaz por sus andanzas y por el hecho de que la hubiera abandonado, había regresado al hotel. Cuando por fin volvió, ella le increpó sin piedad, afirmando que habrían podido raptarla. Cuando Shawn recordaba el incidente, comprendió que ese habría sido el mejor desenlace. Habría facilitado mucho más los trámites del divorcio, un año después.

Lo que había retenido a Shawn en la tienda durante tanto tiempo había sido, en esencia, una lección gratuita sobre la tradicional hospitalidad egipcia. Y lo que había empezado como una discusión con el propietario sobre la autenticidad de la vasija, terminó siendo una fascinante conversación sobre el extendido mercado de la falsificación de antigüedades egipcias, regada con muchos vasos de té. Si bien Rahul, el propietario de la tienda, insistió en que la vasija era una verdadera antigüedad, no tuvo reparos en confesar todos los trucos del comercio, incluyendo el floreciente mercado de escarabeos, cuando se enteró de que Shawn era arqueólogo. Se decía que los escarabeos, talismanes del antiguo escarabajo coprófago egipcio, poseían el poder de la regeneración espontánea. Utilizando una fuente inagotable de huesos de los antiguos cementerios del Alto Egipto, talladores con talento recreaban los escarabeos, y después los daban a comer a diversos animales domésticos para dotarlos de una pátina convincente. En opinión de Rahul, los numerosos escarabeos faraónicos repartidos por los principales museos del mundo eran falsificaciones.

Tras la larga conversación, Shawn había comprado la vasija como una forma de agradecer a Rahul su hospitalidad. Después de un amistoso regateo, Shawn había pagado la mitad de lo que Rahul había pedido en primera instancia. Aun así, Shawn pensaba que doscientas libras egipcias eran más del doble de lo que tendría que haber pagado, al menos hasta que regresó a Nueva York. Llevó la vasija a su colega Angela Ditmar, jefa del departamento de egiptología, y se quedó patidifuso. Angela determinó que la vasija no era una falsificación, sino una reliquia auténtica, y no cabía duda de que tenía más de seis mil años de antigüedad. Shawn terminó donando la pieza de alfarería al departamento egipcio para que sustituyera a la vasija restaurada y se quedara en exposición permanente, con el fin de aplacar la culpa que sentía por haber sacado sin pretenderlo el valioso objeto de Egipto.

Shawn se internó todavía más en las verdaderas profundidades del bazar. Extendidas sobre las angostas callejuelas que corrían entre los edificios había alfombras y toldos que ocultaban la luz del sol. Cuando pasó ante carnicerías en cuyos ganchos colgaban carcasas de corderos, con sus cráneos, ojos y moscas, Shawn se sintió envuelto en el aroma acre de los despojos, pronto sustituido por el olor a especias y café árabe. El zoco era un ataque a los sentidos, tanto bueno como malo.

En el núcleo de las callejuelas que convergían, Shawn hizo una pausa, desorientado, igual que diez años antes. Se detuvo en una sastrería y preguntó la dirección a un anciano egipcio con un casquete blanco y una chilaba marrón. Pocos minutos después, entraba en Antica Abdul. Shawn no se sorprendió al comprobar que la tienda seguía en su sitio. Durante su anterior visita, Rahul había dicho que el establecimiento pertenecía a su familia desde hacía más de cien años.

Salvo por la ausencia de la fantástica vasija predinástica, la tienda estaba como antaño. Dado que la inmensa mayoría de las supuestas antigüedades eran falsas, los proveedores de Rahul se las reponían a medida que las iba vendiendo.

Daba la impresión de que la tienda estaba desatendida cuando Shawn entró y las ristras de cuentas de cristal tintinearon a su espalda. Por un momento, Shawn se preguntó si Rahul seguiría al pie del cañón, pero todas sus dudas se disiparon cuando un hombre emergió a toda prisa a través de las colgaduras oscuras que separaban una zona de estar sembrada de almohadones de la parte delantera de la tienda. Rahul saludó con una breve inclinación de cabeza cuando se situó detrás de un antiguo mostrador con superficie acristalada. Era un ex agricultor corpulento y de labios gruesos, que se había transformado sin grandes dificultades en un avezado hombre de negocios. Sin decir palabra, Shawn avanzó unos pasos y miró a los ojos oscuros e insondables del comerciante. Casi al instante, las cejas de Rahul se juntaron y elevaron en señal de reconocimiento.

—¿Doctor Daughtry? —preguntó. Se inclinó un poco hacia delante para verle mejor.

—Rahul —contestó Shawn—. Me asombra que se acuerde de mí, y todavía más de mi nombre, después de tantos años.

—¿Cómo no iba a acordarme? —dijo Rahul, al tiempo que salía como una exhalación de detrás del mostrador y estrechaba calurosamente la mano de Shawn—. Me acuerdo de todos mis clientes, sobre todo de los procedentes de museos famosos.

—¿Tiene clientes de otros museos?

La tienda era tan modesta que parecía una exageración.

—Por supuesto, por supuesto —canturreó Rahul—. Siempre que recibo algo especial, lo cual no sucede muy a menudo, me pongo en contacto con aquellos que pueden estar más interesados. Ahora es muy fácil con internet.

Mientras Rahul salía al callejón a través de las ristras de cuentas y vociferaba órdenes en árabe, Shawn se maravilló de la velocidad de la globalización. Pensaba que internet y el antiguo Khan el-Khalili serían mundos aparte. Por lo visto, no era tal el caso.

Un momento después, Rahul regresó a la tienda e indicó con un gesto a Shawn que entrara en la zona de estar, situada en la parte posterior del establecimiento. Alfombras orientales cubrían el suelo y las paredes. Grandes y pesadas almohadas de brocado dominaban el espacio. Un narguile se alzaba a un lado, junto con cierto número de cajas de cartón descoloridas. Una bombilla desnuda colgaba del techo. Sobre una pequeña mesa de madera descansaban varias fotografías desvaídas, entre ellas la de un hombretón vestido con la típica indumentaria egipcia, y que se parecía a Rahul. Este siguió la mirada de Shawn.

—Una foto de mi tío, que mi madre me regaló hace poco. Casi veinte años atrás, él era el propietario de la tienda.

—Tiene un aire familiar —comentó Shawn—. ¿Le compró la tienda a él?

—No, a su esposa. Era hermano de mi madre, pero se vio mezclado en un escándalo de antigüedades relacionado con un hallazgo muy importante: una tumba intacta. Esta relación le costó la vida. Fue asesinado aquí mismo, en la tienda.

—¡Dios mío! —exclamó Shawn—. Siento haber sacado este tema.

—En este negocio nunca se es demasiado cauto. Quiera Alá ahorrarnos tales problemas.

Al instante siguiente, un joven descalzo apartó la pesada cortina y entró con una bandeja y dos vasos con soporte metálico, ambos llenos de té humeante. Sin decir palabra, el muchacho dejó la bandeja en el suelo, al lado de Shawn y Rahul, y después volvió a desaparecer a través de la cortina. Durante esos momentos, Rahul siguió hablando de lo contento que se sentía por la visita de Shawn.

—De hecho, tenía un motivo concreto —admitió Shawn.

—Ah, ¿sí? —preguntó Rahul.

—He de hacerle una confesión. Cuando estuve en la tienda la última vez, compré una vasija de terracota predinástica.

—Me acuerdo. Era una de mis mejores piezas.

—Mantuvimos una larga discusión acerca de su autenticidad.

—Se resistió a dejarse convencer.

—De hecho, nunca llegó a convencerme. La compré como un recuerdo de nuestra interesantísima conversación, pero cuando volví a Nueva York, pedí a una colega entendida que la examinara. Se mostró de acuerdo con usted. No solo era auténtica, sino que la vasija se exhibe ahora en un lugar destacado del museo. Es una pieza muy hermosa.

—Es usted muy amable por reconocer su error.

—Bien, me ha atormentado durante todos estos años.

—Eso tiene fácil remedio —respondió Rahul—. Si quiere

aplacar su conciencia, bastará con que me pague un poco más de dinero.

Sorprendido por la inesperada sugerencia, Shawn miró a Rahul. Por un momento, pensó que el hombre hablaba en serio. Después, Rahul sonrió, dejando al descubierto sus dientes amarillentos y descuidados.

—Estoy bromeando, por supuesto. Obtuve un buen beneficio de la vasija que me vendieron unos niños, y me siento satisfecho.

Shawn sonrió aliviado. Consideraba el humor árabe tan desconcertante como su hospitalidad.

—Su confesión me ha traído a la mente una pieza asombrosa que ayer me vendió un amigo agricultor que vive en el Alto Egipto. Es algo que quizá despierte su interés, teniendo en cuenta su erudición bíblica. Usted sabrá más que yo de este objeto en concreto, de modo que confío en que no me engañe si decide comprarlo. ¿Le gustaría verlo?

Shawn se encogió de hombros.

—¿Por qué no? —dijo. No sabía qué esperar, y no estaba dispuesto a hacerse grandes ilusiones.

Después de rebuscar en una de las cajas de cartón apoyadas contra la pared, Rahul extrajo lo que parecía una almohada de algodón manchada. Cuando volvió a sentarse, sacó el contenido y lo depositó en las manos de Shawn.

Durante varios segundos, Shawn permaneció inmóvil, mientras Rahul se acomodaba contra sus grandes almohadones. Su expresión era de suma satisfacción. Sabía que el arqueólogo no tardaría en descubrir lo que sostenía. La pregunta era si se decidiría a comprarlo. El alijo ilegal necesitaba la persona adecuada, con un poder adquisitivo relativamente elevado.

Shawn no tardó en descubrir de qué se trataba. Como la mayoría de eruditos bíblicos que se merecían el pan que comían, sobre todo los interesados en estudios sobre el Nuevo Testamento o la historia de la Iglesia cristiana primitiva, había visto y manejado los originales. La pregunta era: ¿estaba sosteniendo algo verdadero o falso, como los escarabeos y casi todas las demás antigüedades que Rahul vendía? Shawn no tenía ni idea, pero teniendo en cuenta la inesperada autenticidad de la vasija predinástica, se sentía predispuesto a comprar lo que descansaba sobre su regazo. Si por alguna casualidad era real, podría convertirse en el mayor descubrimiento de su vida, y aunque lo devolviera a las autoridades egipcias, era el tipo de objeto cuya historia podría hacerle destacar entre sus contemporáneos. Shawn no quería que uno de los contactos museísticos de Rahul se lo quedara, una posibilidad nada desdeñable teniendo en cuenta sus contactos por internet.

—Pues claro que no es auténtico —empezó Shawn, en un intento de iniciar el regateo con todo a su favor. El problema consistía en que, pese a la modesta apariencia de la tienda, sabía que se las estaba viendo con un negociador profesional muy avezado.

# 3

6.05 h, lunes, 1 de diciembre de 2008,
Nueva York
(1.05 h en El Cairo, Egipto)

—¿Es usted médico? —preguntó el policía uniformado con exagerada sorpresa. El coche de la policía estaba aparcado junto al bordillo detrás de ellos, en el lado oeste de la Segunda Avenida, mientras el tráfico de la mañana circulaba en dirección al centro. El compañero del policía continuaba sentado en el asiento del pasajero, bebiendo café. La bicicleta Trek de Jack, relativamente nueva, estaba tumbada de costado sobre la calzada, justo delante del coche patrulla. Cuando Laurie había empezado su baja por maternidad, Jack había recuperado su antigua costumbre de dirigirse en bicicleta al Instituto de Medicina Legal.

Jack se limitó a asentir. Aunque estaba más calmado que antes, seguía muy irritado con el taxista que le había cerrado atravesando en diagonal cuatro carriles para recoger a un pasajero. Después de conseguir frenar sin más daños que un golpe de escasa importancia contra el parachoques posterior del vehículo, Jack había corrido hacia el lado del conductor antes de que el pasajero se hubiera sentado en el asiento trasero. Jack había ocasionado varias abolladuras pequeñas pero evidentes en la puerta del lado del conductor con el tacón, con la esperanza de animar al taxista a bajar del coche y enzarzarse en una discusión como era debido. Por suerte para todos los implicados, la llegada de la policía puso un rápido final al incidente. Por lo visto, los policías habían presenciado, como mínimo, una parte del enfrentamiento.

—Creo que no le irían mal unas clases de control de ira —continuó el policía.

—Lo tomaré como un consejo —dijo Jack con sarcasmo. Sabía que se estaba comportando de una forma provocadora, pero no podía evitarlo. El policía había despedido al taxista sin tan siquiera comprobar su permiso de conducir. Era como si el policía considerara que el culpable del incidente era Jack, pues era a él a quien habían retenido.

—Va usted en bicicleta, por el amor de Dios —protestó el policía—. ¿Qué quiere, conseguir que le maten? Si está lo bastante loco para ir en bicicleta, ha de esperar cualquier cosa, sobre todo de los taxistas.

—Siempre he creído que los taxis de Nueva York y yo podíamos compartir la calle.

El policía sacudió la cabeza, puso los ojos en blanco y devolvió a Jack el permiso de conducir.

—Es su funeral —dijo, lavándose las manos del asunto.

Jack, irritado, levantó su bicicleta, subió y empezó a pedalear, alejándose a toda prisa del coche patrulla antes de que el agente hubiera vuelto a su vehículo. Al cabo de poco rato, el frenesí del tráfico, el viento helado y el esfuerzo continuado enfriaron su sangre hirviente. Alcanzó la velocidad óptima de casi veinte kilómetros por hora y consiguió encontrar todos los semáforos en verde hasta la calle Cuarenta y dos. Mientras esperaba a que cambiara, jadeante, tuvo que admitir que el policía estaba en lo cierto. Los taxistas codiciosos siempre pararían para recoger a un pasajero sin preocuparse del resto del tráfico. Al ponerse a la defensiva, Jack estaba cayendo en el comportamiento destructivo que le había puesto en peligro después de la muerte de su esposa e hijas. Jack sabía que no podía permitirse ese egoísmo. Laurie y John Junior le necesitaban. Si la familia quería vencer al neuroblastoma, tenían que hacerlo en equipo.

Al llegar al Instituto de Medicina Legal, situado en la esquina de la Primera Avenida con la calle Treinta, Jack cruzó la amplia avenida en dirección al camino de entrada del edificio. Aunque este parecía igual desde la avenida que cuando había sido construido, en los años sesenta, se habían efectuado cambios, sobre todo después del 11-S. La antigua zona de carga y descarga había sido sustituida por un aparcamiento más amplio y una serie de puertas de garaje rodantes, con el fin de facilitar la llegada de múltiples vehículos con cadáveres. También había desaparecido la flota de envejecidos coches fúnebres marrones con las palabras HEALTH AND HOSPITAL CORP. pintadas en los lados, aparcados de cualquier manera por toda la calle Treinta, sustituidos por una flota de nuevas furgonetas blancas. En lugar de cargar con su bicicleta hasta el depósito de cadáveres, Jack entró por un garaje, donde podía dejarla a plena vista de una oficina de seguridad mucho mejor administrada.

Dentro del IML había más cambios. Tras aumentar la relevancia del departamento después del 11-S, la legislatura lo recompensó con más personal, equipo y espacio. Habían construido un edificio nuevo a escasas manzanas, en la Primera Avenida, con el fin de albergar el ampliado departamento de biología forense, que incluía muy especialmente el laboratorio de ADN. Aunque en otras ocasiones el IML de Nueva York había vivido momentos difíciles debido a los recortes presupuestarios, hasta perder su prestigioso liderazgo en el campo forense, aquellos días eran cosa del pasado.

Jack contaba ahora con más de treinta colegas, médicos forenses o patólogos forenses, distribuidos por toda la ciudad. El número de investigadores forenses que no eran médicos de la oficina de Manhattan había aumentado, y sus títulos habían cambiado. Ya no se les llamaba ayudantes sanitarios, sino investigadores médico-legales, o IML. También había ocho antropólogos forenses nuevos en plantilla, además de los odontólogos forenses a los que Jack y los demás colegas podían recurrir en los casos que fuera necesaria su aportación.

Jack también se había beneficiado del crecimiento y los cambios. Junto con los departamentos completos de ADN y serología, otras divisiones que incluían archivos, administración, servicios jurídicos y recursos humanos se habían trasladado al nuevo edificio, dejando espacio libre en el edificio antiguo. Todos los médicos forenses tenían ahora sus propias oficinas individuales en la tercera planta. Además del escritorio, Jack contaba con su propia poyata, lo cual significaba que podía dejar su microscopio, su portaobjetos y sus papeles sin temor a que los tocaran.

Jack entró en el edificio con la promesa de imponerse a sus emociones y concentrarse en el trabajo. De repente, experimentó la sensación de encontrarse en una misión, así que no esperó el ascensor, sino que subió a pie. Atravesó las nuevas oficinas del síndrome de muerte súbita del lactante (SMSL) y atajó a través de la antigua sala de historiales médicos, que ahora albergaba el laberinto de cubículos nuevos para investigadores. El turno de noche de investigadores médico-legales estaba terminando los informes para el cambio de turno de las siete y media. Jack saludó con la mano a Janice Jaeger, la investigadora del turno de noche que conocía desde que él había empezado a trabajar en el IML, y con la que solía trabajar en equipo.

Cuando llegó a la oficina de identificación, donde todos los médicos forenses solían empezar su jornada laboral, tiró la chaqueta sobre un envejecido butacón de cuero. Apilados sobre la solitaria mesa, descansaban los expedientes de los casos que habían llegado durante la noche y que caían en la jurisdicción del IML, según el equipo de investigación médico-legal. Estos casos representaban aquellas muertes ocurridas de manera inusual o sospechosa, incluidos suicidios, accidentes, violencia criminal o muerte repentina cuando la víctima aparentaba buena salud.

Jack se sentó a la mesa y empezó a examinar los casos. Le gustaba escoger los más difíciles, porque le concedían la oportunidad de aprender. Eso era lo que más le gustaba de la ciencia forense. Los demás médicos forenses toleraban este comportamiento porque Jack se ocupaba de más casos que nadie.

La jornada matutina normal implicaba que el médico forense que estaba de guardia aquella semana llegaba a primera hora, alrededor de las siete o antes, y examinaba los casos para determinar cuáles necesitaban autopsia y repartirlos después de manera equitativa. Incluso a Jack le tocaba una docena de veces al año, cosa que no le importaba porque siempre estaba accesible.

Al cabo de un par de minutos, Jack descubrió un aparente caso de meningitis en un adolescente de una escuela privada del Upper East Side. Como Jack era más o menos famoso como el gurú de las enfermedades infecciosas, después de haber llevado a cabo con éxito varios diagnósticos en el pasado, leyó el informe con parsimonia y lo dejó a un lado. Pensó que el caso podía irle bien, puesto que muchos de sus colegas rechazaban los casos infecciosos. A él le daba igual.

Jack también se tomó con calma el siguiente caso. Era otro individuo relativamente joven, aunque esta vez de sexo femenino. La víctima era una mujer de veintisiete años que había ingresado en urgencias con un cuadro rápido de confusión y deambulación espástica, que evolucionó a coma y después a su fallecimiento. No se había observado fiebre ni malestar; según sus amigos, era una entusiasta de la vida sana y no consumía drogas ni alcohol. Aunque sus acompañantes estaban tomando cócteles en el momento de su desmayo, afirmaban que la víctima solo había consumido algún refresco.

—¡Oh, mierda! —se lamentó alguien, en voz lo bastante alta para que Jack levantara la cabeza.

Parado en la puerta abierta que conducía a la sala vacía de identificación se hallaba Vinnie Amendola, uno de los técnicos del depósito de cadáveres, con un periódico bajo el brazo. Aún estaba sujetando el pomo de la puerta de comunicación, como si estuviera a punto de cambiar de opinión y huir. Estaba claro que el origen de su exabrupto era la presencia de Jack.

—¿Qué pasa? —preguntó Jack, mientras se preguntaba si habría surgido alguna emergencia.

Vinnie no contestó. Miró a Jack un momento antes de cerrar la puerta a su espalda. Se plantó delante del escritorio de Jack con los brazos cruzados.

—No me digas que estás volviendo a tus antiguas costumbres —dijo.

Jack no pudo reprimir una sonrisa. De pronto comprendió la causa de la ira fingida de Vinnie. Antes de que naciera John Junior, cuando Jack iba a trabajar temprano para escoger los casos de autopsias, arrastraba a Vinnie con él a la sala de autopsias para adelantar el trabajo del día. Además de sus tareas habituales como técnico del depósito de cadáveres, Vinnie era responsable de llegar temprano para facilitar la transición con el trabajo que habían estado haciendo los técnicos del turno de noche, aunque su principal actividad consistía en preparar café para todos y después leer la sección deportiva del *Daily News*.

Si bien Vinnie siempre se quejaba de tener que empezar las autopsias antes de lo decretado por el director del IML, Jack y él formaban un gran equipo pese a las bromas que no paraban de gastarse. Entre ambos podían finiquitar uno y medio, e incluso dos casos, mientras que los demás solo alcanzaban a uno.

—Eso temo, colega —dijo Jack—. Las vacaciones han terminado. Tú y yo vamos a reintegrarnos al trabajo. Es mi decisión de Año Nuevo.

—Pero aún falta un mes para Año Nuevo —protestó Vinnie.

—Mala suerte —respondió Jack. Empujó el expediente de la mujer de veintisiete años en dirección a Vinnie—. Vamos a empezar con Keara Abelard.

—No tan deprisa, superdetective —protestó Vinnie, utilizando el antiguo mote que dedicaba a Jack. Fingió consultar su reloj como si estuviera a punto de rechazar la orden de Jack—. Podría complacerte dentro de, digamos, diez minutos, después de preparar el café de la oficina.

Sonrió. Al fingir lo contrario, había pasado por alto su relación especial con Jack, basada en empezar a trabajar temprano.

—Trato hecho —dijo Jack. Después de entrechocar las palmas de las manos con Vinnie, volvió a su pila de historiales.

—Como dejaste de llegar temprano cuando nació tu hijo, pensé que era un cambio de horario permanente —dijo Vinnie, mientras llenaba la cafetera de café recién molido, cuyo aroma impregnó enseguida la habitación.

—Fue tan solo una medida temporal —respondió Jack. Aunque casi todo el mundo en el IML estaba enterado del nacimiento de su hijo, nadie, por lo que Jack sabía, estaba al tanto de la enfermedad del niño. Jack y Laurie eran personas muy celosas de su privacidad.

—¿Cómo sabes que el doctor Besserman no quiere a esta Keara Abelard para él?

—Es el médico forense de guardia esta semana, ¿no? Tendría que haber llegado ya.

—Ni más ni menos —repuso Vinnie.

—No creo que se disguste demasiado —dijo Jack con su habitual sarcasmo. Sabía muy bien que Besserman, uno de los médicos forenses de mayor antigüedad, pronto pasaría de practicar autopsias a estas alturas de su carrera. No obstante, Jack garabateó una rápida nota para Arnold, diciéndole que se había hecho cargo del caso Abelard, pero que de buena gana se encargaría de otros dos si era necesario. Pegó el post-it encima de la pila de expedientes y echó hacia atrás la silla.

En menos de veinte minutos Jack y Vinnie habían bajado a la sala de autopsias, que se había renovado bastante durante el año anterior. Ya no estaban los antiguos fregaderos de saponita; en su lugar había de composite modernos. También habían desaparecido las gigantescas vitrinas con las colecciones de instrumentos de autopsia de aspecto medieval; en su lugar había conjuntos de formica anodinos con puertas sólidas y mucho más espacio.

—¡Al ataque! —dijo Jack.

Mientras rellenaba los primeros impresos, Vinnie no solo había depositado el cadáver sobre la mesa y los rayos X en el negatoscopio, sino que también había dispuesto todos los pertrechos, incluidos los instrumentos que, en su opinión, Jack acabaría utilizando: frascos de muestras, conservantes, etiquetas, jeringas y etiquetas de protección de pruebas, en caso de que Jack detectara algún indicio delictivo.

—¿Qué estás buscando? —preguntó Vinnie, mientras Jack llevaba a cabo su examen externo exhaustivo. Exploró todo el cuerpo, pero dedicó particular atención a la cabeza.

—Señales de traumatismos, para empezar —dijo Jack—. Por ahora esta es mi teoría favorita. También podría haber sido un aneurisma, por supuesto. Por lo visto, presentó un cuadro de desorientación y espasmos muy rápido, que condujo al coma y la muerte. —Jack miró en los dos canales auditivos externos. Después, utilizó un oftalmoscopio para examinar los ojos—. Según los testigos, estaba tomando unas copas con unos amigos. No probaba el alcohol, dicen, y nada de drogas.

—¿Pudieron envenenarla?

Jack se enderezó y miró a Vinnie.

—Una extraña sugerencia en este momento. ¿Por qué lo has pensado?

—Anoche salió un envenenamiento en un programa de la tele.

Jack rió detrás de la mascarilla.

—Una interesante fuente de diagnósticos diferenciales. Supongo que no es muy probable, pero tendremos que hacer una batería de pruebas serológicas. También hemos de comprobar que no estuviera embarazada.

—Muy buena la idea del embarazo. Eso también pasaba en el programa de anoche. El novio quería deshacerse del niño y de la madre al mismo tiempo.

Jack no contestó. Empezó a examinar con sumo detenimiento el cuero cabelludo de Keara. Su pelo, espeso y largo hasta los hombros, dificultaba su avance.

—Es imposible que sea un caso de infección, ¿verdad? —preguntó Vinnie.

Nunca le habían gustado los gérmenes. De hecho, los detestaba. Ya fueran bacterias, virus o «cualquier cosa intermedia», tal como llamaba a algunos de los demás agentes infecciosos, siempre evitaba el contacto lo máximo posible, al menos hasta que Jack llegaba. Desde entonces, debido al número de casos infecciosos de los que Jack se había ocupado, se había acostumbrado a esta fobia. Aquella mañana, Jack y él solo llevaban trajes de Tyvek, mascarillas médicas normales, gorros de cirujano y protectores faciales de plástico curvo sobre la ropa. Durante algunos años, la dirección había dictado protección completa en todos los casos con lo que llamaban «trajes espaciales», pero la situación había cambiado y ahora cada médico forense podía utilizar lo que considerara más apropiado. Lo mismo ocurría con los técnicos del depósito de cadáveres.

—Existen todavía menos posibilidades de infección que de envenenamiento —dijo Jack.

Después de terminar con la cabeza, Jack examinó con detenimiento el cuello. Cuando finalizó, estaba razonablemente seguro de que no había señales de traumatismos, pues el examen externo había resultado normal por completo. Jack no tenía más idea de lo que había matado a la joven que cuando habían empezado, y como se notaba más impaciente de lo habitual, se sentía irritado de una manera irracional por el hecho de que la paciente le ocultara sus secretos.

Después de tomar muestras de fluido ocular, orina y sangre para toxicología, y echar un vistazo a los rayos X por si le daban alguna pista sobre la causa de la muerte, Jack empezó la fase interna de la autopsia. Utilizó la típica incisión en «Y» desde los extremos de los hombros hasta el pubis, y después, con la ayuda de Vinnie, extrajo los órganos y los examinó de uno en uno.

—Cuando laves los intestinos, comprobaré que no existan trombosis venosas en las venas de las piernas —dijo Jack, pues deseaba abarcar todas las posibilidades. Cada vez más intrigado por la causa de la muerte, estaba entregado por completo al examen. Dejó a un lado tanto su humor negro como las tomaduras de pelo a Vinnie para concentrarse mejor.

Cuando Vinnie regresó con los intestinos lavados, Jack estaba en condiciones de informarle de que, aparte de los demás exámenes negativos, tampoco existían problemas de coágulos con posible embolia cerebral. La causa de la muerte de Keara Abelard seguía siendo un misterio insondable, cuando la mayoría de casos, a aquellas alturas, ya habrían revelado sus enigmas.

Después de acabar con los fragmentos abdominales y torácicos, Jack volvió a centrar su interés en la cabeza de la paciente.

—¡Esto ha de decirnos algo! —exclamó, mientras retrocedía para dejar sitio a Vinnie, quien iba a utilizar la sierra de huesos para extraer la bóveda craneal.

Mientras Vinnie estaba serrando, aparecieron varios de los técnicos del depósito de cadáveres del turno de día, preparados para ayudar a sus médicos forenses designados. Jack ni siquiera reparó en su presencia. Mientras Vinnie continuaba cortando con la ruidosa sierra, Jack empezó a sentirse incómodo. Sin ninguna teoría sobre la causa de la muerte, excepto un aneurisma, cosa que dudaba, tenía la sensación de estar pasando por alto algo importante, y también incluso la de estar cometiendo una equivocación.

En cuanto Vinnie dejó la bóveda craneal a un lado, para después liberar y extraer el reluciente cerebro arrugado, Jack se inclinó hacia delante y su corazón se aceleró un poco. Había sangre oscura en la fosa posterior de la nuca, suficiente para derramarse sobre la mesa de acero inoxidable de la mesa de autopsias.

—¡Maldita sea! —exclamó Jack con evidente pesar, mientras daba un puñetazo con la mano enguantada sobre la esquina de la mesa.

—¿Qué pasa? —preguntó Vinnie.

—¡He cometido un error! —dijo airado Jack.

Se acercó al cuerpo y escrutó las profundidades de la cavidad torácica hasta la cabeza, mientras levantaba la pared anterior del pecho.

—Tenemos que hacer un arteriograma mediante fluoroscopia de la vasculatura hasta el cerebro —dijo Jack en voz alta, en lo que era más una reflexión que una indicación para Vinnie. No cabía duda de que estaba decepcionado consigo mismo.

—Ya sabes que no puedo volver a colocar el cerebro —dijo Vinnie vacilante, preocupado por si Jack le estaba culpando de algo.

—Pues claro que lo sé —replicó Jack—. No podemos invertir lo que ya hemos hecho. Estoy hablando de un arteriograma de la vasculatura que conduce al cerebro, no del cerebro en sí. ¡Vamos a buscar un agente de contraste y una jeringa grande!

# 4

*14.36 h, lunes, 1 de diciembre de 2008,*
*El Cairo, Egipto*
*(7.36 h en Nueva York)*

A través del calor rielante, Sana Daughtry veía el hotel Four Seasons desde el taxi, mientras se abría paso entre el tráfico. Quedarse en él había sido idea de Shawn. En teoría, Sana tendría que haberse hospedado en el Semiramis Intercontinental, donde se celebraba el congreso. Además de ser una de las principales ponentes, también le habían pedido que colaborara en múltiples mesas, y por lo tanto debía quedarse los cuatro días. Habría sido mucho más conveniente para ella alojarse en el Semiramis, porque así habría podido escaparse de vez en cuando a su habitación.

Una vez Shawn decidió apuntarse al viaje, había tomado todas las decisiones relacionadas con él, como por ejemplo la de aplicar el crédito hotelero del Semiramis al más nuevo y mucho más elegante Four Seasons. Cuando Sana se había quejado de los gastos extra innecesarios, Shawn la había informado de que había encontrado un congreso de arqueología a su disposición, lo cual convertía los gastos extra en gastos deducibles. Al llegar a aquel punto, Sana no había discutido. Era absurdo.

Una vez pagó al conductor, Sana bajó del coche. Se alegró de hacerlo. El conductor la había ametrallado a preguntas. Sana era una persona muy reservada, al contrario que su marido, quien podía iniciar una conversación prácticamente con cualquiera. En opinión de Sana, no sabía distinguir muy bien entre lo que era privado y lo que podía destinar al consumo público. Incluso en algunas ocasiones, le había parecido que Shawn intentaba impresionar a los desconocidos, sobre todo de sexo femenino, con información acerca de su costoso estilo de vida en Nueva York, que incluía vivir en una de las pocas casas hechas de tablillas con armazón de madera que quedaban en el West Village. No tenía ni idea de por qué le gustaba jactarse de tal cosa, aunque suponía que, desde un punto de vista psicológico, reflejaba cierta inseguridad.

El portero recibió a Sana con cordialidad cuando entró en el vestíbulo del hotel. Esperaba encontrar a Shawn en la piscina, ya que estaba mucho menos preocupado que ella por asistir a su congreso. Durante los últimos días había entablado conversación con una o dos mujeres junto a la piscina, que ahora sabrían más sobre su vida de lo que Sana prefería. Pero estaba decidida a no permitir que la afectara como en el pasado. En más de una ocasión había pensado que tal vez era ella la excepción, no Shawn. Tal vez era una mojigata y tenía que relajarse.

Un caballero de aspecto juvenil y vestido con elegancia consiguió subir al ascensor justo antes de que las puertas se cerraran. Era evidente que había corrido los últimos metros, porque respiraba aceleradamente. Miró a Sana y sonrió. Sana clavó la vista en el indicador de los pisos. El hombre iba vestido con traje occidental, complementado con un pañuelo de bolsillo. Al igual que Shawn, tenía un aire internacional, pero era una versión mucho más joven y atractiva.

—Un día estupendo, ¿verdad? —anunció el hombre con un evidente acento norteamericano. Al contrario que Shawn, por lo visto no sentía la necesidad de afectar un acento inglés cuando hablaba con desconocidos.

De haber ido acompañada por alguien más en el ascensor,

Sana habría supuesto que el hombre había dirigido la palabra a los demás. Le miró a los ojos y calculó que tendría más o menos su edad, veintiocho años. A juzgar por su atuendo, debía de ser un hombre con bastante éxito en los negocios.

—Hace un día precioso —admitió Sana, en un tono que no animaba a proseguir la conversación. Devolvió su atención al indicador de plantas. Su acompañante había echado un vistazo a los botones, pero sin apretar ninguno. ¿Se alojaría en su planta? Y si no era así, ¿debería sentirse preocupada?, se preguntó Sana en silencio. Un segundo después se reprendió. Era una auténtica mojigata.

—¿Es usted de Nueva York? —preguntó el hombre.

—Sí —contestó Sana, y cayó en la cuenta de que, si su marido estuviera en el ascensor y una mujer hiciera las preguntas, ya se habría lanzado a ofrecer una minibiografía de sus años de infancia en Columbus, Ohio, las becas recibidas para la diplomatura en Amherst y la licenciatura en Harvard, para luego ir ascendiendo en la jerarquía del Metropolitan hasta ser el amo del cotarro del arte de Oriente Próximo, todo ello en el tiempo que habrían tardado en llegar al octavo piso.

—Buenos días —dijo el hombre cuando Sana salió a la mullida alfombra del pasillo. No abandonó el ascensor. Mientras Sana se encaminaba a su habitación maldijo su paranoia, y se preguntó si habría vivido demasiado tiempo en Nueva York. De haber estado Shawn en el ascensor con una mujer, muy posiblemente habrían terminado en alguno de los numerosos bares del hotel tomando una copa.

Sana se detuvo. La sociabilidad desenfadada de Shawn le irritaba de repente. ¿Por qué? ¿Por qué ahora? Suponía que era debido a su nuevo comportamiento, y ahora que la angustia por el congreso había desaparecido, podía pensar en temas más personales. En el pasado, Shawn siempre se había mostrado admirable y sinceramente considerado acerca de su nivel de satisfacción, sobre todo durante su tórrido noviazgo de seis meses. Durante el último año, y desde luego durante el viaje actual, no había sido el caso. Cuando había conocido a Shawn en la inauguración de una galería de Nueva York, hacía casi cuatro años, ella estaba defendiendo su tesis de doctorado sobre el ADN mitocondrial, y su afecto y atenciones la habían seducido. También la había seducido su erudición. Hablaba con fluidez más de media docena de exóticas lenguas de Oriente Próximo, y sabía cosas sobre arte e historia que a ella le habría gustado saber. Comparada con la amplitud de sus conocimientos, ella parecía la clásica científica de mente estrecha.

Se puso a caminar de nuevo, pero a un paso mucho más lento, y se preguntó si su madre había estado en lo cierto. Tal vez la diferencia de veintiséis años entre ellos era excesiva. Al mismo tiempo, recordaba muy bien las dificultades que le había ocasionado la escasa madurez de los hombres de su edad, que llevaban la gorra de béisbol al revés y se comportaban como unos perfectos capullos. Al contrario que casi todas sus amigas, nunca le había interesado tener hijos. Muy pronto tomó conciencia de sus tendencias intelectuales, y por lo tanto descubrió que era demasiado egoísta. Para ella, los hijos de Shawn, de su primer y tercer matrimonio, eran suficientes para satisfacer los escasos instintos maternales que poseía.

Mientras sacaba la tarjeta de acceso, pensó en su partida, programada para la mañana siguiente. Antes del viaje, se había llevado una decepción cuando Shawn se negó a acompañarla a Luxor para ver las tumbas de los nobles y el Valle de los Reyes. Sin consideración hacia sus sentimientos, dijo que ya los había visto y no tenía tiempo libre que dedicarles. Pero ahora que su congreso de ADN había terminado, Sana se alegró de no haber planificado la excursión. No llevaba trabajando el tiempo suficiente en la facultad de medicina de la Universidad de Columbia para sentirse segura, sobre todo con varios experimentos cruciales en curso.

Entró en la habitación con un movimiento veloz y continuo, y antes de que la puerta tuviera tiempo de cerrarse, se había desabrochado los dos botones superiores de la blusa y se encontraba a mitad de camino del baño. Vio a Shawn y paró en seco cuando él se puso en pie de un brinco. Se miraron. Sana fue la primera en hablar, cuando vio una lupa en las manos enguantadas de Shawn.

—¿Qué estás haciendo aquí? ¿Por qué no estás en la piscina?

—¡Podrías haber llamado a la puerta!

—¿Acaso tengo que llamar a mi propia habitación? —preguntó ella, con un tono algo sarcástico.

Shawn lanzó una risita, como reconociendo la falta de lógica de sus palabras.

—Supongo que ha sonado un poco absurdo. Al menos, no tendrías que haber irrumpido como si se hubiera declarado un incendio. Me has dado un susto de muerte. Estaba muy concentrado.

—¿Por qué no estás en la piscina? —repitió Sana. La puerta se cerró con estrépito a su espalda—. Es nuestro último día, por si lo has olvidado.

—No me he olvidado —dijo Shawn con ojos brillantes—. He estado ocupado.

—Ya veo —replicó Sana, mirando los guantes de algodón y la lupa. Continuó desabrochándose la blusa y entró en el cuarto de baño. Shawn se plantó en el umbral.

—Acabo de hacer el que consideré que había sido mi mayor descubrimiento arqueológico en esa tienda de antigüedades de la que te hablé. Donde compré la vasija egipcia predinástica.

—Perdona —se disculpó Sana, alejando a Shawn del umbral para poder cerrar la puerta casi por completo. No le gustaba cambiarse delante de nadie, ni siquiera de Shawn, sobre todo desde que su nivel de intimidad había empezado a descender—. Me acuerdo —dijo en voz alta—. ¿Está relacionado con los guantes blancos y la lupa?

—Por supuesto —respondió Shawn a la puerta—. El conserje me proporcionó los guantes y la lupa. ¡Eso sí que es servicio de habitaciones!

—¿Vas a hablarme de tu descubrimiento, o he de adivinarlo?

—preguntó Sana, ahora interesada. En lo tocante a su profesión, Shawn no exageraba. Sin duda, había llevado a cabo cierto número de descubrimientos importantes en múltiples emplazamientos de todo Oriente Próximo a principios de su carrera. Eso fue antes de convertirse en un reputado conservador, cuyas responsabilidades habían derivado más hacia la supervisión y la recogida de fondos que hacia el trabajo de campo.

—Sal, te lo enseñaré.

—¿No es tan bueno como pensabas? Me he dado cuenta de que has utilizado el pasado.

—Al principio me llevé una decepción, pero ahora creo que es cien veces mejor de lo que me dijo mi impresión inicial.

—¿De veras? —preguntó Sana. Se detuvo, con la parte inferior del traje de baño a mitad de los muslos. Ahora sí que le había picado la curiosidad. ¿Qué podría haber encontrado Shawn merecedor de tal descripción?

—¿Vas a salir? Me muero de ganas de enseñártelo.

Sana acomodó su trasero en el traje y ajustó la ingle, y después se miró en el espejo de cuerpo entero de la puerta del cuarto de baño. Lo que vio la hizo razonablemente feliz. Devota corredora, tenía una figura esbelta y atlética, y pelo castaño claro, corto, aunque sano. Recogió su ropa y abrió la puerta. Dejó la ropa con cuidado sobre la cama y se acercó al escritorio.

—Toma, ponte esto —dijo Shawn, al tiempo que le tendía un segundo par de guantes blancos recién lavados—. Los compré especialmente para ti.

—¿Qué es, un libro? —preguntó Sana, una vez enfundados los guantes. Vio un volumen de aspecto antiguo, encuadernado en piel, que descansaba en una esquina de la mesa.

—Se llama códice —respondió Shawn—. Es un ejemplar de los primeros libros que sustituyeron a los rollos de pergamino, pues tienen más espacio para escribir y puedes acceder con mucha más facilidad a las diversas partes del texto. Lo que lo diferencia de un libro real, como la Biblia de Gutenberg, es que está confeccionado por completo a mano. ¡Trátalo con cuidado!

Tiene más de mil quinientos años de antigüedad. Se ha conservado durante más de un milenio y medio porque estaba encerrado dentro de una vasija enterrada en la arena.

—Dios mío —dijo Sana. No estaba segura de querer coger algo tan antiguo, por miedo a que se desintegrara en sus manos.

—¡Ábrelo! —le animó él.

Sana volvió la cubierta con cautela. Estaba rígida, y el encuadernado se quejó audiblemente.

—¿De qué está hecha la cubierta?

—Es una especie de bocadillo de piel reforzado con capas de papiro.

—¿De qué material son las páginas?

—Todas las páginas son de papiro.

—¿Y el idioma?

—Se llama copto, que es una especie de versión escrita del egipcio antiguo, utilizando el alfabeto griego.

—¡Asombroso! —exclamó Sana. Estaba impresionada, pero se preguntó por qué Shawn había dicho que se trataba de un descubrimiento tan importante para él. Algunas de las estatuas que había hallado en Asia Menor le parecían mucho más sustanciosas.

—¿Te das cuenta de que han arrancado una amplia sección del libro?

—Sí. ¿Es importante?

—¡Muchísimo! Cinco de los textos individuales originales de este códice en particular fueron extraídos durante los años cuarenta para venderlos a Estados Unidos. Se rumorea que otras páginas fueron arrancadas para encender el fuego de la cocina en una cabaña de barro de agricultores.

—Eso es terrible.

—Ya lo creo. Más de un estudioso se ha estremecido solo de pensarlo.

—También observo que han abierto por el borde la parte interior de la cubierta.

—Yo mismo lo he hecho con muchísimo cuidado hace una hora, con la ayuda de un cuchillo para cortar carne.

—¿Ha sido prudente? Quiero decir, teniendo en cuenta la antigüedad de este objeto. Imagino que existen herramientas mucho más apropiadas que un cuchillo de cortar carne.

—No, no creo que fuera prudente, pero lo he hecho porque no he podido resistirme. En aquel momento estaba terriblemente decepcionado con el contenido del códice. Había esperado una mina de oro, y en cambio he rescatado algo equivalente al trabajo de una de las primeras fotocopiadoras del mundo.

—Creo que no te sigo —admitió Sana. Devolvió el libro a Shawn para librarse de la responsabilidad. Se quitó los guantes. El entusiasmo de su marido era palpable. Sana estaba más que intrigada.

—No me sorprende.

Cogió el códice y lo devolvió a su sitio anterior, en la esquina del escritorio. En mitad de la mesa, bajo la luz de una lámpara de mesa y otra de pie, había tres páginas individuales sujetas por varios objetos, incluidos un par de gemelos antiguos de Shawn. Las páginas estaban muy arrugadas, debido a que habían estado dobladas durante mil años. Eran también de papiro, como las páginas del códice, pero parecían más antiguas. Los bordes se habían ennegrecido hasta el punto de parecer quemados.

—¿Qué es eso? —preguntó Sana, al tiempo que señalaba las hojas—. ¿Una carta?

Vio que la primera página contenía una posible dirección y la última, una firma.

—Ah, la mente científica ataca de inmediato el intríngulis del asunto —dijo Shawn con regocijo. Con las palmas hacia abajo y los dedos extendidos, pasó las páginas con reverencia, como si les rindiera culto—. Es una carta, en efecto, una carta muy especial escrita en 121 d. C. por un obispo septuagenario de la ciudad de Antioquía llamado Saturnino. Era la respuesta a una carta anterior que le había escrito un obispo de Alejandría llamado Basílides.

—¡Santo Dios! —exclamó Sana—. Eso es a principios del siglo II.

48

—Exacto —comentó Shawn—, un siglo después de Jesús de Nazaret. Una época precaria para la Iglesia primitiva.

—¿Son famosos los dos hombres?

—¡Buena pregunta! Basílides es bien conocido entre los estudiosos de la Biblia, y Saturnino mucho menos, aunque he encontrado referencias a él en un par de ocasiones. Tal como documenta esta carta, Saturnino fue estudiante o ayudante de Simón el Mago.

—Oí ese nombre en mi infancia.

—Sin duda. Era y es el típico malo de escuela dominical, así como el padre de todas las herejías, al menos según algunos padres de la Iglesia cristiana primitiva. De hecho, su intento de comprar a san Pedro la capacidad de curar está en el origen de la palabra «simonía».

—¿Y Basílides?

—Fue un hombre muy activo aquí en Egipto, en Alejandría, para ser exactos, y un prodigioso escritor. También se le reconoce como uno de los primeros pensadores gnósticos, sobre todo por añadir un claro sello cristiano al gnosticismo al centrar su teología gnóstica en Jesús de Nazaret.

—Ayúdame —dijo Sana—. He oído la palabra «gnosticismo», pero no sería capaz de definirla.

—Con palabras sencillas, fue un movimiento que predicaba el cristianismo, en último extremo mezclando aspectos de las religiones paganas, el judaísmo y el cristianismo en una sola secta. La palabra «gnosticismo» procedía de la palabra griega *gnosis*, que significa conocimiento intuitivo. Para los gnósticos, el conocimiento de la divinidad era lo esencial, y quienes poseían el conocimiento creían que tenían la chispa de la divinidad, hasta el punto de que gente como Simón el Mago pensaba que era, al menos en parte, divino.

—Y luego te quejas de que mi ciencia del ADN es complicada —bufó Sana.

—Esto no es tan complicado, pero volvamos a Basílides. Fue uno de los primeros gnósticos, y también cristiano, si bien la palabra «cristiano» no existía todavía. Creía que Jesús de Nazaret era el Mesías esperado. Sin embargo, no creía que Cristo hubiera bajado a la tierra para redimir a la humanidad con su sufrimiento en la cruz, como casi todos sus demás hermanos cristianos. En cambio, Basílides creía que la misión de Jesús había tenido como objetivo el esclarecimiento, o gnosis, para enseñar a la humanidad a liberarse del mundo físico y alcanzar la salvación. Los gnósticos como Basílides eran unos expertos en filosofía griega y mitología persa, pero sabían muy poco del mundo material que, según ellos, encarcelaba a la humanidad y era el origen de todos los pecados.

Sana se inclinó sobre la carta para mirarla más de cerca. Desde lejos la impresión parecía uniforme, como hecha a máquina, pero tras una inspección más detenida, leves variaciones demostraban que había sido escrita a mano.

—¿Es copto también? —preguntó.

—No, la carta está escrita en griego antiguo —dijo Shawn—, lo cual no es sorprendente. El griego, todavía más que el latín, era la *lingua* franca de la época, sobre todo en el Mediterráneo oriental. Tal como sugiere el nombre, Alejandría fue uno de los centros del mundo heleno fundado por las hazañas militares de Alejandro Magno.

Sana se enderezó.

—¿Esta carta formaba parte del códice, o la introdujeron en el libro con posterioridad, como una ocurrencia tardía?

—No se trata de una ocurrencia tardía, desde luego —fue la críptica respuesta de Shawn—. Fue hecho aposta, pero no por la razón que podrías imaginar. ¿Recuerdas cómo he descrito la cubierta del códice? Junto con otros fragmentos de papiro, esta carta fue emparedada detrás de la piel para convertirla en lo que nosotros llamaríamos hoy un libro de tapa dura. Me han dicho que lo hicieron con otros volúmenes de este particular tesoro hallado de códices.

—¿Has encontrado más de uno?

—No, solo me he tropezado con este códice, pero lo reconocí al instante. Ven, siéntate. Tengo que darte algunas explicaciones, sobre todo porque mañana no volveremos a casa tal como habíamos planeado.

—¿De qué estás hablando? —preguntó Sana—. He de volver para reanudar varios experimentos.

—Tus experimentos tendrán que esperar al menos un día, dos a lo sumo.

Shawn apoyó la mano sobre el hombro de Sana, en un intento de sentarla en el sofá.

—Tú puedes esperar si quieres, pero yo me voy —replicó ella, mientras apartaba la mano de su hombro. No iba a permitir que la intimidaran.

Por un momento, marido y mujer se fulminaron con la mirada. Después, ambos se calmaron sin llegar al insulto.

—Has cambiado —comentó Shawn por fin. Parecía más sorprendido que irritado por su inesperada rebelión.

—Creo que puedo afirmar sin temor a equivocarme que tú también has cambiado —replicó Sana.

Se esforzó por eliminar de su voz cualquier matiz de irritación. No quería enzarzarse en una larga e interminable discusión emocional con su marido en aquel momento. Además, él tenía razón. Había cambiado, no de una forma acusada, sino muy real, una reacción al cambio experimentado en él.

—Creo que no lo entiendes —dijo Shawn—. Es muy posible que esta carta me conduzca a la apoteosis de mi carrera. Para aprovechar la circunstancia, voy a necesitar tu ayuda durante un día, dos como máximo. Debo averiguar si Saturnino, el autor, estaba diciendo la verdad. Por eso, mañana por la mañana volaremos a Roma.

—¿Necesitas mi ayuda literal o figuradamente? —preguntó Sana. Para ella, eran dos cosas muy diferentes.

—¡Literalmente!

Sana respiró hondo y miró a su marido. Parecía sincero, lo cual cambió la situación en su mente. Nunca le había pedido ayuda.

—De acuerdo —dijo. Se sentó—. Aún no he accedido, pero escucharé tu explicación.

Shawn, con renovado entusiasmo, cogió la silla del escritorio y la plantó delante de Sana. Se sentó y echó el cuerpo hacia delante, con ojos destellantes.

—¿Has oído hablar de los Evangelios Gnósticos encontrados en Egipto, en la población de Nag Hammadi, en 1945?

Sana negó con la cabeza.

—¿Y del libro *Los evangelios gnósticos*, de Elaine Pagels?

Sana negó con la cabeza de nuevo con un toque de irritación. Shawn siempre le estaba preguntando si había leído tal o cual tratado, y ella siempre contestaba que no. Sana era bióloga molecular, así que no le quedaba mucho tiempo libre para asistir a cursos de artes liberales, y por eso a menudo se sentía inferior.

—Me sorprende —dijo Shawn—. Elaine Pagels se convirtió en un *best-seller*, un auténtico bombazo comercial que puso al gnosticismo en el mapa.

—¿Cuándo fue publicado?

—No lo sé, hacia 1979, supongo.

—Shawn, yo nací en 1981. ¡Dame un respiro!

—¡Cierto! ¡Lo siento! Siempre me olvido. Sea como sea, su libro hablaba del significado de lo que habían descubierto en Nag Hammadi, que consistía en trece códices, incluido el que he encontrado hoy. Este libro formaba parte de aquel hallazgo que, de una tacada, duplicó los libros existentes acerca del pensamiento gnóstico. En muchos sentidos, el hallazgo fue de la misma categoría que los Manuscritos del mar Muerto encontrados en Palestina dos años después.

—He oído hablar de los Manuscritos del mar Muerto.

—Bien, hay gente convencida de que los textos de Nag Hammadi poseen la misma importancia para comprender el pensamiento religioso de la época de Cristo.

—Y este libro que has encontrado hoy es uno de los códices descubiertos en 1945.

—Correcto. Se le conoce, de manera muy apropiada, como el Código Número Trece.

—¿Dónde están los demás?

—Están aquí, en el Museo Copto de El Cairo. La mayoría han sido confiscados por el gobierno egipcio después de que algunos se vendieran. Estos consiguieron volver a su lugar de origen.

—¿Cómo se separó de los demás este número trece?

—Antes de contestarte a eso, deja que te haga un resumen de la historia del descubrimiento de la biblioteca de Nag Hammadi. Es fascinante. Dos jóvenes campesinos llamados Khalifah y Muhammed Ali se hallaban en el borde del desierto, cerca de la Nag Hammadi moderna, en teoría buscando una especie de suelo fertilizante conocido como *sabakh*. El lugar donde estaban buscando se hallaba en la base de un risco llamado Jabal al-Tarif que, por cierto, está plagado de cuevas, tanto naturales como artificiales. Su método era escarbar a ciegas en la arena con sus azadas. No sé de qué sirve eso, pero el día del descubrimiento, para su sorpresa, en lugar de encontrar *sabakh*, uno de ellos oyó un sospechoso ruido metálico hueco cuando introdujo su azada en la duna. Apartó la arena y se topó con una vasija de barro cocido herméticamente cerrada, de un metro de altura más o menos. Con la esperanza de descubrir antigüedades egipcias, vieron que había códices en el interior.

—¿Se hicieron alguna idea del valor de lo que habían encontrado?

—En absoluuto. Se llevaron a casa el hallazgo, pero lo dejaron tirado al lado de la cocina, y la madre utilizó algunas hojas de papiro para encender el fuego.

—Qué tragedia.

—Como ya he dicho, hay estudiosos que todavía se estremecen al pensarlo. Sea como sea, amigos y vecinos de los chicos, incluido un imán musulmán que también era profesor de historia, sospecharon que eran valiosos y se aprestaron a intervenir. El códice que he encontrado hoy bajó por el Nilo hasta llegar a El Cairo vía diversos anticuarios. Cinco de sus textos desaparecidos, que resultaron ser los más extraordinarios, fueron robados y trasladados de contrabando a Estados Unidos. Por suerte, en esa época los agentes del gobierno egipcio fueron alertados, y consiguieron comprar o confiscar los códices restantes, incluidas ocho páginas robadas del número trece. Este no lo encontraron, y se extravió en el inventario de antigüedades de alguien, que lo guardó hasta que hallara el momento adecuado de colarlo. Yo diría que quedó olvidado hasta hace poco, cuando mi amigo Rahul tuvo acceso a él. Mi aparición de hoy ha sido claramente milagrosa. Está en contacto con varios conservadores de todo el mundo. No le habría costado nada deshacerse de él.

—Pero ¿no es ilegal venderlo, incluso poseerlo?

—¡Por supuesto!

—¿Y eso no te molesta?

—Pues no. Me considero una especie de rescatador. No albergo la intención de conservarlo. Mi objetivo desde el primer momento fue convertirme en la persona que publicara el contenido y aprovechara los beneficios profesionales. Por desgracia, eso ya no es posible.

—¿Por qué no? ¿Cuántos textos quedan en el códice?

—Bastantes.

—¿Qué son exactamente esos textos de Nag Hammadi?

—Son copias coptas de originales griegos con títulos como el Evangelio de Tomás, el Evangelio de Felipe, el Evangelio de la Verdad, el Evangelio de los Egipcios, el Libro Secreto de Santiago, el Apocalipsis de Pablo, la Carta de Pablo a Felipe, el Apocalipsis de Pedro, y así sucesivamente.

—¿Cuáles son los títulos de los textos que quedan en el Códice Número Trece?

—Ese es el problema. Todos los textos restantes son copias adicionales de textos encontrados previamente en los doce primeros códices. Incluso entre los cincuenta y dos textos iniciales de esos doce volúmenes, solo cuarenta eran obras nuevas. Son similares a ese respecto a los Manuscritos del mar Muerto, donde también se detectaron algunas repeticiones.

—Lo cual nos conduce a la carta que encontraste emparedada en la cubierta.

—Exacto —dijo Shawn. Se puso en pie, levantó con cuidado las tres páginas y regresó de inmediato a su silla—. ¿Quieres que te lo lea, cosa que no haré con mucha fidelidad al texto original, o te conformas con que te lo resuma? Sea como sea, no dejará de ser una las cartas de mayor importancia histórica de la historia del mundo.

Sana se quedó boquiabierta, fingiendo asombro. Hasta puso los ojos en blanco.

—¿Estás desarrollando una nueva tendencia hacia la hipérbole? Antes has dicho que lo que encontraste hoy era cien veces mejor que tus anteriores hallazgos arqueológicos más importantes, o algo por el estilo. ¿Ahora ha ascendido a la categoría de una de las cartas de mayor importancia histórica de la historia del mundo? ¿No te estás pasando un poco?

—No estoy exagerando —respondió Shawn con ojos brillantes.

—Vale —dijo Sana—. Creo que lo mejor será que intentes leerme toda la carta. No quiero perderme nada. Has hablado de Jesús de Nazaret. ¿La carta se refiere a él?

—Sí, pero de manera indirecta —repuso Shawn. Carraspeó.

Mientras su marido empezaba a leer, Sana desvió la vista hacia la ventana. Al fondo, el sol arrancaba reflejos deslumbrantes de la superficie del Nilo. En el horizonte se cernían las famosas pirámides de Giza, con la Gran Pirámide alzándose sobre las demás. Si la antigua carta resultaba ser la mitad de importante de lo que Shawn insinuaba, no habría deseado un lugar mejor para escuchar su traducción.

# 5

*8.41 h, lunes, 1 de diciembre de 2008,*
*Nueva York*
*(15.41 h, El Cairo, Egipto)*

—Maldita sea, Vinnie —gruñó Jack Stapleton. Se encontraba junto al costado izquierdo del cuerpo de Keara Abelard. Llevaba inclinado sobre la espalda de la mujer más de veinte minutos, e iba desprendiendo con sumo cuidado fragmentos de los forámenes transversos cervicales con sus gubias, con el fin de intentar dejar al descubierto las dos arterias verticales que ascendían a través del cuello. Las arterias atravesaban cada vértebra lateralmente, antes de describir una curva en forma de «S» alrededor del atlas, o primera vértebra cervical.

—Lo siento —dijo Vinnie, pero sin suficiente sinceridad.

—¿Es que no ves lo que estoy intentando hacer?

—Sí, sé lo que estás intentando hacer. Estás tratando de dejar al descubierto las dos arterias vertebrales.

El cuello de Keara estaba apoyado sobre un bloque de madera, con la cara apuntando hacia el suelo, encima de la mesa, mientras que su bóveda craneal sin cerebro apuntaba hacia la puerta de la sala de autopsias. El cerebro descansaba en solitario sobre una tabla de cortar situada al pie de la mesa.

Vinnie estaba parado en el extremo de la mesa, con las manos a cada lado de la cabeza de Keara, intentando mantenerla inmóvil mientras Jack desprendía fragmentos de hueso. El procedimiento era lento. La idea consistía en dejar al descubierto las arterias sin dañarlas. Jack iba documentando sus progresos con una serie de fotografías digitales.

—Si no eres capaz de mantener la cabeza inmóvil, tendré que encontrar a alguien que pueda hacerlo. No quiero estar toda la vida trabajando en esto.

—Ya está bien —se quejó Vinnie—. He captado el mensaje. Por un segundo me he puesto a pensar en los Giants y en la posibilidad de que no puedan llegar a la Super Bowl, y mucho menos ganarla.

Jack cerró los ojos y contó en silencio hasta diez. Sabía que estaba siendo severo con Vinnie. Sostener un pedazo de cuerpo mientras otro lo iba despedazando era un trabajo difícil, y a él no le habría gustado hacerlo. De todos modos, había que resolver el caso. El problema era que su inestabilidad emocional estaba provocando que tuviera menos paciencia de la acostumbrada.

—Intenta concentrarte un poco más —dijo Jack, con un manifiesto esfuerzo por serenar la voz—. Acabemos de una vez.

—Entendido, jefe —contestó Vinnie, y apretó con más fuerza la cabeza de la mujer.

El resto de la sala de autopsias era una colmena en plena actividad, con las ocho mesas en uso, pero Jack ni se daba cuenta. Ya tenía un diagnóstico preliminar sobre la causa de la muerte de Keara, y en ello focalizaba su atención. El arteriograma mostraba un bloqueo casi completo de ambas arterias vertebrales, la fuente de casi todo el suministro de sangre al cerebro. Daba la impresión de que el bloqueo se había producido durante un período de tiempo relativamente breve. Pero ¿por qué? ¿Era algo natural, como en algunas embolias, o accidental, como en una herida? El hecho de que fuera tan simétrico era lo más difícil de explicar. Era un caso único para Jack, y había dejado de culparse por no efectuar un arteriograma vertebral antes de extraer el cerebro. Había sido una equivocación, pero no tan perjudicial.

Veinte minutos después, Vinnie se inclinó hacia delante para echar un vistazo a los progresos de Jack.

—Creo que va bien —comentó.

Jack se enderezó complacido. El panorama parecía una ilustración de un libro de texto de anatomía del curso de las arterias vertebrales, sobre todo en la base del cráneo.

—¿Ves la mancha azulina y la hinchazón alrededor de las curvas en «S» de ambos lados? —preguntó Jack—. Acércate para verlo mejor.

Vinnie cambió de sitio con Jack. Comprendió lo que su colega quería decir. Cada arteria vertebral tenía una sección de entre cinco y siete centímetros de un tono azulino destacado, la derecha algo más pronunciada que la izquierda.

—¿Qué crees que es? —preguntó Vinnie.

Jack se encogió de hombros.

—A mí me parece algún tipo de lesión, pero como hay cero contusiones en el cuello, es un poco raro. De hecho, la mujer no presentaba traumatismos de ningún tipo. La simetría es lo más peculiar.

—¿Podría ser un latigazo cervical, o algo por el estilo?

—Supongo que sí, pero en su historial constaría algún antecedente al respecto. Cuando leí el informe de la investigación médico-legal, no vi ninguna mención a un accidente de tráfico. Creo que voy a investigar un poco por mi cuenta. Tiene que existir una explicación.

—Y ahora, ¿qué?

—Más fotos —dijo Jack, al tiempo que cogía la cámara digital—. A continuación, extraeremos ambas arterias y examinaremos el interior.

Diez minutos después, Jack tenía las venas sobre la tabla de cortar con el cerebro. Parecían dos pequeñas serpientes rojas descabezadas que hubieran engullido algo azul. La decoloración era más evidente que antes.

—Vamos a ver qué pasa —dijo Jack.

Inmovilizó cada vaso sanguíneo entre el pulgar y el índice

de su mano izquierda, y utilizó la derecha para efectuar una cuidadosa incisión a través de un lado de la pared de cada arteria. Después, abrió ambas a lo largo y las extendió del revés sobre la tabla de disección.

—¿Quieres echar un vistazo? —preguntó, sin soltar el escalpelo.

—¿Qué estoy mirando? —preguntó Vinnie.

—Se llama disección —explicó Jack—. Una disección bilateral de las arterias vertebrales. Yo nunca había visto una.

Jack utilizó el mango del escalpelo y señaló un punto justo antes de la curva en «S» de las arterias, donde se elevaban y pasaban por encima de la primera vértebra cervical.

—¿Ves este desgarro en la túnica íntima? En ambas arterias aparece un desgarro en el punto situado entre el atlas y el axis. En tal situación, lo que sucede es que la presión arterial obliga a la sangre a introducirse en el desgarro y abomba la túnica íntima de las arterias hasta separarla de la pared fibrosa del vaso sanguíneo, lo cual bloquea a la larga la luz del vaso. Entonces, el cerebro se ve despojado de una gran parte del suministro de sangre, y bingo, se apagan las luces.

—Lo cual significa que cae el telón para la víctima.

—Me temo que sí —admitió Jack.

Con la patología determinada, el resto de la autopsia continuó a buen ritmo. Veinte minutos después, Jack salió de la sala de autopsias y descubrió que el doctor Besserman le había asignado una segunda autopsia, el caso de la meningitis en la escuela privada. Mientras esperaba a que Vinnie la preparara, Jack se quitó el traje de Tyvek y llevó el historial de Keara Abelard al vestuario.

Se puso cómodo y volvió a leer con parsimonia el informe de la investigación médico-legal de Janice Jaeger. Tal como había observado antes, cuando leyó el informe por primera vez, la mujer había sido trasladada a urgencias por sus compañeros de juerga, con el repentino cuadro de confusión y espasticidad que condujo a la pérdida de conocimiento. A juzgar por la sintaxis elegida por Janice, Jack dedujo que no había hablado directamente con los amigos, sino que había recibido la información combinada del informe de urgencias de Saint Luke, de una enfermera y de un médico de urgencias. Muy típico de Janice, el informe era exhaustivo, y no hablaba de ningún accidente de tráfico.

Pasó a la hoja de identificación y vio que la madre de Keara había identificado el cuerpo. La mujer vivía en Englewood, New Jersey, y Jack echó un vistazo al número de teléfono, con el prefijo 201.

Guiado por un impulso, Jack se puso en pie. Estaba claro que aún necesitaba más información. Con la documentación del IML en la mano, utilizó la escalera de atrás para subir al primer piso y, después de atravesar la zona de investigación del SMSL, entró en el espacio ampliado de medicina legal. Encontró a Bart Arnold, el jefe de investigaciones forenses, sentado a su mesa en el cubículo número uno. Jack y él mantenían una relación laboral excelente, pues Jack era uno de los pocos médicos forenses que concedían a los investigadores el mérito que merecían, cuando les decía que sin ellos no podría hacer su trabajo.

—Buenos días, doctor Stapleton. ¿Algún problema? —preguntó Bart, al ver el expediente bajo el brazo de Jack.

—Hola, Bart. Me estaba preguntando si durante vuestra sesión informativa de la mañana, antes del cambio de turno, Janice dijo algo memorable acerca de Keara Abelard.

Bart miró su lista de casos nocturnos.

—No, al menos que yo recuerde. A ella le pareció un caso rutinario, pero que recaía sin la menor duda en la jurisdicción del IML.

—No podría estar más de acuerdo —dijo Jack—. Pero hay muy poco historial.

—Dijo que los médicos de urgencias opinaban lo mismo, por eso pidieron a Janice que volviera a llamar. Quieren saber lo que se ha descubierto.

—No vi una nota a tal efecto en la documentación.

—Creo que Janice conoce al médico en cuestión, así que iba a hacerlo ella antes de delegar en usted.

—¿Sabes si habló con la madre cuando vino a identificar el cadáver?

—No lo sé. Si tuviera que especular, diría que no, porque Janice es muy concienzuda. De haber hablado con la madre, habría dejado constancia. Pero ¿por qué no la llama y se lo pregunta? ¿Cuál es el problema? ¿No hay suficiente información?

Jack asintió.

—Es un caso curioso. La mujer murió a causa de una oclusión de ambas arterias vertebrales. A menos que padeciera una conectivopatía, como el síndrome de Marfan, cosa que dudo, tuvo que sufrir un traumatismo grave. Una vez diseccionados los vasos sanguíneos, observamos que la capa interna se desprendió y los bloqueó. Vinnie sugirió que pudo ser un latigazo vertical provocado por un accidente de tráfico, y tal vez esté en lo cierto. Creo que los amigos o la madre podrían aportar alguna información. Sería de extrema importancia. Si alguien la embistió por la espalda, podría tratarse de homicidio, incluso de asesinato, si ambos se conocían y existía entre ellos algún conflicto o polémica. Yo mismo llamaría a la madre, pero me disgustaría molestarla si Janice ya ha hablado con ella.

—Como ya he dicho, ¿por qué no llama a Janice?

Con la mano izquierda, Jack levantó su reloj, ceñido al pantalón del pijama.

—Son las diez menos cuarto. ¿No es demasiado tarde?

—Es una perfeccionista. Estará dispuesta a echarle una mano —dijo Bart, mientras le daba el teléfono particular de Janice—. ¡Llámela! ¡Confíe en mí!

Jack subió corriendo a su despacho por la escalera de delante. Después de abrir de un empujón la puerta, dejó la tarjeta de Janice en el centro del vade de sobremesa y descolgó el teléfono. Antes de llamar a la mujer, telefoneó a Vinnie.

—Mientras hablamos, estoy entrando el cadáver del chico —dijo Vinnie—. Cinco minutos, y todo estará preparado. Calvin, nuestro encantador subjefe, quiere que lo hagamos en la sala de descomposición.

La sala de descomposición era una pequeña sala de autopsias independiente con una sola mesa. Se utilizaba sobre todo para cadáveres putrefactos.

—Asegúrate de que contemos con muchos tubos de cultivo —dijo Jack—. Nos vemos dentro de cinco minutos.

Colgó.

Estaba a punto de marcar el número de Janice, cuando la foto que había sobre su escritorio de Laurie y John Junior llamó su atención. Había sido tomada en una época más feliz, el día que Laurie y el bebé abandonaron el hospital después del parto. En aquel momento no se habían manifestado síntomas del desastre inminente.

Jack, guiado por un impulso, cogió la foto y la tiró en el último cajón, que cerró con el pie.

—¡Dios! —murmuró.

Era desoladora la celeridad con que podía abismarse en pensamientos deprimentes, sobre todo porque era Laurie la que cargaba con el noventa y nueve por ciento del peso. Se preguntó cómo se las ingeniaba. Al menos, él podía ir a trabajar para apartar su mente de la realidad del desastre.

Jack se frotó los ojos. Con los codos apoyados sobre el escritorio, se masajeó frenéticamente la cabeza. Se dio cuenta de lo mucho que necesitaba encontrar algún estímulo profesional para ocupar su mente y refrenar sus frágiles emociones.

Jack abrió los ojos, levantó el receptor del teléfono y tecleó irritado la secuencia de botones que correspondía al número telefónico de Janice. Cuando la mujer contestó, Jack pronunció su nombre con algo similar a la furia. Antes de que Janice pudiera responder, pidió disculpas.

—Habrá sonado fatal —dijo—. Lo siento.

—¿Pasa algo? —preguntó Janice. Como era tan concienzuda, su primera preocupación fue haber cometido alguna equivocación terrible.

—¡No, no! —la tranquilizó Jack—. Se me ha ido la cabeza un momento. Espero no haberte molestado.

—En absoluto. Me resulta imposible dormir hasta tres o cuatro horas después de terminar el turno.

—Estoy buscando más información sobre Keara Abelard.

—No me sorprende. Era muy escasa. Un caso muy triste, una chica tan joven, atractiva y, en apariencia, sana.

—¿Hablaste con alguno de los amigos que la llevaron a urgencias?

—No tuve la oportunidad. Ya se habían marchado cuando llegué. Conseguí el nombre y el número de uno de ellos, Robert Farrell. Lo apunté al pie de la página.

—¿Conseguiste hablar con su madre cuando vino a identificar el cadáver?

—Quería hacerlo, pero me llamaron para otro caso antes de que ella llegara. Y cuando volví, ya se había marchado. Estoy segura de que Bart se habría sentido más que contento si hubiera continuado la investigación.

—Creo que voy a llamar yo mismo. Se me ha despertado la curiosidad.

—Si cambias de idea, creo que uno de los investigadores del turno de día se encargará.

—Gracias por tu ayuda —dijo Jack.

—Ningún problema —contestó Janice.

Jack desconectó con el dedo índice de su mano izquierda, sin dejar de sostener el receptor. Con la mano derecha pasó las páginas del informe del IML, en busca del número de teléfono de la señora Abelard. En cuanto lo localizó, el teléfono sonó bajo su mano. Era Vinnie; le avisaba de que todo estaba preparado en la sala de descomposición.

Al cabo de un momento de vacilación, Jack colgó el teléfono. No había prisa para hablar con la señora Abelard, y tampoco deseaba hacer la llamada. La aplazaría de buen grado hasta que terminara la siguiente autopsia, aunque de haber sospechado lo que la madre iba a comunicarle, no habría retrasado la llamada ni un segundo. La señora Abelard iba a decirle algo que jamás habría sospechado.

# 6

*17.05 h, lunes, 1 de diciembre de 2008*
*El Cairo, Egipto*
*(10.05 h, Nueva York)*

—Bien, ya lo sabes todo —dijo Shawn—. Siento haber tardado tanto. Es evidente que el griego no era el punto fuerte de Saturnino. Como ya te dije después de la primera lectura, la carta está firmada solo Saturnino, con la fecha del seis de abril de 121 d. C.

Shawn escrutó a su esposa durante varios segundos. Ella no se movió ni parpadeó. Tenía una expresión aturdida en la cara. Daba la impresión de que ni siquiera respiraba.

—Hola —dijo Shawn para recuperar la atención de Sana—. ¡Di algo! ¡Lo que sea! ¿En qué estás pensando?

Shawn se levantó y volvió al escritorio, donde depositó con delicadeza las hojas de papiro para protegerlas, utilizando diversos pesos para sujetarlas. Se quitó los guantes blancos, los dejó sobre el escritorio, y después volvió a la silla de respaldo recto. Sana le había seguido con la mirada, pero estaba claro que sus pensamientos se hallaban concentrados en lo que había escuchado durante las últimas horas. Cuando Shawn había terminado de leer con dificultades la carta por primera vez, ella se quedó igualmente estupefacta, y solo consiguió articular que necesitaba escucharla de nuevo.

—Sé que no he hecho un buen trabajo de traducción —confesó Shawn—, sobre todo la primera vez. De nuevo, lamento haber tardado tanto, pero la gramática y la sintaxis son muy enrevesadas. Es evidente que el griego no era la lengua materna de Saturnino, y debido a la naturaleza sensible del tema, no quiso confiar a un secretario la escritura de la carta. Su lengua materna debía de ser el arameo, porque era de Samaria.

—¿Cuáles son las probabilidades de que sea una falsificación? Tal vez una falsificación del siglo II, pero falsificación al fin y al cabo.

—Buena pregunta, y si la carta hubiera estado dirigida a uno de los primeros padres de la Iglesia ortodoxa, puede que me planteara la idea de que fuera una falsificación, aunque solo fuera para desacreditar a los herejes gnósticos estableciendo una relación directa entre ellos y el archivillano Simón el Mago. Pero fue enviada a un profesor gnóstico primitivo, por alguien que albergaba inclinaciones teológicas en esa dirección. Fue una especie de «comunicación interna» enviada a alguien para que contestara a preguntas concretas. Las probabilidades de que sea una falsificación son casi nulas, sobre todo teniendo en cuenta dónde terminó. Es como si nadie esperara que la encontraran.

—¿Cuándo crees que confeccionaron el códice? Quiero decir, ¿cuándo fue emparedada esta carta dentro de la cubierta de piel?

—Digamos que tuvo que ser antes de, aproximadamente, 367 d. C.

Sana sonrió.

—¡Aproximadamente 367 d. C.! Una fecha muy concreta.

—Bien, algo concreto ocurrió en 367 d. C.

—De modo que la carta fue ocultada durante varios cientos de años. Era importante, pero ¿después lo fue menos?

—Sí —admitió Shawn—. Pero es algo que no puedo explicar.

—¿Qué sucedió en 367 d. C., y cuál es la teoría de por qué este códice terminó encerrado en una vasija y hundido en la arena?

—En 367 d. C., el movimiento gnóstico había alcanzado su

apogeo y estaba en declive, tal como había ordenado la Iglesia ortodoxa. Obediente, el influyente obispo de Alejandría, Atanasio, ordenó a los monasterios que se encontraban bajo su jurisdicción que destruyeran todas las escrituras heréticas, incluido el monasterio que existía cerca de la Nag Hammadi moderna. Se supone que algunos de los monjes del monasterio se rebelaron y, en lugar de destruir los textos, los escondieron, con la intención de volver a recuperarlos. Por desgracia para ellos, eso no ocurrió, y su pérdida se convirtió en nuestra ganancia.

—Y tú crees que esta carta es una respuesta a la que Basílides escribió a Saturnino.

—No me cabe la menor duda, teniendo en cuenta la sintaxis de Saturnino. Estoy seguro de que no se fue por las ramas en la descripción de su antiguo jefe y maestro, Simón el Mago. Tengo claro que Basílides había preguntado a Saturnino si este creía que Simón era divino, un verdadero Cristo que seguía los pasos de Jesús de Nazaret, y si Simón poseía o no el Gran Poder, tal como él afirmaba. Aunque Saturnino sugiere que Simón se creía divino, o poseído por una chispa de la divinidad, Saturnino lo niega. Él afirma sin ambages que la magia de Simón era tramposa, de lo cual eran responsables Saturnino mismo y el otro ayudante de Simón, Menandro. Saturnino también dice que Simón estaba muy celoso del supuesto poder curativo de los apóstoles, sobre todo de Pedro. Es un hecho canónico. Aparece en los Hechos de los Apóstoles, donde se afirma de manera concreta que Simón intentó comprar el poder a Pedro. —Shawn hizo una pausa para tomar aliento, y después añadió con una carcajada desdeñosa—: Gracias a Saturnino y a esta carta, sabemos ahora que Simón no se rindió después de la primera negativa.

—Lo que me parece irónico es que hayamos obtenido esta información histórica extraordinaria gracias a la venalidad de una persona.

—Cierto —admitió Shawn con otra carcajada más estentórea—. Pero lo que me parece irónico a mí es que esa misma venalidad es muy probable que me catapulte a la estratosfera arqueológica. Belzoni, Schliemann y Carter no serán nada comparados conmigo.

Sana no pudo reprimir poner los ojos en blanco. Si bien la aparente confianza en sí mismo de Shawn la había impresionado al principio de su relación, ahora la encontraba pueril y narcisista, lo cual sugería una vez más que su marido albergaba una inseguridad que ella no había sospechado al principio.

Shawn advirtió su reacción y la malinterpretó.

—¿No crees que esto será un gran acontecimiento? —preguntó—. ¡Te equivocas! Va a ser un bombazo. ¿Y sabes a quién me gustará más dar la noticia?

—No puedo ni imaginarlo —dijo Sana. Estaba más interesada en continuar hablando del contenido de la sorprendente carta que en su potencial efecto sobre la carrera de Shawn.

—¡A su Eminencia! —contestó Shawn con fingido desprecio—. James Cardenal O'Rourke, obispo de la archidiócesis de Nueva York. —Shawn rió, saboreando por anticipado el momento—. Ardo en deseos de presentarme ante mi antiguo compañero de francachelas en Amherst College, ahora el miembro de mayor categoría del sistema eclesiástico que yo conozca y que siempre está sermoneándome para que enmiende mis hábitos. Me lo voy a pasar en grande restregándole por la cara esta carta, y demostrándole que uno de sus engreídos papas, convencido de que era infalible, cometió un error de bulto. ¡No lo olvides!

—¡Oh, por favor! —resopló Sana. Demasiado a menudo había sido testigo de las interminables discusiones de su marido y del arzobispo, que se prolongaban hasta altas horas de la madrugada, sobre todo acerca de la infalibilidad del Papa, después de cenar en la residencia del cardenal—. Nunca os pondréis de acuerdo en nada.

—Esta vez, gracias a Saturnino, tendré pruebas.

—Bien, espero no estar presente —comentó Sana. Nunca le habían gustado aquellas veladas, y en los últimos tiempos había dejado de participar. Había preguntado si podían ir a un restaurante, lo cual creía que apaciguaría su comportamiento, pero ni

Shawn ni James habían aceptado. Disfrutaban demasiado con sus interminables y, en apariencia, enconados debates, y no querían impedimentos.

Al principio de su relación, cuando Shawn le había hablado por primera vez de su larga amistad con el arzobispo, no acabó de creerle. El arzobispo era el prelado más poderoso del país, si no del hemisferio. El hombre era una auténtica celebridad. Hasta se decía que estaba destinado al Vaticano.

Sin embargo, no eran sus posturas respectivas lo que conseguía convertir en improbable su amistad. Eran sus personalidades: Shawn, el extrovertido sofisticado, siempre en busca de oportunidades de autoengrandecimiento real o imaginario; James, el sacerdote siempre modesto, quien había sido atraído por la fe a asumir responsabilidades cada vez mayores para las que no estaba preparado. Lo que nunca dejaba de divertir a Sana era que estos estilos de personalidad contrapuestos fueran negados por los propios amigos. Shawn no poseía la modestia de James, pero le acusaba de albergar una ambición desmedida, fortalecida por un pragmatismo excepcional, astucia y su habilidad para halagar. James consideraba la bravuconería de Shawn igualmente sospechosa, y estaba convencido de que su amigo era una persona muy insegura, una opinión que Sana estaba empezando a compartir. James no se cansaba jamás de recordarle a Shawn que Dios y la Iglesia estaban a su disposición para ayudarle.

Desde la perspectiva de Sana, incluso la apariencia externa de los dos hombres se oponía a la posibilidad de que fueran amigos. Shawn era un deportista nato que participaba en diversos equipos de Amherst. Con metro ochenta y ocho y ochenta kilos, su aspecto físico era impresionante y todavía jugaba de manera competitiva al tenis. James era bajo y rechoncho, y ahora, ataviado de pies a cabeza con el hábito púrpura de su rango, presentaba un aspecto muy menudo y delicado. Para colmo, Shawn era negro irlandés, de pelo espeso y oscuro, y fuertes facciones angulosas. James, por su parte, tenía el pelo rojizo y piel cremosa, pecosa y casi translúcida.

Lo que había unido a los dos hombres y cimentado su relación, como averiguó más tarde Sana, fue en primer lugar las circunstancias, y después el amor por el debate. Había empezado el primer año de carrera, cuando fueron compañeros de habitación. A ellos se sumó otro estudiante que vivía al otro lado del pasillo. Se llamaba Jack Stapleton y, por mor de la casualidad, él también acabó viviendo en Nueva York. De esta forma, los Tres Mosqueteros, tal como eran conocidos en la universidad, terminaron como por milagro en la misma ciudad, aunque eran mundos aparte en sus carreras.

A diferencia de James, Sana solo había visto dos veces a Jack Stapleton. Parecía una persona muy reservada, y se preguntaba cómo habría llegado a congeniar con los otros dos. Tal vez su naturaleza, en apariencia meditabunda y retraída, así como la ausencia de autorreferencias, le habían convertido en el pegamento que unió al grupo de amigos en la universidad.

—James se va a desquiciar —continuó Shawn, mientras seguía riendo para sí ante la perspectiva—. Y a mí me va a encantar. Esta será mi oportunidad de ponerle en un brete, y no sabrá dónde meterse de vergüenza. Ardo en deseos de volver a poner sobre el tapete el tema de la infalibilidad. A la luz de todas las artimañas papales durante la Edad Media y el Renacimiento, es un tema sobre el que hemos discutido cientos de veces.

—¿Por qué estás tan seguro de que esto se colocará a la altura del descubrimiento de la tumba de Tutankamón, llevado a cabo por Carter? —preguntó Sana para enderezar la conversación.

No estaba segura de qué habían descubierto los otros dos arqueólogos que Shawn había mencionado, aunque el nombre de Schliemann le sonaba.*

—Tutankamón fue un rey niño insignificante cuya vida no fue más que un parpadeo en las arenas del tiempo —replicó

---

* Giovanni Battista Belzoni, aventurero y saqueador de tumbas y templos. Heinrich Schliemann, descubridor de Troya. (*N. del T.*)

Shawn—, mientras que la Virgen María fue la persona más importante de la historia, solo después de su hijo primogénito. De hecho, tal vez poseían idéntica importancia. Era la Madre de Dios, ¡por los clavos de Cristo!

—No hace falta que te cabrees —dijo Sana en tono tranquilizador. En los últimos tiempos, Shawn solía expresar irritación cuando pensaba que ella le llevaba la contraria en la materia que dominaba. La ironía consistía en que Sana no cuestionaba la importancia histórica de la Virgen María, sobre todo en comparación con el enclenque y adolescente Tutankamón, pero Carter había desenterrado un enorme tesoro oculto. Hasta el momento, Shawn solo contaba con tres hojas de papiro de autenticidad sin confirmar que hablaban sobre los restos de la Virgen María. No obstante, Sana comprendió la reacción de Shawn a sus palabras. Cuando Shawn había llegado a la parte de la carta de Saturnino relacionada con los huesos de la Virgen María, ella había reaccionado como si su marido la hubiera abofeteado.

—¡No estoy cabreado! Solo me sorprende que no comprendas la increíble importancia de esta carta.

—¡La comprendo, la comprendo!

—Lo que creo que sucedió fue que Basílides preguntó a Saturnino no solo su opinión sobre la divinidad de Simón, sino también si Simón había escrito algo sustancioso y, en tal caso, dónde estaba. Tal vez Basílides alimentaba sospechas. Por eso creo que Saturnino describió el Evangelio de Simón, junto con el hecho de que Menandro y él lo depositaran en el osario. No creo que Basílides tuviera la menor idea de que los restos de la Virgen María hubieran sido trasladados a Roma por Simón, ni tampoco le importaba. A él le interesaba la teología de Simón.

—¿Cuál es la definición real de la palabra «evangelio»?

—Es cualquier mensaje concerniente a Cristo, que casi todo el mundo asocia con los cuatro primeros libros canónicos del Nuevo Testamento, que abarcan las enseñanzas de Jesucristo. En un sentido más amplio, un evangelio es cualquier mensaje de un profesor de religión. Por eso será emocionante e instructivo a la vez averiguar si el Evangelio de Simón versa sobre Jesucristo, Jesucristo y Simoncristo juntos, o Simoncristo solo. Lo digo así porque casi todo el mundo cree que Cristo era el apellido de Jesús. No es así. Cristo procedía del *kristos* griego, que significa Mesías, y de ahí se deriva la palabra «cristiano». Si Simón se consideraba un Mesías, podría haberse referido muy bien a sí mismo como Cristo. Ya sabemos algo, por supuesto: no hubo resurrección relacionada con Simón. Siguió muerto después de arrojarse desde una torre del Foro Romano a instancias de Nerón, con la intención de demostrar su divinidad, o al menos su íntima relación con la divinidad.

Sana miró a Shawn a los ojos. Podía leer su mente. Sin duda, pensaba que sus probabilidades de descubrir el Evangelio de Simón eran buenas, y sabía exactamente por qué. Hacía cinco años, Shawn había convencido a James de que utilizara su influencia con el papa Juan Pablo II para obtener acceso a la necrópolis situada bajo la basílica de San Pedro, con el fin de llevar a cabo un análisis definitivo de la tumba del apóstol. Durante un período de seis meses, Shawn, junto con un equipo de arquitectos e ingenieros, había estudiado tanto el lugar como dos mil años de documentos papales disponibles para escribir la historia definitiva de la tumba, incluido el descubrimiento en 1968 de un esqueleto masculino decapitado del siglo I, anunciado por Pablo VI como los restos del apóstol. El resultado fue que Shawn se convirtió en un experto en la tumba, y si Saturnino y Menandro habían enterrado el osario de la Virgen María, que contenía el Evangelio de Simón, en 65 d. C., donde Saturnino afirmaba en la carta, Shawn sabría dónde debía buscar.

—He oído hablar de los saduceos y de los fariseos, pero nunca de los esenos o los zelotes —dijo Sana, volviendo a la carta—. ¿Quién era esa gente de la que habla Saturnino?

—Eran diferentes sectas judías, de las cuales los saduceos y los fariseos eran las más importantes, debido a su número. Los esenos constituían un pequeño grupo militante, ascético y comunal, convencido de que el Templo de Jerusalén había sido profanado. Si bien había células esenas en casi todas las ciudades palestinas, sus más estrictos líderes y hermanos se trasladaron al desierto, junto a las orillas del mar Muerto, en Qumran. Ellos fueron los transcriptores de los Manuscritos del mar Muerto, así como la gente que los ocultó para mantenerlos a salvo de las garras de los romanos.

»Los zelotes estaban más definidos políticamente. Su objetivo principal era liberar las tierras judías de los opresores romanos, y los miembros más fanáticos se llamaban «los sicarios». Para comprender lo que estaba pasando en el siglo I, has de recordar que lo que más deseaba todo el mundo era expulsar a los romanos de Palestina, salvo, por supuesto, los propios romanos, y alrededor de eso giraban en gran parte las profecías mesiánicas contemporáneas. Los judíos esperaban un mesías que los librara de los romanos, por eso a muchos judíos no les hizo ninguna gracia que Jesús fuera el Mesías. No solo no los liberó de los romanos, sino que encima acabó crucificado.

—De acuerdo —dijo Sana—. Pero ¿por qué los zelotes y los esenos conspiraron para robar el cuerpo de la Virgen María? Eso no me parece lógico.

—Saturnino no lo dice de una manera específica, pero te voy a contar lo que yo opino de sus implicaciones. Cuando la Virgen María murió en 62 d. C., como él dice, y fue enterrada en una cueva del Monte de los Olivos, tal vez incluso donde se supone hoy que está su tumba, algunos zelotes, tal vez los sicarios, vieron la oportunidad de avivar las llamas del odio de los romanos hacia los judíos. Lo que intentaban hacer era iniciar una revuelta, y les daba igual qué bando fuera el instigador. Con anterioridad, los sicarios se habían concentrado sobre todo en intensificar el odio de los judíos hacia los romanos, por eso dedicaban la mayor parte de su tiempo y energías a asesinar a aquellos judíos que consideraban colaboracionistas o incluso blandos con los romanos. Lo racional era conducir a los judíos a iniciar la guerra.

»Entonces, la muerte de María les ofreció algo más. Les dio

la oportunidad de colocar por encima de todo la frustración de los romanos con el problema de las contiendas religiosas. En aquel tiempo, a mediados del siglo I, los judíos que se habían convertido en seguidores de Jesús de Nazaret eran considerados judíos, y no una nueva religión. Sin embargo, no se llevaban bien con los judíos tradicionalistas. De hecho, estaban constantemente enfrentados por lo que los romanos consideraban trivialidades ridículas. Para colmo, había luchas intestinas entre los cristianos judíos. Era pura anarquía religiosa, y los romanos echaban chispas.

—Aún no entiendo el papel de la Virgen María en todo esto.

—Piensa en la frustración de los romanos. Saturnino habla de que los romanos creían que habían resuelto el problema de Jesús de Nazaret crucificando a Jesús. Pero se equivocaron, porque Jesús no siguió muerto como todos los demás supuestos mesías crucificados de la época, bastante numerosos. Jesús regresó al cabo de tres días, lo cual terminó agigantando el problema en lugar de ponerle coto. Saturnino insinúa que los zelotes contaban con la desaparición de María tres días después de su muerte para sugerir que ella también había desafiado a la muerte y se había reunido con su hijo, confirmando así la misión de Jesús. Los zelotes y los sicarios robaron el cuerpo de la Virgen, el tercer día a propósito, con la esperanza de aterrorizar a los romanos y convencerlos de que iba a producirse otro brote grave de fervor religioso como el acaecido tras la resurrección de Jesús, lo cual los obligaría a tomar medidas drásticas para impedirlo. La idea era que la represión en un ambiente tan tenso provocaría un ciclo de violencia, que conduciría a una represión aún más exacerbada, y así sucesivamente. Tal como dice Saturnino, no sabía si fue la desaparición del cuerpo de María lo que activó la revuelta, pero poco después del robo, se inició un período de violencia que fue aumentando de mes en mes. Al cabo de pocos años, el polvorín que era Palestina estalló y dio paso a la definitiva Gran Revuelta, con todos los judíos unidos para arrebatar Jerusalén y Masada a los romanos.

—¿Crees que fue fácil robar el cuerpo de la Virgen?

—Creo que sí. Por lo visto, hubo una falta de interés sorprendente por la Virgen María después de la crucifixión, de modo que su muerte, acaecida según Saturnino en 62 d. C., atrajo escasa o nula atención. Ninguno de los cuatro Evangelistas dice gran cosa sobre ella después de la muerte y resurrección de Jesús, y Pablo no da ninguna indicación de que ocupara un lugar especial en la Iglesia primitiva. De hecho, la menciona solo una vez en los Gálatas, y de pasada, sin utilizar ni siquiera su nombre. No fue hasta finales del siglo I cuando María empezó a recibir más reconocimiento. Hoy no cabe duda de su importancia, por eso creo que la carta es tan significativa.

—Yo no saqué la impresión, a partir de la carta de Saturnino, de que Simón el Mago tuviera alguna relación con el robo de los restos de María.

—Ni yo. Yo diría que su interés estaba espoleado por su deseo de agenciarse el poder curativo relacionado con Jesús de Nazaret, y que no compartía los intereses políticos de los zelotes. Saturnino no explica cómo averiguó Simón que los esenos habían escondido el cuerpo en una cueva de Qumran, ni dice cómo logró conseguir el control de los huesos. Tal vez a nadie le importaba en aquel entonces. Simón se llevó una decepción al comprobar que los restos no poseían el poder de curar, que era el motivo principal de que quisiera apoderarse de ellos, y solo después de que se le ocurriera la idea de seguir a Pedro, primero a Antioquía, y después a Roma, con el plan de canjearlos por los poderes curativos de Pedro.

—Pero Pedro volvió a rechazarle.

—Por lo visto, y según Saturnino, con idéntica pasión que cuando le ofreció plata.

—¿Por qué crees que Saturnino y Menandro decidieron enterrar los huesos de María con Pedro?

—Creo que por la razón que manifiesta en la carta. Ambos estaban impresionados por el talento de Pedro para curar imponiendo las manos. Sabemos que estaban impresionados porque ambos se convirtieron al cristianismo, y Saturnino llegó a ser obispo de una ciudad romana importante.

—Me pregunto qué fue de los restos de Simón. Habría sido irónico que acabaran también con los de Pedro.

—En efecto —dijo Shawn con una sonrisa—. Pero lo dudo sinceramente. Saturnino lo habría especificado si Menandro y él lo hubieran hecho.

—¿Cuáles son tus planes? —preguntó Sana—. Déjame adivinarlo. Quieres ir a Roma y ver si el osario que Saturnino describe continúa donde dijo que Menandro y él lo dejaron.

—Exacto —respondió Shawn con entusiasmo—. Por lo visto, Pedro debió de ser martirizado más o menos en la época en que Simón murió durante su intento de ascender a los cielos. Como los seguidores de Pedro le construyeron una tumba subterránea, Saturnino y Menandro puede que tuvieran la oportunidad de sumar al osario de María a uno de los apóstoles más queridos de su hijo. La verdad, creo que fue un gesto muy respetuoso por su parte, y sugiere que, al menos, tenían en muy alta estima a María.

—No he entendido la parte de la carta en que describe dónde lo dejaron —dijo Sana—. ¿Tú sí?

—Yo sí. La tumba era una bóveda de cañón, compuesta de dos muros de contención paralelos que sostenían una bóveda. Para construir una tumba semejante, ha de excavarse un hueco más grande, con el fin de poder erigir las paredes. Saturnino dice que dejaron el osario en la base de la pared norte, fuera de la tumba, más o menos en el medio, y lo cubrieron de tierra. Eso concuerda con los datos, porque los muros de contención de la tumba de Pedro corren de este a oeste.

—¿Por qué dejaron el osario fuera de la tumba, en lugar de dentro con Pedro?

—Es evidente que tuvieron que esconder el maldito trasto dentro —dijo Shawn impaciente, como si la pregunta de Sana fuera absurda—. Lo estaban haciendo *sub rosa*, por decirlo de alguna manera, sin que nadie más lo supiera.

—¡No seas paternalista! —replicó Sana—. Hago lo que puedo por comprenderlo todo.

—Lo siento —se disculpó Shawn, al darse cuenta de que, si quería que le acompañara, tenía que ser paciente—. Volviendo al emplazamiento del osario, debo decirte que es increíblemente oportuno para nosotros por dos razones: en primer lugar, no creo que hayan tocado jamás la zona de la tumba. Y en segundo lugar, la última vez que la tumba fue excavada, allá por los años cincuenta del siglo XX, el equipo arqueológico abrió un túnel subterráneo, y lo más probable es que pasara por debajo del osario de María, con el fin de llegar al interior de la tumba. Lo cual significa que todo lo que hemos de hacer, como máximo, es apartar unos cuantos centímetros de escombros, y el osario caerá en nuestras manos expectantes.

—Consigues que parezca fácil.

—Creo que lo será. Justo antes de que llegaras hablé por teléfono con mi ayudante, Claire Dupree, en el Metropolitan. Esta noche enviará mi expediente sobre la tumba de san Pedro al Hassler de Roma. Todavía tengo permiso para acceder a la necrópolis subterránea de la basílica de San Pedro, otorgado por la Comisión Pontificia para la Arqueología Sagrada, que James me consiguió por mediación del papa Juan Pablo II. El expediente también contiene mi tarjeta de identificación del Vaticano, y lo más importante, la llave de los Scavi, u oficina de excavaciones, que es lo mismo que tener la llave del sitio.

—Eso fue hace cinco años.

—Cierto, pero me asombraría que algo hubiera cambiado. Una de las frustraciones, y también alegrías, de Italia, es que muy pocas cosas cambian, al menos en el terreno burocrático.

—¿Y si las llaves no encajan o el permiso ha sido revocado?

—Soy incapaz de imaginar que eso ocurra, pero si se produce el caso, tendremos que superar ese escollo en su momento. Si sucede lo peor, llamaré a James. Él puede conseguir que entremos. Solo significaría un día más.

—Crees que James lo haría si llegara a leer la carta de Saturnino, cosa que supongo exigiría. Yo no lo creo. Además, digamos que entramos, es hablar por hablar, y encontramos el osario. ¿Qué demonios piensas hacer con él?

—Trasladarlo en secreto a Nueva York. No quiero cometer ningún error. Cuando anuncie el descubrimiento, quiero haber estudiado los huesos y traducido todos los escritos por completo, sobre todo el Evangelio de Simón.

—Es ilegal sacar antigüedades de Italia.

Shawn miró a su mujer con un toque de irritación. Durante el año anterior había desarrollado una veta de independencia, así como una tendencia progresiva hacia el pensamiento negativo, y este era un buen ejemplo. Al mismo tiempo, se acordó de que, debido a su entusiasmo de la hora anterior, era culpable de haber pasado por alto algunos detalles engorrosos, por ejemplo, cómo diablos iba a trasladar su hallazgo a Nueva York. Él, más que nadie, sabía que Italia protegía con celo sus tesoros históricos, para evitar que fueran sacados de contrabando del país.

—Enviaré el maldito trasto desde el Vaticano, no desde Italia—decidió de repente Shawn.

—¿Por qué crees que enviarlo desde el Vaticano cambiará las cosas? De una forma u otra, tendrá que pasar por la aduana.

—Lo enviaré a James como si fuera de su propiedad. Eso significa que tendré que llamarle antes, por supuesto, y decirle que es una sorpresa, como así será, y le diré que no lo abra hasta que yo llegue.

Sana asintió. No había pensado en eso. Supuso que podía salir bien.

—Joder, lo devolveré una vez haya acabado todo —dijo Shawn, en parte para justificarse.

—¿No te dejarían trabajar con él en el Vaticano? ¿Por qué quieres llevarlo a Nueva York?

—No puedo estar seguro al respecto —dijo Shawn sin vacilar—. Además, cierto número de personas exigirían intervenir y compartir el centro de atención. La verdad, no quiero hacerlo. Recibiré algunas críticas por sacarlo de la necrópolis del Vaticano y enviarlo a Nueva York, pero los aspectos positivos se impondrán a los negativos, estoy seguro. Para dorar la píldora, hasta donaré al Vaticano el códice y la carta de Saturnino. Pueden quedárselos o devolverlos a Egipto. Ellos decidirán.

—Yo diría que a la Iglesia católica no le va a hacer ninguna gracia este asunto.

—Tendrán que tragar —dijo Shawn con una sonrisa sarcástica.

—Tragar no es fácil para una institución como la Iglesia católica. La Iglesia católica cree que la Virgen María ascendió a los cielos como su hijo, con huesos y todo, pues ella nació virginal, libre del pecado original.

Sana había sido educada en la religión católica hasta que murió su padre, cuando ella tenía ocho años. A partir de aquel momento había sido educada en la anglicana, la religión de su madre.

—Bien, tal como suele decirse, les tocará mover ficha a ellos con relación a ese tema —añadió Shawn, sin que la sonrisa abandonara sus labios

—Yo no me lo tomaría a la ligera —advirtió Sana.

—No lo hago —dijo Shawn con tono categórico, pero añadió con creciente emoción—: Me lo voy a pasar en grande. Tienes razón al decir que los huesos de María no están en la tierra, pero ese dogma es relativamente nuevo para la Iglesia católica. Durante siglos, la Iglesia católica esquivó el tema, dejó que la gente creyera lo que le diera la gana. No fue hasta 1950 cuando el papa Pío XII tomó la decisión *ex cathedra*, invocando la infalibilidad papal, que para mí, como ya sabes, es una chorrada. He sostenido esta discusión con James un millar de veces: la Iglesia católica lo quiere todo. Evocan una base divina para defender la infalibilidad del Papa en lo tocante a asuntos eclesiásticos, así como su interpretación de la moralidad basada en un linaje apostólico directo con san Pedro y, en última instancia, con Cristo. Después, al mismo tiempo, desestiman a algunos papas medievales de la Iglesia por ser solo humanos.

—¡Cálmate! —ordenó Sana. La voz de Shawn se había ido elevando a medida que peroraba—. Estamos hablando, no discutiendo.

—Lo siento. Voy acelerado desde el momento en que Rahul depositó el códice en mis ansiosas manos.

—Disculpas aceptadas —dijo Sana—. Deja que te haga otra pregunta sobre la carta de Saturnino. Utilizó la palabra «sellado» cuando se refirió al osario de María. ¿Qué crees que quería decir?

—Así de pronto, yo diría que se refería a la cera. Las prácticas funerarias de aquel tiempo consistían en dejar el cadáver en una tumba un año aproximadamente, para después recoger los huesos y guardarlos en un recipiente de piedra caliza, que ellos llamaban osario. Si la putrefacción no era total, el recipiente habría podido oler a mil demonios de no estar sellado. A este fin, tendrían que haber utilizado algo como la cera.

—Saturnino dijo que ocultaron el cuerpo de María en una cueva de Qumran. ¿Es muy seca la zona?

—Mucho.

—¿Es muy seca la necrópolis subterránea de san Pedro?

—Depende, pero hay momentos en que goza de una relativa humedad. ¿En qué estás pensando?

—Me pregunto en qué estado se encontrarán los huesos si el osario ha permanecido sellado. Si no ha penetrado humedad, podría recoger un poco de ADN.

Shawn lanzó una risita complacida.

—Nunca había pensado en eso. Conseguir un poco de ADN añadiría otra dimensión a esta historia. Tal vez el Vaticano podría recaudar algo de dinero si creara Bibliolandia, algo parecido a Parque Jurásico, resucitando algunos de los personajes originales, empezando con María.

—Hablo en serio —dijo Sana, algo ofendida, convencida de que Shawn se estaba burlando de ella—. No estoy hablando de ADN nuclear. Solo estoy hablando de mi especialidad: ADN mitocondrial.

Shawn levantó las manos, y de nuevo fingió rendirse.

—De acuerdo, sé que me has hablado de ello en el pasado, pero no recuerdo bien la diferencia entre los dos tipos de ADN.

—El ADN nuclear se encuentra en el núcleo de la célula, y contiene toda la información para fabricar una célula, para permitir que se diferencie y se transforme, digamos, en una célula del corazón y conseguir que funcione. Todas las células contienen un complemento completo de ADN nuclear, excepto los glóbulos rojos, que carecen de núcleo. Pero cada célula solo tiene un juego. Las mitocondrias son orgánulos de energía microscópicos que, en un pasado muy lejano, cuando la vida estaba empezando, fueron engullidos por organismos primitivos unicelulares. Una vez aquellas células albergaron mitocondrias, fueron capaces, a lo largo de millones, e incluso miles de millones de años, de transformarse mediante la evolución en organismos multicelulares, incluyendo los seres humanos. Como las mitocondrias habían sido organismos que vivían en libertad, poseen su propio ADN, que existe en una forma circular relativamente estable. Y como las células individuales tienen hasta unas cien mitocondrias, la célula posee hasta cien cadenas de ADN mitocondrial. Todo ello conduce a una elevada probabilidad de que el ADN pueda recuperarse, incluso a partir de huesos antiguos.

—Voy a fingir que lo he entendido todo. ¿De veras crees que podrías aislar algo de ese ADN circular? Eso sería fascinante.

—Todo depende de la sequedad inicial de los huesos y si han permanecido secos. Si el osario continúa sellado, es una posibilidad, y si es posible recuperar algo de ADN de María, es una pena que solo tuviera un hijo divino, en lugar de una hija divina.

Una media sonrisa se extendió por el rostro de Shawn.

—¡Qué comentario más extraño! ¿Por qué una hija y no un hijo?

—Porque el ADN mitocondrial pasa de generación en generación a través de la línea materna. Los varones son callejones sin salida genéticos, desde un punto de vista mitocondrial. El esperma no tiene muchas mitocondrias, y las que contiene mueren después de la concepción, mientras que los óvulos están cargados. Si María tuvo una hija que a su vez tuvo una hija..., y así hasta nuestros días, hoy podría haber alguien vivo con la misma secuencia mitocondrial. Por casualidad, el ADN mitocondrial tiene un período de semidesintegración mutacional de dos mil años, lo cual significa que, después de dos mil años, desde un punto de vista estadístico, existiría un cincuenta por ciento de probabilidades de que la secuencia de ADN no hubiera cambiado.

—De hecho, existen muchas probabilidades de que María tuviera no una hija, sino tres, en realidad.

—¿De veras? —preguntó Sana—. Recuerdo que solo tuvo un hijo, Jesús. Eso fue lo que me enseñaron en la escuela dominical.

—Un hijo es el dogma católico, el credo occidental, e incluso la fe de algunas denominaciones protestantes, pero hay mucha gente que cree otra cosa. Incluso el Nuevo Testamento insinúa que tuvo más hijos, aunque algunas personas creen que la expresión «hermano de Jesús» se refiere a otro pariente cercano, como un primo, un debate que se suscitó debido a la traducción del arameo y el hebreo al griego y el latín. Pero yo, al menos, creo que un hermano es un hermano. Además, para mí es lógico que tuviera más hijos. Era una mujer casada, y tener un montón de hijos de la manera normal no le habría impedido tener el primero de una forma mística, si eso fue lo que sucedió. No me lo estoy inventando. Hay montones de escritos apócrifos de los cristianos primitivos, que no fueron incluidos en el Nuevo Testamento, en los que se afirma que tuvo once hijos, incluido Jesús; tres de ellos, chicas. Por lo tanto, podría existir alguien con el mismo ADN.

—Eso pondría en el candelero mi especialidad en ADN mitocondrial —dijo Sana, mientras imaginaba que escribía un artículo para *Nature* o *Science* con tal sugerencia. Al instante siguiente, se burló de sí misma. Se estaba poniendo a la altura de Shawn, con tanto adelantarse a los acontecimientos y los delirios de grandeza. Tal vez ella era la peor, pues Shawn era ya mucho más famoso que ella en su especialidad.

—Volvamos a la realidad —propuso Shawn—. Nuestro vuelo de Egyptair sale de El Cairo mañana por la mañana a las diez, y llega a Roma a las doce y media. Nos alojaremos en el Hassler. Vamos a celebrarlo con estilo. ¿Qué te parece? ¿Vas a acompañarme? Si todo sale bien, solo es un día de más, y la recompensa será inmensa. Me siento muy entusiasmado. Como mi último bombazo en el trabajo de campo, contribuiría en gran medida a mi recaudación de fondos.

—¿De veras me necesitas, o soy un simple adorno para salvar las apariencias y hacerte compañía?

Sana lo preguntaba para tranquilizarse, pero se encogió por dentro en cuanto las imprevistas palabras salieron de su boca. Era la primera vez que verbalizaba la idea que se había formulado a menudo en los últimos tiempos debido al comportamiento general de Shawn, además de su falta de interés en mantener relaciones íntimas. Estaba empezando a creer que Shawn se había casado con ella más para convertirla en una esposa trofeo que en una verdadera compañera. Se trataba de un problema que la había tenido preocupada todo el año anterior, y que daba la impresión de ir empeorando con sus modestos éxitos profesionales. Si bien pensaba sacar el tema a colación en algún momento, lo último que deseaba era enzarzarse en una seria disputa en Egipto.

—¡Te necesito! —dijo Shawn con determinación. Si había oído las palabras de Sana, no lo dejó entrever—. No podré hacerlo solo. Imagino que el osario pesará entre diez y quince kilos, dependiendo de su tamaño y grosor, y no quiero que se caiga del techo, literalmente. Supongo que podría contratar a alguien, pero preferiría no hacerlo. No quiero estar pendiente del silencio de nadie hasta que publique el hallazgo.

Sana, aliviada por el hecho de que su desliz verbal había pasado desapercibido, disparó otra pregunta.

—¿Cuáles son las probabilidades de que nos metamos en un

buen lío si entramos a escondidas en la cripta subterránea de san Pedro?

—¡No vamos a entrar a escondidas! Tendremos que entrar en el Vaticano con autorización de la Guardia Suiza, y tendré que exhibir mi permiso de acceso ilimitado de la Comisión Pontificia para la Arqueología Sagrada. O sea, todo será perfectamente legal.

—¿Puedes mirarme a los ojos y prometerme que no nos veremos obligados a pasar la noche en una cárcel italiana?

Shawn se inclinó hacia delante y miró a los ojos castaños de Sana con los cerúleos de él.

—No tendrás que pasar una noche en una cárcel italiana, te lo garantizo. De hecho, cuando hayamos terminado, cenaremos con una botella del mejor Prosecco que nos pueda ofrecer el Hassler.

—¡Está bien, iré! —dijo Sana con determinación. De repente, se había enamorado de la idea de que se estaban embarcando juntos en una aventura. Tal vez obraría un efecto positivo sobre su relación.

—Pero ahora quiero bajar a la piscina y tomar los últimos rayos de sol, antes de que volvamos al invierno.

—Secundo la moción —dijo Shawn con entusiasmo. Estaba complacido. Si bien había sugerido que podría contratar a alguien para ayudarle a sacar el osario de la tumba subterránea de san Pedro, sabía que no podía. El peligro de que la noticia se filtrara era demasiado grande. Al fin y al cabo, lo que planeaba hacer, pese a lo que acababa de decir a Sana, era completamente ilegal. Al mismo tiempo, estaba convencido de que iba a ser su golpe más brillante.

# 7

*11.23 h, lunes, 1 de diciembre de 2009,*
*Nueva York*
*(18.23 h, El Cairo, Egipto)*

—Asegúrate de desinfectar la parte exterior de todos los tubos de cultivo y los frascos de muestras de histología —dijo Jack a Vinnie al concluir el caso de meningitis—. Hablo en serio. No quiero descubrir después que no lo hiciste porque te olvidaste, ¿de acuerdo?

—Lo he pillado —se quejó Vinnie con amargura—. Me has dicho exactamente lo mismo hace dos minutos. ¿Crees que soy estúpido?

Vinnie vio la expresión de Jack a través de la mascarilla de plástico de la capucha.

—No me contestes —se apresuró a añadir.

Jack no había pensado utilizar una capucha con filtro HEPA, pero se dio cuenta de que Vinnie se sentía inquieto sin llevar una, y su orgullo le impedía utilizarla a menos que Jack lo hiciera también. Por lo tanto, en el último minuto, Jack cedió. Por lo general, a Jack no le gustaba utilizar la capucha y el traje espacial porque eran un engorro y dificultaban su trabajo; pero a medida que avanzaba en el caso, se alegró de haber cambiado de opinión. La virulencia de esta cepa de meningococo en particular era impresionante teniendo en cuenta los daños que había infligido a las meninges y al cerebro.

Como habían estudiado el caso en la sala de descomposición y no había más técnicos funerarios en ella, Jack ayudó a Vinnie a introducir el cuerpo en una bolsa para restos humanos y a depositarlo sobre la camilla. Después de recordar a Vinnie que informara a la funeraria de que se trataba de un caso infeccioso, Jack se quitó el traje espacial y la capucha, deshechó y tiró el mono de Tyvek, y subió a su despacho.

Su primera llamada fue al colegio privado del adolescente fallecido. Si bien era norma del IML que la oficina de relaciones públicas se encargara de todas las comunicaciones oficiales, Jack solía saltarse el protocolo. Quería estar del todo seguro de que se hacían ciertas cosas, y poner en alerta al colegio sobre el caso era una de ellas. Con la prueba del poder destructivo de la bacteria todavía fresco en la memoria, Jack habló con franqueza al director, quien le aseguró que la institución se había tomado muy en serio la tragedia. El epidemiólogo de la ciudad ya había pasado por el colegio, y se había iniciado una rigurosa descontaminación y cuarentena. Agradecía el esfuerzo y la preocupación de Jack, y así se lo manifestó.

La siguiente llamada de Jack fue para Robert Farrell, uno de los amigos de Keara. Después de esperar al teléfono un buen rato, el hombre contestó por fin y se disculpó por el retraso. Pero su tono cambió cuando Jack se identificó como médico forense.

—Tengo entendido que usted formaba parte del grupo que estuvo tomando copas anoche con Keara Abelard y la ingresó en urgencias de Saint Luke.

—Nos dimos cuenta de que estaba muy enferma —respondió Farrell.

—¿Está enterado del desenlace?

—¿El desenlace de ingresarla en urgencias?

—Estoy hablando del desenlace de ella.

—Me dijeron que murió después de que nos marcháramos.

La antena del cinismo de Jack se enderezó.

—¿Eso le sorprendió?

—Claro. Era joven.

—No es normal que una persona joven muera.

—Por eso estoy sorprendido.

Jack carraspeó para concederse la oportunidad de pensar. Su rápida evaluación era que Farrell se mostraba a la defensiva sin necesidad. Como para subrayar esta impresión, Farrell se apresuró a añadir:

—No le dimos nada, si es lo que está insinuando. Ni siquiera bebió.

—Yo no estaba insinuando nada —dijo Jack. Se felicitó por haber tomado abundantes muestras de fluidos corporales para toxicología, a pesar del hallazgo positivo de la disección bilateral de las arterias vertebrales. Se preguntó si la joven habría sufrido una caída peculiar capaz de haber torcido, flexionado o tensado su cuello.

—¿Cuántos de ustedes la llevaron a urgencias?

—Tres.

Jack asintió.

—¿Ustedes bebieron, pero ella no?

—Creo que quiero hablar con mi abogado antes de contestar a más preguntas —dijo Farrell.

Jack insistió.

—¿Era muy numeroso el grupo?

—Éramos una docena más o menos, chicos y chicas. Fuimos a ese garito del West Village. ¿Puede decirme de qué murió?

—Estamos trabajando en eso. ¿Presenció usted su cambio de comportamiento?

—Sí, estaba animada y parlanchina, bebiendo Coca-Cola y, de repente, comenzó a arrastrar las palabras y no sabía dónde estaba ni quién era. Entonces se levantó, avanzó vacilante unos pasos y se desplomó. Yo la cogí literalmente, por eso terminé llevándola a urgencias.

—¿Por qué no llamaron a una ambulancia?

—Pensamos que había bebido demasido, si quiere que le diga la verdad. No descubrí hasta más tarde que era abstemia.

En su imaginación, Jack vio la capa interna de las arterias vertebrales de Keara hincharse y obstruir poco a poco el suministro de sangre a su cerebro.

—¿Puede darme los nombres y los números de teléfono de las demás personas que componían el grupo?

—No sé, tío —se defendió Farrell—. No sé si quiero implicarme en esto más de lo que ya lo estoy.

—Escuche, no estoy acusando a nadie de nada, y no le estoy acusando a usted de nada. Solo intento hablar en nombre de la fallecida, que es lo propio de los médicos forenses. Quiero que Keara nos cuente qué la mató para intentar salvar a otra persona de ese mismo destino. Nos falta una información clave. Dígame, ¿habló usted con ella durante la velada?

—Charlamos unos minutos, pero no mucho más de lo que hablé con los demás. O sea, era un bellezón, de modo que todos los tíos hablaron con ella.

—¿Comentó haber sufrido un accidente de coche durante la última semana, o algo por el estilo?

—No, en absoluto.

—¿Habló de que se hubiera caído, tal vez incluso al inicio de la velada, en el lavabo de señoras, o algo similar?

Jack no creía que una caída fuera la culpable sin pruebas externas de lesiones, pero no quería descartar ninguna hipótesis.

—No dijo nada de eso.

Por fin, Jack consiguió que el hombre accediera a confeccionar un listado de los demás acompañantes de la velada, junto con sus números de teléfono. Farrell prometió incluso que lo tendría preparado a última hora de la tarde.

Jack colgó y siguió sentado a su mesa, mientras tamborileaba con los dedos sobre el vade de sobremesa. Pese a sus sospechas iniciales, ahora creía que no se trataba de un caso criminal, pero también estaba seguro de que algún detalle de la historia de Keara se le escapaba. Sin más excusas para aplazar la llamada a la madre de la chica, Jack marcó el número. Conocía demasiado bien la difícil situación de la mujer.

Descolgó al primer timbrazo, con voz enérgica y expectante. Jack supuso de inmediato que se encontraba en la fase de evitación, y en parte todavía confiaba en que recibiría una llamada de alguien diciendo que todo había sido una terrible equivocación y que su hija se encontraba bien.

—Soy el doctor Stapleton. Llamo del Instituto de Medicina Legal.

—Hola, doctor Stapleton —dijo la señora Abelard en un tono cantarín pero inquisitivo, como si no existiera ningún motivo para que alguien llamara desde el depósito de cadáveres de Nueva York—. ¿Puedo ayudarle?

—Sí —respondió Jack, sin saber muy bien cómo empezar—. Pero antes quiero darle mi más sentido pésame.

La señora Abelard guardó silencio. Jack temió que fuera a lanzar una diatriba acompañada de lágrimas, el heraldo de la segunda fase del duelo, la de la rabia. Pero solo hubo silencio, en el que se intercaló la respiración entrecortada de la mujer. Jack tenía miedo de decir algo, para no empeorar más la situación.

—Espero no molestarla demasiado —dijo Jack por fin, pero solo después de caer en la cuenta de que la señora Abelard no iba a contestar—. Siento tener que llamar. Sé que anoche estuvo en el depósito de cadáveres. Estoy seguro de que fue difícil. No es mi intención molestarla en estos momentos dolorosos, pero quería informarla de que he examinado con todo detenimiento a su hija Keara esta mañana, y puedo asegurarle que descansa en paz.

Jack hizo una mueca al pensar en lo que se le antojaba un intento sensiblero de establecer empatía. Ojalá pudiera colgar, serenarse y volver a llamar. La idea de que un cuerpo destripado descansara en paz era tan absurdamente estúpida, que se avergonzó de sus palabras. Se sintió culpable de haber caído tan bajo en el arte de la manipulación. No obstante, continuó adelante, como había hecho con el reticente Robert Farrell.

—Lo que intento hacer es hablar en nombre de su hija, señora Abelard. Estoy convencido de que tiene algo útil que decir para los demás, pero necesito más información. ¿Puede ayudarme?

—¿Dice que descansa con comodidad? —preguntó la señora Abelard, rompiendo el silencio. Era como si creyera que su hija había sufrido un percance sin importancia.

—Descansa en paz, pero me estaba preguntando si padeció alguna lesión en el cuello últimamente.

—¿Una lesión en el cuello? ¿Como cuál?

—Cualquier tipo de lesión —sugirió Jack. Se sentía como un abogado que se esforzara por no guiar al testigo.

—Ninguna lesión en el cuello concreta que yo recuerde, aunque se cayó de un columpio cuando tenía once años y se hizo muchos morados, hasta en el cuello.

—Estoy hablando de una lesión que habría tenido lugar durante los últimos días —explicó Jack—, tal vez durante la última semana.

—Cielos, no.

—¿Era entusiasta del yoga?

Jack estaba intentando abarcar todas las posibilidades.

—No, creo que no.

—¿Tal vez un accidente de tráfico?

—Cielos, no —repitió la señora Abelard con más energía.

—De modo que se encontró perfectamente bien hasta ayer. Ni dolor de cuello, ni de cabeza.

—Bien, ahora que lo dice, hace poco se estuvo quejando de dolores de cabeza. Estaba sometida a mucha presión debido a su nuevo trabajo.

—¿Qué clase de trabajo?

—Publicidad. Es redactora de anuncios para una de las agencias de publicidad más prometedoras de la ciudad. Es un cargo nuevo, y la situación era algo tensa. La habían despedido hacía poco, de modo que se sentía obligada a esforzarse al máximo en su nuevo empleo.

—¿Dijo dónde estaban localizados los dolores, en la parte delantera o posterior de la cabeza, por ejemplo?

—Dijo que eran detrás de los ojos.

—¿Hizo algo al respecto?

—Tomaba ibuprofeno.

—Y... ¿le sirvió de algo?

—No mucho, así que preguntó a una de sus amigas, y ella le recomendó un quiropráctico.

Jack se enderezó en la silla. En las profundidades de su mente recordó un caso sobre el que había leído en un número de los *Forensic Pathology Seminars*, que hablaba de un quiropráctico y una apoplejía.

—¿Keara fue a ver a este quiropráctico? —preguntó, mientras intentaba recopilar en su mente los detalles del caso publicado. Recordó que estaba relacionado con la disección de la arteria vertebral, como había ocurrido aquella mañana con Keara.

—Sí. Si no recuerdo mal, fue el jueves o el viernes pasado.

—¿La visita contribuyó a aliviar los dolores de cabeza?

—Sí, al menos al principio.

—¿Por qué ha dicho «al menos al principio»?

—Porque el dolor de cabeza localizado detrás de los ojos desapareció, pero después le salió uno diferente en la parte posterior de la cabeza.

—¿Se refiere a la parte posterior del cuello?

—Dijo en la parte posterior de la cabeza. Ahora que recuerdo la conversación, también dijo que estaba afectada de un caso agudo de hipo que no podía solucionar, y que la estaba volviendo loca.

—¿Sabe el nombre de ese quiropráctico? —preguntó Jack, mientras apoyaba el receptor del teléfono en el hueco del cuello. Con las manos libres, se conectó a internet en su ordenador y escribió en Google «disección, arteria vertebral».

—No, pero sé el nombre de la amiga que le recomendó el médico.

—Se refiere al quiropráctico —replicó Jack sin pensar, y después se arrepintió. No quería molestar bajo ningún concepto a la madre de Keara. Si bien el hombre podía ser doctor en quiropráctica, Jack sabía que mucha gente creía que eran doctores en medicina. Jack recelaba de los quiroprácticos, si bien admitía que no sabía gran cosa sobre ellos.

—La amiga se llama Nichelle Barlow —respondió la señora Abelard, indiferente al comentario de Jack.

—Gracias por su colaboración —dijo Jack, mientras apuntaba el número—. Ha sido muy generosa, sobre todo en unas circunstancias tan difíciles.

Jack colgó y clavó la vista en la pared. Hacía diecisiete años, cuando su primera mujer y sus hijas murieron, recordó cuánto tiempo había negado lo sucedido siempre que amigos y familiares llamaban. Sacudió la cabeza para liberarse de pensamientos tan morbosos y se obligó a concentrar la atención en la pantalla del ordenador, pero no pudo. En cambio, recordó una escena de hacía un par de noches: John Junior llorando a causa de lo que Laurie y él temían que fuera dolor óseo, provocado por el tumor en las cavidades medulares de los huesos largos. Sus manitas perfectamente formadas daban la impresión de señalar sus piernas, como esperando que sus padres pudieran aliviar el dolor, pero no fue así.

—¡Mierda! —gritó Jack al techo, con la esperanza de liberarse de aquella autocompasión acelerada. En aquel momento, una cabeza asomó por la puerta abierta. Era el doctor Chet McGovern, antiguo compañero de despacho de Jack.

—¿Es una reflexión sobre tu estado de ánimo, o un análisis general sobre la tendencia actual de la bolsa? —bromeó Chet.

—Un poco de todo —admitió Jack—. Entra y quítate un peso de encima.

Pese a estar preocupado, Jack agradeció la distracción.

—No puedo —dijo Chet con voz risueña—. El sábado por la noche conocí a alguien, y nos hemos citado para comer. ¡Podría ser ella, amigo mío! Es tremenda.

Jack desechó el comentario con un ademán. Estaba convencido de que Chet nunca iba a encontrar a su «ella». Le gustaba demasiado ligar como para sentar la cabeza.

—Eh, Chet —llamó Jack a su amigo, que ya se alejaba—. ¿Has hecho alguna vez una disección de arteria vertebral?

—Sí, una —dijo Chet, al tiempo que entraba en el despacho de Jack—. Fue durante la beca de patología forense que me concedieron en Los Ángeles. ¿Por qué?

—Esta mañana he hecho una. Me ha tenido perplejo hasta que hemos abierto el cráneo. Los antecedentes carecían de importancia y no había traumatismo aparente.

—¿Edad?

—Joven. Veintisiete años.

—Investiga si fue a ver a un quiropráctico durante los últimos tres días más o menos.

—Creo que sí —dijo Jack, impresionado por la sugerencia de Chet—. Tal vez viera a uno el jueves o el viernes pasado. Murió anoche.

—Podría ser significativo —contestó Chet—. En mi caso, fue fácil establecer la relación, pues los síntomas se iniciaron momentos después de la manipulación cervical. Pero cuando investigué el asunto en general, averigüé que los síntomas de la DAV pueden retrasarse varios días.

»Mira, me gustaría seguir hablando contigo, pero debo ir a encontrarme con mi cielito.

—Nunca dejas de impresionarme —dijo Jack, al tiempo que se levantaba y seguía a Chet por el pasillo—. Recuerdo vagamente haber leído algo acerca de un caso, pero nunca he visto uno.

—Lo consideré interesante —admitió Chet mientras caminaba—, y pensé que me podría ganar algunos elogios de mi jefe, así que investigué la DAV y la quiropráctica un poco. Descubrí que era una de esas relaciones que no han despertado mucho interés, y en aquel momento a mí también me pasó. Resultó que mi jefe iba al mismo quiropráctico y creía a pies juntillas en él, de modo que mi mano se vio obligada a firmar que el caso era una simple complicación terapéutica.

—¿Qué hacen algunos quiroprácticos para provocar una DAV? ¿Lo sabes?

—Supongo que es la fuerza de su «técnica de ajuste» —explicó Chet—. Se llama empuje cervical de alta velocidad y baja amplitud. Aunque no ocurre con frecuencia, por lo visto hay ocasiones en que puede provocar un desgarro interno de la arteria vertebral, y la presión sanguínea se encarga del resto. A veces, la disección se extiende hasta llegar a la arteria basilar.

—¿Qué significa «no ocurre con frecuencia»? —preguntó Jack.

—No lo recuerdo con exactitud —admitió Chet—. Fue hace años. En los archivos del médico forense de Los Ángeles creo que encontré solo cuatro o cinco casos de DAV relacionados con visitas a quiroprácticos. —Chet entró en el ascensor y sujetó la puerta con la mano para que no se cerrara—. Escucha, Jack, he de irme, ya llego tarde. Si quieres, seguiremos hablando después.

La puerta se cerró y Chet se fue.

Por un momento, Jack continuó mirando la puerta del ascensor. Estaba intrigado, pues pensaba que tal vez había topado con la distracción que necesitaba. Si resultaba que Keara había ido a un quiropráctico por sus dolores de cabeza y se había sometido a manipulación cervical, existía una posibilidad, no tenía ni idea de hasta qué punto, de que hubiera sufrido la lesión de la arteria vertebral en aquel momento.

Jack dio media vuelta con brusquedad y volvió corriendo a su despacho, mientras meditaba sobre aquel caso de DAV provocado por manipulación cervical que recordaba haber leído en uno de los *Seminars*, y que el propio Chet había investigado uno y había descubierto cuatro o cinco en el banco de datos del médico forense de Los Ángeles. Para colmo, pensó Jack, era posible que tuviera uno entre manos. Todo ello le sugería que visitarse con un quiropráctico en determinadas circunstancias no era necesariamente una experiencia positiva.

De todos modos, Jack admitía que no conocía los detalles de la terapia quiropráctica, una variante de lo que él llamaba medicina alternativa o complementaria. Sabía que se cuestionaba su eficacia. Siempre había mezclado de una forma vaga quiropráctica, acupuntura, homeopatía, tradición ayurvédica, medicina herbal china, meditación trascendental y cien terapias cuestionables más, en su opinión, basadas más en la esperanza del efecto placebo que en otra cosa. Sin duda no era ciencia, según su dictamen, pero si la gente creía que valía la pena gastarse unos cuantos dólares en ello, a él qué más le daba. No obstante, si tales prácticas podían resultar letales, entonces la cosa cambiaba, y él, como médico forense, tenía la clara responsabilidad de dar el proverbial soplo.

Animado por esta nueva cruzada, Jack se reclinó en su silla. No pudo evitar pensar en la conversación con Laurie, y en que había dicho que probaría cualquier cosa con tal de salvar a J.J.

—Creo que pasaremos de la terapia quiropráctica —dijo Jack en voz alta, mientras acercaba la silla a la pantalla del ordenador.

# 8

*12.05 h, lunes, 1 de diciembre de 2008,*
*Nueva York*
*(19.05 h, El Cairo, Egipto)*

Jack se bajó de la red un artículo de medicina que trataba de la disección de la arteria vertebral. Empezó a leerlo por encima y averiguó que la DAV era la causa del veinte por ciento de las apoplejías sufridas por pacientes menores de cuarenta y cinco años, y ocurría tres veces más en mujeres que en hombres. Mientras continuaba leyendo, observó que la presentación típica era dolor de cabeza occipital, o en la parte posterior de la cabeza. Fue a la última página para buscar las causas. El primer factor de riesgo enumerado era la manipulación vertebral, tal como Chet había sugerido.

Intrigado por saber cuál era la incidencia de la DAV a causa de la manipulación vertebral, Jack volvió al motor de búsqueda. Unos segundos después, estaba examinando una plétora de artículos. No tardó en descubrir uno que consideró prometedor, y lo seleccionó. Mientras lo leía, pensó que era más inquietante que el primero, pues se trataba de una revisión sistemática de treinta y cinco casos de apoplejías causadas por manipulación vertebral cervical, presentes en la literatura médica desde 1995 hasta 2001. La inmensa mayoría tenían relación con quiroprácticos, y casi todas las lesiones eran disecciones de la arteria vertebral. Los resultados eran variables: desde la plena recuperación en el seis por ciento de los pacientes, con diversos niveles de daños neurológicos permanentes, hasta la muerte en el noventa y cuatro por ciento restante. Uno de los pacientes fallecidos era una niña de tres meses.

Jack se reclinó en la silla y contempló el techo. ¿Qué enfermedad podría conducir a los padres a pensar que los síntomas de un bebé resultarían aliviados por manipulaciones cervicales, consistentes en torcer con fuerza y de improviso el cuello del niño más allá del punto de resistencia normal? ¿Y qué se le había pasado por la mente al presunto terapeuta para tener la osadía de hacer algo semejante? Jack no solo estaba horrorizado; estaba enfurecido.

Avanzó hacia la sección de comentarios del artículo y leyó que existían pruebas de que los treinta y cinco ejemplos comentados solo constituían una pequeña parte de tales casos, pues casi nunca se denunciaban. Para apoyar esta afirmación, un estudio de especialistas médicos en una reunión del Consejo de Ictus de la Asociación Americana del Corazón informaba de ¡trescientos sesenta casos de apoplejías después de manipulaciones vertebrales! ¿Cómo era posible?, se preguntó Jack.

Apoyó su cabeza en ambas manos y la sacudió en señal de incredulidad, mientras se preguntaba por qué no se había divulgado más aquella problemática. Después de meditar sobre la situación durante unos cuantos minutos, sin llegar a ninguna conclusión, Jack devolvió su atención al caso de Keara Abelard.

Rebuscó airado entre la pila de papeles de su escritorio hasta localizar el número de teléfono de la amiga de Keara que, al parecer, le había recomendado el quiropráctico. Marcó el número mientras intentaba calmarse. Sabía que podía ser contraproducente intimidar a la amiga de Keara. Cuando contestó, Jack se identificó y mencionó su título oficial con la mayor tranquilidad posible. Su presentación obtuvo el silencio por toda respuesta.

—¿Sigue ahí? —preguntó Jack—. Es usted Nichelle Barlow, ¿verdad?

—¿Llama desde el depósito de cadáveres? —preguntó la mujer con evidente preocupación.

—Sí. ¿Es usted Nichelle Barlow?

—Sí —contestó ella de mala gana, mientras intentaba prepararse, al parecer, para lo que podían ser malas noticias.

—La señora Abelard me dio su número. Espero no molestarla.

—No hay problema —dijo vacilante—. ¿Me llama por Keara?

—Sí. Supongo que no salió con ella y con sus amigos anoche.

—No, pero no me diga que... —Nichelle fue incapaz de terminar la frase.

—Por desgracia, Keara falleció anoche —dijo Jack—. Siento ser el portador de tan mala noticia.

—¿Qué pasó?

—Sufrió una apoplejía.

—¿Una apoplejía? —preguntó Nichelle con incredulidad—. Keara tenía mi edad, veintisiete años tan solo.

—Las apoplejías son más frecuentes cuanto, mayor se es, pero también hay niños que las padecen.

—No puedo creerlo. ¿Es una especie de broma pesada?

—Temo que no, señorita Barlow —dijo con calma Jack—. El motivo de mi llamada es que estoy investigando la muerte de su amiga. Cualquier fallecimiento repentino de un individuo que goza en apariencia de buena salud, y sin causa conocida, cae dentro de la jurisdicción del Instituto Médico Legal. Lo que necesito es más información. ¿Sabía que Keara estaba sufriendo dolores de cabeza?

—Eso me dijo, pero no tuve la impresión de que fueran particularmente fuertes. Más molestos que otra cosa.

—¿Se los describió?

—Más o menos. Dijo que eran detrás de los ojos, más el derecho que el izquierdo. Que los sufría cuando estaba sometida a presión, y debido a su nuevo trabajo, iba muy estresada.

—Su madre me comentó que usted le había sugerido un quiropráctico.

Jack mantuvo un tono neutral que no pareciera culpabilizador.

—Dijo que el ibuprofeno no le servía de nada, así que le recomendé mi quiropráctico.

—¿Siguió su consejo?

—Me pareció que iba a ir, pero no lo sé con seguridad. La última vez que hablé con ella fue el miércoles pasado.

—¿Cómo se llama el quiropráctico?

—Es el doctor Ronald Newhouse. Es un médico maravilloso.

—Cuando dice «médico», ¿es consciente de que no es doctor en medicina?

—Es médico, excepto que no puede practicar la cirugía ni prescribir medicamentos.

Jack sintió que su rabia ardía de nuevo, pero la reprimió. No iba a poder cambiar las ideas de Nichelle acerca del tema, pero tampoco podía permitir que perseverara en su error.

—Su quiropráctico se autoproclama médico, pero es un médico de quiropráctica, no de medicina. ¿Puede decirme dónde tiene la consulta el doctor Newhouse?

—En la Quinta Avenida, entre la Sesenta y cuatro y la Sesenta y cinco. Espere un momento, voy a darle el número de teléfono.

Al cabo de un momento, Nichelle se puso de nuevo al aparato.

—¿Desde cuándo es usted paciente de él? —preguntó Jack, después de que la mujer le diera el número.

—Unos ocho años. Ha sido mi salvador. Voy a verlo por casi todo.

—¿Para qué va verlo en concreto?

—Cualquier cosa que me incomode, sobre todo sinusitis. Eso, y reflujo gastroesofágico. De no ser por el doctor Newhouse, estaría hecha un asco.

—Señorita Barlow... —empezó Jack, y después hizo una pausa. Durante un momento, meditó sobre lo que deseaba decir—. Siento curiosidad por saber cómo trata su quiropráctico la sinusitis.

—Me ajusta. Por lo general, trabaja con mis vértebras cervicales, pero a veces son las lumbares. Tengo una cadera más alta que la otra, y la espalda hecha polvo, pero sin duda estoy mejor. Debería ver los cambios en mis radiografías. Son notables.

—¿Le toma radiografías de la columna con frecuencia? —preguntó Jack, horrorizado por la idea. La radiación exigida para la radiología de la columna era importante.

—En casi todas las visitas —dijo Nichelle con orgullo, como si pensara que cuantas más radiografías, mejor—. Es un médico muy meticuloso. El mejor que me ha visitado nunca, sin duda.

Jack se encogió al pensar en aquel análisis tan poco certero de alguien que estaba tratando una sinusitis, provocada sin duda por la acción de bacterias, con manipulación cervical en potencia peligrosa y radiaciones innecesarias. Aunque el aparato fuera digital, con el tiempo las dosis de radiación se sumarían.

—Gracias por su ayuda, señorita Barlow —dijo, reprimiendo la tentación de llevar la contraria a la mujer. El hecho de que una persona, en apariencia inteligente y culta, pudiera albergar tan estrambóticas opiniones en pleno siglo XXI era un misterio para él. Pero no profundizó en el tema.

Jack cortó la comunicación con bastante brusquedad. Sabía que, de no haberlo hecho, habría acabado dando un discurso a Nichelle sobre la necesidad de aplicar una pizca de su inteligencia a sus elecciones sanitarias. Había admitido que utilizaba a su quiropráctico como médico de cabecera. Sin colgar, empezó a marcar el número de la consulta de Ronald Newhouse. Se detuvo a la mitad, hizo una pausa y colgó. Aún se sentía enfurecido, y en ese estado de ánimo era lo bastante lúcido para saber que no podría mantener una conversación coherente. La idea de que el hombre creía a pies juntillas que podía tratar una sinusitis con manipulaciones vertebrales era execrable. Aquel tipo tenía que ser un charlatán.

Para calmarse, Jack se dedicó a escribir un correo electrónico preguntando a los otros treinta y pico médicos forenses de Nueva York si habían tenido casos de DAV, sobre todo provocados por un quiropráctico. Estaba a punto de enviar el mensaje cuando decidió aumentar la petición a muertes que implicaran todo tipo de terapias médicas alternativas, incluidas, pero no limitadas, la homeopatía, acupuntura y medicina herbal china.

Después, Jack investigó en el sitio web de Barnes & Noble, la famosa cadena de librerías de Estados Unidos, en busca de títulos de medicina alternativa, y se quedó asombrado por el número disponible. Mientras leía las descripciones, observó que parecía haber más pros que contras, pese a lo que él consideraba los tambaleantes fundamentos de las diversas terapias. Esto solo consiguió aumentar su curiosidad, sobre todo en una era en que la medicina convencional estaba avanzando hacia una terapia basada sobre todo en la evidencia.

Un título le sorprendió: *Trick or Treatment?*\* Llamó a un Barnes & Noble del West Side y pidió que le reservaran un ejemplar. Estaba motivado para rectificar su vergonzosa ignorancia sobre el tema.

Jack, ahora que se sentía más tranquilo, volvió a telefonear a Ronald Newhouse. Una vez más, cuando estaba a medias se detuvo y colgó el teléfono. Decidió de repente que se imponía una visita oficial, aunque sabía muy bien que los poderes fácticos no veían con buenos ojos las visitas oficiales de médicos forenses. El protocolo del IML exigía que las visitas oficiales las llevaran a cabo equipos médico-legales avezados, no médicos forenses, a menos que circunstancias extraordinarias exigieran la presencia de un patólogo forense experto. Aunque Jack suponía que ni el jefe ni el subjefe considerarían la situación actual una «circunstancia extraordinaria», decidió de todos modos seguir

---

\* Literalmente, *¿Engaño o tratamiento?*, es un libro escrito por dos prestigiosos científicos, Edgard Ernst y Simon Singh, que explora con objetividad las medicinas alternativas. *(N. del T.)*

adelante. Le impulsaba una irresistible urgencia de mirar al quiropráctico a los ojos, mientras le explicaba cómo era posible que las manipulaciones vertebrales pudieran curar la sinusitis. También quería ver su expresión cuando dijera al hombre que había matado a Keara Abelard, al tratarla de unos dolores de cabeza normales provocados por la tensión.

Había pasado bastante tiempo desde su última visita oficial. Al poco de haber sido contratado, sobre todo cuando estuvo implicado en un caso complicado de enfermedad contagiosa, había hecho un montón, y a punto estuvo de que le despidieran en varias ocasiones. Le faltó un pelo para que el jefe, el doctor Harold Bingham, le echara a la calle por insubordinación premeditada.

Mientras esperaba el ascensor, Jack cayó en la cuenta de que si Ronald Newhouse había tratado a Keara con la sospechada manipulación cervical, Jack no debería consignar «complicaciones terapéuticas» como causa de la muerte en el certificado de defunción, que era lo que todo el mundo esperaría, comenzando por Bingham. Ni siquiera tendría que poner «accidental», lo adecuado en tal caso antes de que «complicaciones terapéuticas» se hubiera impuesto a mediados de los noventa. Jack se percató de que podría poner «homicidio» como causa de la muerte, y después entregar el informe al fiscal del distrito, como se hacía en casos criminales más convencionales.

—Menudo escándalo provocaría —dijo Jack para sí con una sonrisa traviesa, mientras entraba en el ascensor. Y reflexionando acerca de ello, pensó que dicha «bomba política» era lo que necesitaba para atraer la atención sobre los peligros de la manipulación cervical.

# 9

*12.55 h, lunes, 1 de diciembre de 2008,*
*Nueva York*
*(19.55 h, El Cairo, Egipto)*

Cuando Jack paró delante de la consulta de Ronald Newhouse en la Quinta Avenida, hacía meses que no se sentía tan bien. Estaba motivado, gracias a Keara Abelard, por haber topado con una distracción perfecta: una cruzada destinada a desenmascarar los peligros de la medicina alternativa. Ardía en deseos de encontrarse cara a cara con aquel hombre.

Jack bajó de la bicicleta y se dedicó a colocar la colección de candados que utilizaba para sujetar su Trek. Mientras estaba poniendo el último, alguien le dio unos golpecitos en el hombro.

Jack alzó los ojos y vio el rostro de un portero uniformado, con aspecto de haber salido de un plató cinematográfico, con su capote anticuado provisto de dos filas de relucientes botones de latón.

—Lo siento —dijo con un tono que indicaba todo lo contrario—. No puede dejar la bicicleta aquí. Está prohibido.

Jack volvió a concentrar su atención en el candado final y terminó la tarea de sujetar la bicicleta.

—¡Eh, tío! —exclamó el portero—. ¿Me has oído? No puedes dejar aquí la jodida bicicleta. Es una propiedad privada.

Jack se puso en pie sin decir palabra, buscó en el bolsillo de los pantalones, sacó su cartera y mostró su placa oficial de médico forense de Nueva York. A todo el mundo le parecía una placa de policía, a menos que la miraran con detenimiento.

—¡Lo siento, señor! —se apresuró a disculparse el portero.

—No pasa nada —dijo Jack—. La bicicleta no va a quedarse mucho rato.

—Ningún problema, señor. La vigilaré. ¿Puedo ayudarle en algo?

—He venido a ver a Ronald Newhouse —contestó Jack. No pudo decidirse a llamarle «doctor». Tampoco dijo si había ido en calidad oficial o como paciente.

—Por aquí, señor —dijo obsequioso el portero. Indicó con un gesto la puerta principal y guió a Jack hasta el vestíbulo. Abrió la puerta interior con una llave y señaló—. La consulta del doctor Newhouse está en ese pasillo, primera puerta a la izquierda.

—Gracias —respondió Jack, mientras se preguntaba si el hombre habría sido igualmente cordial de haber sabido que él solo era médico forense.

DOCTOR RONALD NEWHOUSE Y ASOCIADOS estaba dibujado con pan de oro sobre la puerta. Cuando entró, se dio cuenta al instante de que el consultorio de Newhouse era muy rentable. No solo podía permitirse un alquiler en la Quinta Avenida, lo cual era muy significativo para Jack, sino que había decorado la sala de espera con estilo. Había óleos originales en las paredes, muebles lujosos y una gran alfombra oriental. Lo que la diferenciaba de la consulta de cualquier doctor en medicina que él conociera eran tres taburetes con asientos de contorno, conectados a su base mediante una junta articulada móvil. Una mujer de unos veinte años ocupaba uno de los taburetes. Con las manos sobre las rodillas y las piernas separadas de tal forma que el vestido le caía entre las rodillas, se hallaba en movimiento constante, de una manera que a Jack le recordó a sus hijas cuando jugaban con los hula hoop. Mientras la miraba, la mujer se dio cuenta y sonrió. Transmitió la sensación a Jack de que aquella era la única actividad normal en aquel ambiente.

—¿Puedo ayudarle? —preguntó una agradable voz femenina. Jack se volvió y, a su derecha, vio a una mujer inmaculadamente vestida, con todos los mechones de pelo moreno en su sitio. Jack se quedó impresionado. Hasta la manicura era perfecta.

—Creo que sí —contestó. Se acercó a la mujer, que le obsequió con una sonrisa—. Para ser sincero, nunca había pisado la consulta de un quiropráctico.

—Bienvenido —dijo la recepcionista. La placa de su nombre decía LYDIA.

—Ese mueble es muy interesante —comentó Jack, y ladeó la cabeza en dirección a la mujer que giraba de un lado a otro en el taburete.

—Está utilizando una de nuestras sillas giratorias. Son fantásticas para las vértebras lumbares —explicó Lydia—. Provoca que los discos intervertebrales se lubriquen y aumenten de volumen hasta cierto grado. Animamos a la gente a hacerlo antes de su sesión de ajuste.

—Interesante —apostilló Jack—. ¿El doctor Ronald Newhouse está libre?

Apretó los dientes por haberse forzado a pronunciar el apelativo «doctor».

—Está aquí —dijo la secretaria. Señaló a la mujer de la silla giratoria—. Recibe a su siguiente paciente a la una y veinticinco. ¿Tiene usted cita?

—Todavía no.

—¿Le gustaría concertar una?

—Me gustaría ver al doctor —contestó Jack de manera ambigua—. No sé tanto como querría de terapia quiropráctica.

—Al doctor Newhouse siempre le interesan los nuevos pacientes. Tal vez podría recibirle unos minutos antes de que vea a la señorita Chalmers. Si no le importa esperar un momento, iré a preguntarle. ¿Quién debo decir que desea verlo?

—Jack Stapleton.

—De acuerdo, señor Stapleton. Vuelvo enseguida.

—Agradezco su ayuda —dijo Jack. Mientras la recepcionista se ausentaba de la sala, miró a la señorita Chalmers, quien continuaba obediente sus rotaciones de cadera. Tenía la cabeza echada hacia atrás, con los ojos cerrados y los labios entreabiertos. Por un momento, Jack se quedó fascinado. Daba la impresión de haber caído en trance.

—El doctor le recibirá ahora —dijo Lydia, interrumpiendo sus pensamientos. Jack la siguió a través de una puerta interior y por un corto pasillo, flanqueado por una serie de puertas cerradas. Al llegar a una que estaba abierta, se apartó y le indicó con un ademán que entrara.

El despacho daba a la Quinta Avenida, y al otro lado se veía Central Park. Dentro había dos hombres, uno sentado detrás de un escritorio y el otro en una silla reservada a las visitas. El hombre sentado detrás del escritorio, quien Jack supuso que era Ronald Newhouse, se levantó al instante y se inclinó hacia delante, al tiempo que extendía una mano robusta en dirección a Jack.

—Bienvenido, señor Stapleton —dijo Ronald Newhouse con entusiasmo de vendedor.

Jack permitió que sacudiera su mano vigorosamente. Newhouse mediría unos tres centímetros más que Jack, y pesaría unos diez kilos más que él. Jack calculó que contaría unos cuarenta y cinco años. Era de tez morena, con cejas bien depiladas sobre prominentes arcos ciliares. Tenía los ojos oscuros y penetrantes. Pero lo más impresionante de la apariencia del hombre era su peinado, o mejor dicho, la ausencia de él. Llevaba el pelo un poco largo, oscuro y brillante, como si se hubiera aplicado moldeador, pero despeinado por completo. Matojos puntiagudos salían disparados de su cuero cabelludo en ángulos extraños.

—Le presento a uno de mis asociados, Carl Fallon —dijo Newhouse, al tiempo que indicaba con la mano al caballero sentado en la silla de visitas.

Fallon se puso en pie como impulsado por un resorte y, con una presteza similar a la de Newhouse, dio a Jack un segundo apretón de manos entusiasta.

—Encantado de conocerle —dijo a Jack. Recogió los restos de un bocadillo de pastrami y un pepinillo a medio comer, junto con una bolsita marrón—. Luego nos vemos —dijo a Newhouse.

—Un gran tipo —comentó Newhouse. Señaló la silla que Fallon había desocupado—. ¡Siéntese, por favor! Tengo entendido que está interesado en la terapia quiropráctica. Será un placer hacerle una pequeña introducción antes de recibir a mi siguiente paciente. Pero antes, ¿cómo me ha encontrado? ¿A través de mi nuevo sitio web? Le hemos dedicado muchos esfuerzos, y siento curiosidad por saber si funciona.

—Me derivaron —dijo Jack. Era consciente de que no estaba diciendo del todo la verdad, pero quería ver cómo se desarrollaban las cosas.

—¡Maravilloso! —respondió Newhouse con aires de suficiencia—. ¿Le importa que le pregunte el nombre del paciente? No sabe lo agradable que es recibir un *feedback* positivo de un cliente satisfecho.

—Nichelle Barlow.

—¡Ah, sí! Nichelle Barlow. Una joven encantadora.

—Me interesa saber lo que usted, como quiropráctico, se siente capacitado para tratar.

La sonrisa de Newhouse se ensanchó, y por un momento dio la impresión de que estaba decidiendo por dónde empezar. Jack se concentró en una serie de libros que descansaban sobre el alféizar de la ventana, detrás de él, emparedados entre relucientes sujetalibros de latón en forma de caduceo. Los títulos eran reveladores: *How to Build a Million-Plus-Dollar-a-Year Chiropractor Practice* y *How an E-meter and Applied Kinesiology Can Double Your Practice Income.* Jack había oído vagamente hablar de los electropsicómetros, que habían sido descritos como tecnología fraudulenta cuando cierto número había sido confiscado por la FDA.* También había oído hablar de la kinesiología aplicada, que había sido desacreditada como carente de valor médico tras una serie de pruebas controladas.

—Podría decir que, en mis manos, la terapia quiropráctica puede tratar casi todas las enfermedades conocidas por el hombre. Ahora bien, para ser justo, tendría que matizar mis palabras admitiendo sin ambages que la quiropráctica no puede curar todas las enfermedades, pero sí que alivia los síntomas de estos problemas incurables.

—¡Caramba! —exclamó Jack, como si estuviera impresionado. De hecho, sí estaba impresionado por la osadía de la afirmación—. ¿Todos los quiroprácticos opinan lo mismo sobre la capacidad de la especialidad?

—Cielos, no —dijo Newhouse con un suspiro—. Se han suscitado desafortunadas discusiones, por decirlo de alguna manera, desde que el gran fundador de la especialidad, Daniel David Palmer, descubrió las técnicas en el siglo xix y fundó la Palmer School of Chiropractic en Davenport, Iowa.

—Davenport, Iowa —repitió Jack—. ¿No es en Iowa donde se halla el cuartel general del movimiento de la meditación trascendental?

—En efecto, aunque en ciudades diferentes. En Fairfield, Iowa, se encuentra la Universidad Maharishi. Supongo que podría decirse que Iowa es el centro más fértil de toda la nación en el desarrollo de medicinas alternativas. Por supuesto, el descubrimiento más importante de todos sigue siendo el movimiento quiropráctico.

—¿Puede resumirme las bases científicas del poder terapéutico de la quiropráctica?

—Se basa en el flujo de la inteligencia innata, que es una especie de fuerza o energía vital.

---

* Administración de Alimentos y Fármacos, una subdivisión del Departamento de Salud y Servicios Humanos de Estados Unidos. (N. del T.)

—Inteligencia innata —volvió a repetir Jack, para asegurarse de que había oído bien.

—Exacto —dijo Newhouse, al tiempo que alzaba las manos con las palmas hacia fuera, como un predicador a punto de decir algo importante—. La inteligencia innata ha de moverse con libertad por el cuerpo. Es la fuerza directiva básica, encargada de que todos los órganos y músculos trabajen en equipo por el bien común.

—Y cuando este flujo encuentra obstáculos, aparece la enfermedad.

—¡Exacto!

Newhouse parecía muy satisfecho.

—¿Y las bacterias, virus y parásitos? —preguntó Jack—. ¿Cómo encajan en la aparición de una enfermedad, la sinusitis, por ejemplo?

—Muy sencillo —respondió Newhouse—. Con la sinusitis se produce una aguda disminución del flujo de la inteligencia innata a los senos, otorgando así la oportunidad de crecer a la flora habitual, hongo, bacteria o lo que sea.

—A ver si lo he entendido bien —dijo Jack—. El proceso patológico empieza con el bloqueo del flujo de la inteligencia innata, o fuerza vital, y la expansión de las bacterias es un resultado, no una causa. ¿Es eso cierto?

Newhouse asintió.

—Lo ha entendido perfectamente.

—Por lo tanto, el trabajo del quiropráctico consiste en restaurar el flujo, y en cuanto se consigue, las bacterias, o lo que se halla implicado de manera secundaria, desaparecen.

—Tiene toda la razón.

—Da la impresión de que hay más quiroprácticos que quiroprácticas.

—Creo que podría decirse así.

—¿Existe algún motivo?

Newhouse se encogió de hombros.

—Debe de ser por la misma razón que hay más cirujanos

que cirujanas. La terapia quiropráctica exige cierto nivel de fuerza. Tal vez a los hombres nos resulte más fácil.

Jack asintió, mientras con el ojo de la mente podía ver los desgarros internos de las arterias vertebrales de Keara. Tuvo que mostrarse de acuerdo. Hacía falta fuerza para causar el tipo de daños que la joven había sufrido. Después de carraspear, preguntó:

—¿Cómo se bloquea la inteligencia innata?

—Uno de los primeros pacientes de Daniel David Palmer sufría un grave problema de audición que se había iniciado diecisiete años antes, después de levantar un gran peso. Cuando el doctor Palmer le examinó, determinó que una vértebra cervical se había luxado. Cuando la devolvió a su lugar, el paciente recuperó el oído. Lo que había pasado, para explicarlo con palabras sencillas, era que la vértebra desplazada ejercía presión sobre los nervios y afectaba a la audición. Cuando la presión desapareció, el flujo se reanudó y la función se recuperó.

—De manera que la inteligencia innata fluye a través de los nervios.

—Por supuesto —dijo Newhouse, como si aquel hecho en particular fuera de lo más evidente.

—Por lo tanto, el culpable es la columna vertebral, porque bloquea la inteligencia innata.

—Sí —admitió Newhouse—. Tiene que darse cuenta de que la columna vertebral no es tan solo una pila de huesos, sino un órgano complejo, y cada vértebra es capaz de influir en las demás, así como en el grupo tomado en conjunto. Es lo que nos sostiene, nos mantiene enteros y nos integra. Por desgracia, posee una fuerte tendencia a insubordinarse. Esa, en una palabra, es la responsabilidad de los quiroprácticos. Nuestro trabajo es diagnosticar la irregularidad, o subluxación, como nosotros lo llamamos, y devolver las vértebras implicadas a su posición normal, y después procurar que se quede así.

—Todo esto se consigue mediante la manipulación vertebral, ¿no es cierto?

—Exacto. Nosotros le damos un nombre especial, por supuesto. Lo llamamos ajuste.

—¿Está diciendo que pueden ejercer como médicos de cabecera?

—Absolutamente —repuso Newhouse, y pronunció cada sílaba como si fueran palabras separadas—. Creo que ejerzo las funciones de médico de cabecera de su amiga Nichelle Barlow. Y estoy seguro de que le ha dicho que goza de una salud a prueba de bomba. La ajusto con regularidad, porque su columna necesita atención constante.

—Supongo que no es muy propenso a los antibióticos.

—Por lo general, no son necesarios. En cuanto consigo que la inteligencia innata fluya con normalidad, cualquier infección desaparece con rapidez. Además, los antibióticos son peligrosos. Nosotros dispensamos remedios, no fármacos.

—¿Y las vacunas?

—Son innecesarias y peligrosas —dijo Newhouse sin vacilar un segundo.

—¿Todas las vacunas para todos los niños?

—Todas las vacunas para todos los niños —repitió Newhouse—. Las vacunas son más peligrosas que los antibióticos. Piense en la tragedia del autismo. Es una vergüenza, cuando no una tragedia nacional. Si uno de esos chicos hubiera acudido a mí antes de ser vacunado, hoy sería normal.

Jack tuvo que morderse literalmente la lengua para reprimir las ansias de discutir con aquel estrafalario charlatán. Aunque daba la impresión de que Newhouse creía en lo que decía, Jack fue incapaz de decidir si era un terapeuta bienintencionado pero equivocado, o un estafador de nuevo cuño.

—¿Qué me dice del cólico del lactante? —preguntó Jack vacilante, pues el trastorno le resultaba dolorosamente familiar—. ¿Puede tratarlo?

—Ningún problema —respondió Newhouse con tono confiado.

—¿Trataría a un lactante con manipulación vertebral? —preguntó Jack nervioso. Imaginaba a J.J. torturado por el hombre sentado frente a él.

—Bien, primero procederíamos a la fase de diagnóstico.

—¿Qué incluye exactamente?

—Examen visual, palpación detenida, observación de movimientos y, por supuesto, radiografías.

—¿Haría una radiografía de la columna a un lactante? —inquirió Jack, solo para asegurarse. Estaba furioso. Se preguntó a cuántos niños habría expuesto Newhouse a la cantidad de radiación necesaria para radiografías de la columna, aunque su equipo fuera digital.

—Sin duda. Es una parte fundamental de nuestro minucioso procedimiento diagnóstico y terapéutico. Utilizamos radiografías para diagnosticar, para documentar el curso del tratamiento y para lograr que las vértebras problemáticas no se muevan de su sitio. Como las radiografías son tan cruciales para nuestra misión, contamos con el sistema digital más moderno. ¿Le gustaría verlo?

Jack no contestó. Aún estaba intentando digerir la información acerca de que bombardeaban a lactantes con radiación ionizada para efectuar un diagnóstico fraudulento de que sus jóvenes y normales columnas estaban algo desviadas.

Newhouse tomó el silencio de Jack por una afirmación, saltó de su silla y le indicó con un gesto que lo siguiera. Jack se levantó obediente y lo siguió hasta el pasillo y a través de las puertas antes cerradas. La calma que había acumulado durante el paseo en bicicleta había sido sustituida por ira dirigida contra Newhouse y sus colegas. Jack se sentía avergonzado, como si su existencia fuera culpa de él.

La unidad de rayos X era de alta tecnología. Como sabía más o menos lo que costaba, Jack adivinó por qué la utilizaban tanto: había que amortizar gastos. Jack no escuchaba a Newhouse, quien, como un padre orgulloso, se había lanzado a enumerar los atributos de su criatura.

En mitad del discurso de Newhouse, Lydia asomó la cabeza

por la puerta para decirle que la señorita Chalmers estaba esperando en la sala de tratamiento uno.

—¡Que la reciba el doctor Fallon! —dijo Newhouse, sin apenas interrumpir su presentación.

—Creo que a ella no le hará gracia —replicó Lydia.

Al instante, la jovialidad de Newhouse dio paso a la mala leche.

—¡He dicho que la reciba el doctor Fallon!

Repitió cada palabra con igual fuerza.

—Como desee —dijo Lydia, que huyó al instante.

Newhouse respiró hondo. En una fracción de segundo, la tormenta se había disipado y el sol había salido. La transición dejó estupefacto a Jack.

—Bien, ¿por dónde iba? —preguntó Newhouse, mientras miraba el monitor como si la máquina de rayos X se lo pudiera decir.

—Hace un seguimiento de los pacientes con radiografías —dijo Jack, sin hacer caso de la pregunta de Newhouse.

—Siempre. Nos interesa documentar la mejora progresiva del paciente, algo muy tranquilizador para los pacientes.

—¿Podría enseñarme dicha progresión? —preguntó Jack.

—Por supuesto —dijo Newhouse—. Tenemos una serie disponible como presentación para futuros pacientes como usted, puesto que nos encantaría satisfacer sus necesidades sanitarias. Volvamos a mi consulta, por favor. Se lo enseñaré en el ordenador.

Jack se maravilló del esfuerzo que Newhouse estaba dispuesto a llevar a cabo para conseguir un cliente nuevo. Hasta su último comentario, Jack se había preguntado por qué Newhouse era tan generoso con su tiempo.

Jack se colocó detrás del escritorio de Newhouse, de modo que los dos pudieran ver el monitor. Newhouse subió una radiografía lateral cervical, en teoría de uno de sus pacientes. Sobreimpresas en la película había cierto número de líneas rojas rectas que se cruzaban en ángulos cuidadosamente medidos.

Todo parecía justificado, como si se tratara de un complicado sistema para analizar la radiografía. No obstante, cuanto más miraba Jack la imagen y la profusión de líneas rojas, más absurdo se le antojaba. Lo que sí observó fue que la cabeza del paciente estaba inclinada hacia delante, con la barbilla descansando sobre el pecho.

—En esta preliminar —dijo Newhouse—, la curva de la columna cervical de este paciente sintomático es justo lo contrario de la normal. Como puede ver, sale del cráneo y no se curva hacia delante como debería, sino más bien hacia atrás. Esta fue la radiografía inicial antes de empezar la terapia. Cuando le vaya mostrando placas sucesivas de este paciente, observe cómo cambia la columna cervical a medida que la terapia progresa.

Jack vio placas laterales posteriores y observó que la columna cervical dejaba de curvarse hacia atrás para curvarse hacia delante. Al mismo tiempo, reparó en que el cambio no era debido a la terapia, sino al hecho de que el paciente iba levantando poco a poco la cabeza en cada radiografía sucesiva.

—Impresionante, ¿verdad? —ronroneó Newhouse.

Jack desvió la vista del monitor hacia el hombre que estaba admirando la placa final de su presentación como si fuera una obra de arte. En realidad, era un fraude perpetrado con rayos X, utilizados para engañar a un público desprevenido. Lo que Newhouse y sus secuaces estaban haciendo era dotar de una falsa sensación de legitimidad a la terapia quiropráctica, utilizando algo que era una herramienta legítima en manos de la medicina convencional. Y no solo era fraudulento, sino peligroso, pues exponía a la gente a radiaciones perjudiciales.

Newhouse pareció sorprendido cuando se volvió y vio que Jack le estaba mirando con silenciosa intensidad. Confundió la expresión de Jack con admiración.

—Será un placer para Lydia concertarle una cita. Estoy seguro de que tendremos un hueco dentro de un mes, si sus síntomas pueden esperar. Estamos hasta los topes con visitas de seguimiento, y las primeras visitas ocupan mucho más tiempo con el diagnóstico y las radiografías. No crea que la situación relajada de hoy es la habitual. Los lunes por la tarde están reservados para propósitos educativos. Por lo general, reina el caos en las dependencias.

Jack no daba crédito a lo que estaba pasando en aquel despacho. De no haber sido tan patético, habría resultado hasta divertido. Comprender a Newhouse era una cosa, pero ¿y sus pacientes? Nichelle Barlow parecía inteligente y culta. ¿Cómo podía ser tan ingenua para confiar en la terapia fraudulenta de aquel hombre, basada en la excéntrica idea de la inteligencia innata?

—¿Señor Stapleton? —preguntó Newhouse—. ¡Hola! No pretendía abrumarle hasta ese punto. ¿Se encuentra bien?

Jack consiguió sacudirse de su minitrance.

—Antes, al principio de nuestra conversación —empezó—, dijo que se habían producido disensiones entre los quiroprácticos. Nos distrajimos y no terminó lo que iba a decir.

—¡Tiene razón! Nos despistamos hablando de Daniel David Palmer, el fundador de la quiropráctica, y nos pusimos a hablar de Davenport, Iowa, donde fundó la primera facultad de medicina quiropráctica.

—¿A qué clase de disensiones se estaba refiriendo?

—¡Muy sencillo! Durante los noventa, un puñado de quiroprácticos renegados se dejaron intimidar por médicos convencionales para limitarse a tratar solamente problemas de espalda.

—O sea, dejar de tratar problemas como la sinusitis aguda.

—¡Exacto! La AMA, la Asociación Médica Americana, siempre se había opuesto a la quiropráctica, y había instigado denuncias y similares. Tenían miedo de que les robaran el negocio, cosa que estaban haciendo, por supuesto, porque los pacientes no son estúpidos.

Jack no estaba tan seguro de ello, pero no le interrumpió.

—Sea como sea —continuó Newhouse—, hacia 1990 el Tribunal Supremo silenció por fin a la AMA y legisló a favor de los quiroprácticos al afirmar de manera categórica que la medicina convencional había intentado desacreditar, por mediación de la AMA, la práctica quiropráctica, con el fin de conservar el monopolio de la asistencia sanitaria en este país.

Jack tomó nota mental de echar un vistazo a aquel fallo. Teniendo en cuenta lo que había descubierto aquella tarde sobre la quiropráctica, se le antojaba inconcebible que el Tribunal Supremo hubiera dictaminado a favor de la quiropráctica, si bien suponía que el fallo solo se refería al problema del monopolio, y no tenía nada que ver con la eficacia.

—Tal vez piense que dicho fallo ayudó a la quiropráctica —continuó Newhouse—, pero, aunque parezca extraño, contribuyó a dividirnos. Cierto número de médicos convencionales, tras haberse enterado de los beneficios que obteníamos, empezaron a trabajar con nosotros, al menos con aquellos quiroprácticos que deseaban limitarse. Con el paso de los años, estos traidores han sido bautizados como «mixtos», porque los han engañado para que se limitaran a trabajar exclusivamente con problemas de espalda, y al hacerlo han traicionado al movimiento quiropráctico. —Newhouse hizo una pausa—. Lo cual significa que no son auténticos quiroprácticos, por supuesto —concluyó.

—¿Y cómo se llaman ustedes, los quiroprácticos patrióticos incondicionales? —preguntó Jack, permitiendo que se manifestara una dosis de su tristemente célebre sarcasmo.

Por un momento, Newhouse miró a Jack como si este le hubiera abofeteado. Estaba claro que había captado el sarcasmo, pero parecía más confuso que ofendido. Por fin, decidió pasarlo por alto.

—Nosotros nos autodenominamos «puristas», porque somos fieles a nuestros inicios.

Por enésima vez durante aquella conversación con Newhouse, relativamente corta, Jack tuvo que refrenarse para callar lo que pensaba en realidad.

—Me gustaría preguntarle por otra paciente —dijo—. Se llama Keara Abelard.

—La señorita Abelard —repitió Newhouse, y dejó que su

expresión resplandeciente volviera a aparecer—. Otra joven con clase. ¿También le habló de mí?

—En última instancia, debería darle un sí con reservas.

La sonrisa de Newhouse desfalleció. Volvía a sentirse un poco confuso. La respuesta de Jack parecía de lo más rebuscada.

—Era una paciente nueva —dijo—. ¿Le contó algo sobre su experiencia en la consulta?

—De manera indirecta —respondió Jack, intentando hablar con tono misterioso para avivar la curiosidad de Newhouse—. La señorita Barlow me dijo que había sugerido a Keara que viniera a verle, pero no sabía si al final había seguido su consejo.

—Lo hizo. Llegó como paciente nueva el viernes pasado. Le hicimos un hueco porque dijo que sufría considerables dolores.

—¿La recuerda bien, por tanto?

—Oh, sí. Muy bien.

—¿Cómo es posible, teniendo en cuenta lo ocupado que está? Debe de recibir a montones de pacientes, con el fin de cubrir los gastos indirectos y pagar la instalación de su máquina de rayos X digital.

—Recuerdo los nombres —dijo Newhouse, mientras miraba de reojo a Jack. Este último comentario se le antojaba de lo más inapropiado—. Tengo facilidad para ello.

—¿Se acuerda de sus síntomas?

—Por supuesto. Padecía un grave dolor de cabeza frontal que no respondía a los fármacos. Lo arrastraba desde hacía semanas.

—Y usted pensó que podría ayudarla.

—Desde luego, y lo hice. Dijo que su dolor de cabeza había desaparecido como por arte de magia.

—¿Le hizo radiografías?

Newhouse asintió. Presentía que la conversación no iba por buen camino, pero ignoraba qué pasaba o cuándo había empezado. La actitud de Jack había cambiado de repente. Primero había parecido impresionado, y ahora daba la sensación de que le estaba desafiando.

—¿Dónde tenía exactamente sus subluxaciones? —preguntó Jack.

—A todo lo largo de la columna vertebral —dijo Newhouse, con un nuevo tono en la voz. No le gustaba que le desafiaran, sobre todo en su propio territorio—. Su columna era un desastre, por culpa de no haberle hecho caso durante tanto tiempo. Nunca había ido a un quiropráctico.

—¿Y su columna cervical? ¿También estaba hecha un desastre?

—Toda la columna, incluida la zona cervical.

—Por lo tanto, usted pensó que necesitaba un ajuste.

—Muchos ajustes —corrigió Newhouse a Jack—. Hablamos de un programa de tratamiento. La veré dos veces esta semana, y así durante cuatro semanas seguidas. Después, una vez a la semana durante cuatro meses.

—Y si no recuerdo mal, un ajuste es otra palabra para definir la manipulación espinal. ¿No es cierto?

Newhouse fingió que consultaba su reloj.

—Me temo que se está haciendo tarde. Debo ver a algunos pacientes. Tendré que pedirle que se vaya.

—Me gustaría que tuviera la cortesía de contestar a mi pregunta —dijo Jack sin ceder terreno.

Una sonrisa irónica se insinuó en el rostro de Newhouse. De pronto, decidió que aquel visitante inesperado era un posible agitador, al que deberían echar a patadas. No obstante, una pizca de preocupación por el hecho de que Jack tal vez fuera una especie de inspector municipal en lugar de un chiflado le hizo vacilar. Newhouse pensaba que Jack tenía un aire autoritario, una curiosidad inesperada y una osada confianza en sí mismo que concedía crédito a la posibilidad de que fuera un funcionario. Y si bien nunca habían inspeccionado su consulta, pensó que siempre podía haber una primera vez, lo cual podía convertirse en un desastre. Sabía con certeza que la habitación de los rayos X no contaba con la protección adecuada en la zona del techo.

—Repítame su pregunta, por favor —dijo, con todo aquello en mente.

—Quiero saber si Keara Abelard fue sometida a manipulación de su columna cervical.

—Por lo general, no divulgamos información confidencial sobre nuestros pacientes —dijo Newhouse a la defensiva.

—¿Conserva los historiales de sus pacientes?

—¡Pues claro que conservamos los historiales! Necesitamos documentar el curso de la mejoría. ¿Qué clase de pregunta es esa?

—Puedo reclamar como prueba sus historiales, de modo que será mejor que me lo diga.

—Usted no puede reclamar como prueba mis historiales —afirmó Newhouse, aunque sin mucha seguridad. Ahora estaba más preocupado por la posibilidad de que Jack no fuera lo que había dicho ser, un nuevo cliente en perspectiva con la idea de concertar una cita.

—Ha comentado que los dolores de cabeza de Keara Abelard desaparecieron después de su tratamiento. ¿Sabía que se reprodujeron?

—No, no lo sabía. Ella no me llamó. De haberlo hecho, la habría recibido de inmediato.

—Los dolores de cabeza se reprodujeron corregidos y aumentados —replicó Jack—. Debo saber si ajustó su columna cervical.

—¿Y por qué debe saberlo, señor Stapleton? ¿Quién es usted, en cualquier caso?

—Soy el doctor Jack Stapleton —escupió Jack—. Médico forense de Nueva York. —Exhibió su placa ante el rostro de Newhouse—. Keara Abelard murió repentinamente anoche, sin causa aparente, lo cual la convierte en un caso de medicina forense. Soy el médico forense que lo investiga. Necesito saber si usted manipuló su cuello cuando la visitó el viernes. Si no me lo dice, llamaré a la policía para que lo detengan.

Jack sabía que estaba exagerando su poder y que había perdido un poco el control. No podría lograr de ningún modo que detuvieran a Newhouse, pero estaba lo bastante furioso para afirmarlo, porque el hombre había arrebatado la vida a una hermosa y prometedora joven. Lo que subyacía en realidad bajo el comportamiento desaforado de Jack (del cual habría tomado conciencia si se hubiera parado a pensar en ello) era la ira por la enfermedad de su hijo y su impotencia ante ella.

—¡Está bien! —gritó Newhouse, después de recuperarse de la sorpresa de saber que Keara había muerto—. Yo manipulé su columna cervical como he hecho miles de veces. ¿Y sabe usted una cosa? Funcionó. Funcionó porque ajusté su cuarta vértebra cervical subluxada. Y salió de aquí estupenda y agradecida, sin dolor por primera vez desde hacía semanas. Si ha muerto, ha muerto de otra cosa, algo que le ocurrió durante el fin de semana, no por culpa de mi tratamiento, si es eso lo que está insinuando.

—¡Pues claro que estoy insinuando que usted la mató! —chilló Jack—. ¿Sabe cómo lo hizo? Su empujón, como ustedes lo llaman, desgarró la delicada pared de sus arterias vertebrales, lo cual a su vez provocó una disección bilateral de las arterias vertebrales y, en última instancia, obstrucción. Supongo que sabe lo que son las arterias vertebrales.

—¡Pues claro que sé lo que son! —gritó a su vez Newhouse—. Ahora, lárguese de mi consulta. No puede demostrar que me equivoqué, porque no lo hice. No puedo imaginar que le parezca bien a usted acusarme así. Menuda cara, venir aquí con engaños. Mi abogado se pondrá en contacto con usted, se lo prometo.

—¡Y el fiscal del distrito se pondrá en contacto con usted! —gritó Jack—. Voy a firmar el certificado de defunción como homicidio. «Inteligencia innata»... ¡y una mierda! Es la chorrada más retorcida que he oído en mi vida. Ha dicho que ustedes, los quiroprácticos puristas, llaman a sus colegas mixtos o traidores, porque se limitan exclusivamente a los problemas de la espalda. ¿Cómo los llaman ellos a ustedes? ¿Curanderos?

—¡Fuera! —rugió Newhouse, con la cara amenazadoramente cerca de la de Jack.

Fue como si una bombilla se apagara en la cabeza de Jack. De repente, cayó en la cuenta de que se encontraba a escasos centímetros de un hombre encolerizado, casi a punto de liarse a puñetazos. ¿Qué estaba haciendo? ¿En qué estaba pensando?

Jack retrocedió un paso. No era que tuviera miedo, Newhouse no parecía en muy buena forma, pero no quería empeorar todavía más la situación. Lo que quería era salir cagando leches.

—Ahora que nos vemos cara a cara, creo que me iré —dijo Jack, recuperando su sarcasmo—. No se moleste en acompañarme hasta la puerta —añadió, al tiempo que alzaba la mano como rechazando a Newhouse—. Conozco el camino.

Jack salió del despacho. Lydia y varios pacientes habían escuchado como mínimo la parte final de la competición de chillidos entre Jack y Newhouse. Todos estaban sentados muy tensos, preparados para salir pitando si hacía falta. Tenían la boca entreabierta, la mirada fija, mientras veían a Jack atravesar la recepción. El último gesto de Jack fue despedirse con la mano de Lydia antes de salir por la puerta exterior de la consulta.

Ya fuera, Jack se encaminó hacia su bicicleta y forcejeó con los múltiples candados, mientras lanzaba nerviosas miradas por encima del hombro. Estaba estupefacto por su comportamiento, asombrado por la forma en que había perdido el control con Newhouse. Por supuesto, ahora que estaba pensando de una manera racional, reconoció que todo era debido a J.J., lo cual subrayaba lo importante que era para él controlar aquella situación. También subrayaba la importancia de su cruzada por ayudar a ese respecto, pero necesitaba pensar en el bosque, no en los árboles. Tenía que concentrarse en la medicina alternativa en general, no solo en la quiropráctica ni en Newhouse, debido a la reacción emocional provocada por la tragedia de Keara Abelard.

En cuanto liberó su bicicleta, Jack subió y se alejó a toda velocidad en dirección sur. Empezaba a estar preocupado por las posibles repercusiones de su mal reflexionada visita. Si Bingham o Calvin se enteraban de sus últimas travesuras, eso podría poner un prematuro fin a su recién nacida cruzada. Podría ser lo bastante grave como para llegar a la suspensión de empleo y sueldo. Desde la perspectiva de Jack, cualquiera de ambos desenlaces se convertiría en un grave problema.

# 10

*12.53 h, martes, 2 de diciembre de 2008,*
*Roma*
*(6.53 h, Nueva York)*

Shawn miraba por la ventanilla cuando el Boing 737-500 de Egyptair se acercó por fin al aeropuerto de Fiumicino. Solo veía el ala del avión. Era como si estuvieran en un banco de niebla de San Francisco. Habían estado dando vueltas sobre el aeropuerto durante casi media hora.

Aparte de la tensión del momento, el viaje había sido agradable. Habían pasado con facilidad el control de pasaportes egipcio. Shwan estaba un poco preocupado, porque el códice iba en su bolsa de mano, envuelto en una toalla dentro de una funda de almohada del Four Seasons. Si lo hubieran encontrado, Shawn se habría llevado una decepción, si bien no le preocupaban las consecuencias legales. Estaba dispuesto a decir la verdad (que lo había comprado de recuerdo), y a mentir diciendo que estaba seguro de que se trataba de una falsificación, como casi todo lo que vendían en la tienda de antigüedades Khan el-Khalili.

La carta de Saturnino era una historia diferente. Shawn había cubierto con sumo cuidado cada hoja de papiro con envoltorio de plástico transparente que había sacado de la cocina del Four Seasons, y después había pegado cada una en páginas diferentes de un voluminoso libro de fotografías de antiguos monumentos egipcios, comprado a toda prisa en la tienda de regalos del hotel. Shawn había atravesado los controles de seguridad con el libro en las manos, a plena vista. Si hubieran descubierto la carta, el problema habría sido de órdago, pero Shawn creía que no existía un gran peligro. Ante Sana le había quitado importancia, diciendo que lo había hecho en el pasado sin la menor dificultad, cosa que no era cierta.

—Mientras el libro pase el escáner, ningún problema —dijo para tranquilizarla.

Hubo una fuerte sacudida que sobresaltó a Shawn. El avión había descendido por debajo de la capa de nubes. A través de la ventanilla, ahora azotada por la lluvia, Shawn vio campos verdes empapados y carreteras con grandes atascos de tráfico. Pese a ser mediodía, casi todos los vehículos llevaban las luces encendidas. Miró hacia delante y vio entre la bruma el aeropuerto y, lo más importante, la pista. Un momento después, el avión tomó tierra.

Shawn exhaló un leve suspiro de alivio y miró a Sana. Ella sonrió.

—No parece que haga un tiempo espléndido —comentó, y se echó hacia delante para poder ver mejor.

—En invierno lo normal es que llueva.

—Creo que eso no va a importarnos —dijo Sana, y añadió un guiño a su sonrisa.

—Creo que tienes razón —admitió Shawn. Apretó la mano de su mujer, y ella le devolvió el gesto. Los dos estaban tensos a causa de la impaciencia.

—Te propongo algo —dijo Sana—. ¿Qué te parece si voy a recoger el equipaje, y tú te encargas de alquilar un coche? Ahorraremos tiempo.

—Estupenda idea —respondió Shawn. Miró a su mujer. Estaba muy sorprendido y agradecido. Por lo general, ella dejaba la planificación en sus manos. Ahora, se estaba mostrando plena de iniciativa y ofrecía su ayuda. Supuso complacido que estaba tan entusiasmada como él. Le había ametrallado a preguntas acerca de los primitivos cristianos, el judaísmo y hasta las religiones paganas de Oriente Próximo durante todo el viaje.

—¿Cuál crees que debería ser nuestro programa una vez salgamos del aeropuerto? —preguntó Sana impaciente.

—Nos registraremos en el hotel, comeremos algo y buscaremos un lugar donde comprar herramientas básicas. Después, creo que deberíamos echar un vistazo a la necrópolis o los Scavi, para que no haya sorpresas cuando volvamos esta noche a buscar el osario. Si no recuerdo mal, los Scavi están abiertos hasta las cinco y media o así.

—¿Qué clase de herramientas?

—Un martillo, un cincel y un par de linternas. Tal vez un aparato de cortar a pilas, solo para asegurarnos.

—¿Para cortar qué?

—Roca blanda y quizá ladrillo. Confío en no necesitarlo. Las herramientas eléctricas fueron prohibidas por el Papa cuando autorizó las excavaciones modernas, con el fin de evitar daños colaterales, pero no vamos a preocuparnos por ese detalle. Donde trabajaremos, lo único que podríamos dañar es el osario en sí.

—Entonces ¿no vamos a excavar en tierra normal y corriente? —preguntó Sana. En su opinión, la idea de cortar roca conseguía que el proyecto fuera mucho más sobrecogedor.

—No, será algo más parecido a durisol, una capa similar a la arcilla mezclada con grava, pero muy compacta, para que parezca piedra muy blanda. Como ya he dicho, la tumba que los seguidores de Pedro le prepararon en la colina del Vaticano, junto al circo de Nerón, era una cámara subterránea con bóveda de cañón. Excavaron un agujero grande, y después construyeron dos muros de contención paralelos orientados de este a oeste. La carta de Saturnino dice que el osario estaba situado en mitad de la base del muro norte, y oculto antes de que llenaran el hueco excavado fuera de los muros.

—¿Y vamos a encontrar el osario en la base del muro norte?

—Exacto. Durante la última excavación importante, hace más de cincuenta años, los arqueólogos abrieron un túnel bajo el muro norte para llegar hasta la cámara original y evitar destruir el laberinto de tumbas, altares y trofeos acumulados sobre la tumba subterránea de Pedro. Desde poco después de su muerte hasta no hace mucho, la gente se emperraba en que la enterraran lo más cerca posible de él. En cualquier caso, es en el techo de ese túnel donde vamos a encontrar el osario.

—Me cuesta imaginar todo esto.

—Por buenos motivos. Poco después de la muerte de Pedro, toda la colina se convirtió no solo en el lugar donde serían enterrados los futuros papas, sino en una popular necrópolis romana llena de tumbas y mausoleos. Hoy, debido a su emplazamiento bajo la basílica de San Pedro, tan solo una pequeña parte ha sido excavada. Y en el interior de una zona de unos seis metros cúbicos aproximadamente, alrededor de la tumba de Pedro, hay tal batiburrillo de construcciones antiguas que no podrás creerlo. Para complicar todavía más las cosas, en el siglo I, un monumento llamado el Tropaion de Pedro fue construido justo encima de su tumba. Después, en el siglo IV, Constantino construyó una basílica alrededor de este monumento, que utilizó como altar. Durante el Renacimiento, la basílica de San Pedro fue construida sobre la de Constantino, y el altar mayor se emplazó justo encima del de Constantino, que ahora se halla a unos doce metros sobre el suelo de la tumba original de Pedro.

—Parece una tarta —dijo Sana.

—Una buena analogía —concedió Shawn.

Una vez dentro de la terminal, y tras pasar el control de pasaportes, Shawn y Sana se separaron, ella fue a la zona de recogida de equipajes, y Shawn a los puestos de alquiler de coches. Al cabo de media hora estaban en camino.

El recorrido hasta Roma fue bien hasta que entraron en los límites de la ciudad. La lluvia, el tráfico y la ausencia de un plano decente los llevaron a rezar para toparse con algún monumento que pudieran reconocer.

Después de quince tensos minutos, divisaron el Coliseo. Shawn se desvió al instante, y desde allí se dirigieron hacia la piazza de España y el hotel Hassler.

La ruta elegida los condujo a lo largo del Foro Romano hasta el monumento a Vittorio Emanuele, en forma de pastel de bodas. Desde allí, se desviaron hacia el norte por la bulliciosa via del Corso.

—Caramba, qué diferencia de cuando hace sol —comentó Sana, mientras veía correr a los transeúntes, acurrucados bajo paraguas negros—. Las nubes oscuras, la lluvia y todas las ruinas le dan un aspecto siniestro. No es la típica imagen de Hollywood de la ciudad del amor.

Después de varios giros más, se encontraron en la via Sistina y delante del hotel. El portero se acercó de inmediato al lado de Shawn.

—¿Van a registrarse? —preguntó con amabilidad.

Cuando Shawn dijo que sí, el portero hizo un ademán a un compañero, quien al momento salió con un segundo paraguas para proteger a Sana, al tiempo que un mozo se encargaba del equipaje.

Una vez dentro, se registraron. A Shawn le satisfizo que el paquete enviado por su ayudante del Metropolitan Museum ya le estuviera esperando.

Shawn se puso a departir de inmediato con la atractiva recepcionista.

—Creo que usted no es italiana —dijo—. Tiene un acento de lo más encantador.

—Soy holandesa.

—Vaya —dijo Shawn—. Ámsterdam es una de mis ciudades favoritas.

«¡Oh, por favor!», pensó Sana. Impaciente, trasladó su peso de una cadera a otra. Tenía miedo de que Shawn se lanzara a contar la historia de su vida. Por suerte, la avezada recepcionista manejó la situación saliendo de detrás del mostrador para acompañarlos hasta su habitación, al tiempo que mantenía una fluida conversación y describía los servicios del hotel, incluido el restaurante y su espectacular vista.

La habitación estaba en la tercera planta. Shawn se acercó a la ventana, que daba a la piazza de España.

—Ven a ver esto —dijo a Sana, quien había entrado en el cuarto de baño para ver si era tan lujoso como todo lo demás—. Asombroso, ¿no crees? —comentó Shawn cuando Sana se reunió con él, y ambos contemplaron la piazza de España. Pese a la lluvia, los turistas se estaban haciendo fotos—. Aunque no podemos verla bien, delante tenemos la cúpula de San Pedro. Si no despeja por la mañana, tendremos que volver un día que no llueva para que puedas disfrutarla.

Sana volvió adentro, deshizo las maletas, y Shawn abrió su paquete. Dejó caer el contenido sobre el escritorio.

—¡Gracias, Claire! —dijo, mientras inspeccionaba los objetos.

Sana se colocó detrás de él y miró por encima de su hombro.

—¿Tienes todo lo que necesitas?

—Sí. Aquí está mi identificación del Vaticano —dijo Shawn, al tiempo que le enseñaba la tarjeta plastificada.

—Parece una foto de archivo policial —bromeó Sana.

—De acuerdo, basta de bromas —respondió risueño Shawn, y le arrebató la foto de las manos. Le tendió el permiso de acceso a la necrópolis del Vaticano, los Scavi, que significa «excavaciones» en italiano. Era un documento muy formal, con sello oficial de la Comisión Pontificia para la Arqueología Sagrada y todo—. Esto conseguirá que pasemos el control de la Guardia Suiza.

—Estoy impresionada —dijo Sana, al tiempo que le devolvía el papel—. Da la impresión de que todas las piezas van encajando. ¿Y las llaves?

Shawn las levantó y las agitó sonoramente antes de guardarlas en el bolsillo, junto con la tarjeta de identificación y el permiso de acceso.

—Por lo visto, vamos a poner manos a la obra.

Unos minutos después, Shawn y Sana bajaron al mostrador del conserje y preguntaron dónde podían picar algo rápido.

—Caffè Greco —dijo uno de los dos conserjes sin la menor vacilación, mientras el otro asentía para mostrar su acuerdo—. Está bajando la escalinata, en la via Condotti, a la derecha.

—¿Puede indicarme dónde podríamos encontrar una ferretería? —preguntó Shawn.

Los conserjes intercambiaron una mirada de desconcierto. Era la primera vez. Después de un tira y afloja y una rápida consulta al diccionario, dirigieron a Sana y a Shawn a una *ferramenta* cercana llamada Gino, en la via del Babuino.

Con el plano en la mano y dos paraguas del hotel, la pareja fue primero al Caffè Greco, donde tomaron algo rápido. A continuación, utilizaron el plano del hotel para buscar la *ferramenta* de Gino, que estaba, tal como habían asegurado los conserjes, a escasa distancia, en la via del Babuino. Cuando se acercaron a la tienda, el polvoriento escaparate, donde se exhibían herramientas y menaje del hogar, daba la impresión de no haber cambiado en años. Cuando la puerta se cerró detrás de ellos, se vieron envueltos al instante en un silencio palpable. El interior estaba tan polvoriento como el escaparate. Media docena de clientes esperaban con paciencia y en silencio ante la caja registradora, a la espera de que los atendieran. Un solitario empleado examinaba un grueso catálogo.

Shawn y Sana se quedaron impresionados por el silencio. Era pesado, como el de una iglesia. Daba la impresión de que hasta los sonidos más ínfimos quedaban apagados por la plétora de mercancías, muchas de las cuales estaban apiladas en cajas de cartón de diversos tamaños. Un gato blanco y negro dormía aovillado sobre un cartón humidificador. La atmósfera no tenía nada que ver con las ferreterías que Shawn recordaba de su juventud en el Medio Oeste de Estados Unidos. Allí, estos establecimientos siempre estaban atestados de ruidosos clientes, y servían tanto para pasar el rato como para comprar artículos de ferretería.

Shawn indicó con un gesto a Sana que le siguiera a las profundidades de la tienda.

—Vamos a comprar sin ayuda —susurró.

—¿Por qué hablas tan bajito?

—No lo sé —susurró de nuevo Shawn, pero luego adoptó un tono de voz normal—. Es ridículo susurrar. Supongo que estaba siguiendo el viejo adagio: donde fueres haz lo que vieres.

Shawn se dirigió en primer lugar a la zona de los productos y utensilios de limpieza, seguido de Sana. Le entregó dos cubos apilables, y después fue en busca de linternas y pilas. Eligió dos linternas grandes con varios juegos de pilas para cada una. Mientras los iba poniendo en el cubo, se fijó en algo que le había pasado por alto: cascos de construcción amarillos de plástico con focos a pilas.

—No había pensado en los focos —admitió—, pero nos podrían ir muy bien.

Se probó un casco, y Sana le imitó.

Se rieron con tono conspiratorio.

—Los compramos —dijo Shawn.

Sana asintió, y los dos avanzaron hacia la sección de herramientas. Shawn cogió un martillo y varios cinceles de albañilería. Entonces, vio tres cosas más en las que no había pensado, pero que les serían de innegable ayuda: gafas protectoras de plástico, guantes de trabajo y protectores para las rodillas. El último objeto que eligió fue una taladradora Black & Decker, con una batería de acumuladores y cierto número de piezas para taladrar y cortar intercambiables. Pagaron el material y regresaron al hotel, donde lo guardaron. Shawn también enchufó la batería de acumuladores para cargarla.

—Fíjate qué tarde se ha hecho —lamentó Sana—. Solo nos queda una hora.

—Nos irá de un pelo —dijo Shawn, al tiempo que consultaba el reloj.

—Tal vez deberíamos pensar en quedarnos en Roma un día más. Puede que los Scavi hayan cerrado antes de que lleguemos.

Shawn miró sorprendido a su mujer. Tan solo el día anterior, se había mostrado ansiosa por volver a casa de inmediato. Ahora, era ella la que sugería quedarse un día más.

—¿Y el experimento que tanto te preocupaba?

—Me has convencido de lo importante que podría ser esto.

—Me siento muy complacido —dijo Shawn—, pero vamos a ver si podemos entrar en los Scavi hoy. Si quieres que te diga la verdad, estoy tan entusiasmado que no puedo retrasarlo más. Puede que insista en que intentemos apoderarnos del osario esta noche, tanto si podemos echar un vistazo esta tarde como si no.

—Vale, de acuerdo —dijo Sana—. Probemos.

Pese a que era hora punta, el portero del Hassler paró un taxi al cabo de pocos minutos. Mientras atravesaban la ciudad, Shawn y Sana estaban demasiado tensos para entablar conversación.

El taxista, tal vez al reparar en que sus pasajeros no paraban de consultar el reloj, conducía como si fuera un corredor de Fórmula Uno. A base de deslizarse con pericia entre el tráfico, consiguió dejarlos al cabo de veinte minutos ante el Arco delle Campane, a la sombra de San Pedro. La lluvia era torrencial ahora. Shawn y Sana se acurrucaron bajo un solo paraguas y corrieron hacia la relativa protección del arco. En cuanto salieron de la lluvia, dos miembros de la Guardia Suiza se interpusieron en su camino, vestidos con sus uniformes negro y naranja a rayas verticales, adornados con gorgueras blancas y boinas negras blandas. Uno de los guardias tomó la identificación de Shawn, comparó su cara —empapada por la lluvia— con la de la foto, se la devolvió, saludó y les indicó con un gesto que entraran. No hubo intercambio de palabras.

Salieron de nuevo a la lluvia y atravesaron corriendo la piazza adoquinada colindante con el lado sur de la basílica de San Pedro. Ahora, no solo combatían contra la lluvia, sino también contra los torrentes de agua que caían de las gárgolas de la iglesia, así como el agua que arrojaba el veloz tráfico que salía de la Ciudad del Vaticano.

Shawn hizo un gesto con la mano.

—¿Ves esa piedra negra y lisa, con cenefa blanca, empotrada en el suelo que estamos cruzando?

—Sí —dijo Sana sin mucho entusiasmo. Estaba concentrada en huir de la tormenta.

—Recuérdame que te hable de ella cuando entremos.

Por suerte, no tuvieron que ir muy lejos, y unos momentos después estaban a salvo debajo de un pórtico. Se sacudieron el agua como pudieron y patearon el suelo.

—Se supone que esa piedra negra de la piazza señala el centro del circo de Nerón, donde muchos cristianos primitivos, incluido san Pedro, sufrieron martirio. Durante muchos años, el obelisco egipcio que ahora se halla en el centro de la piazza de San Pedro estuvo allí.

—Entremos —dijo Sana. No le interesaban los detalles turísticos. Estaba mojada y helada, y la noche había caído.

A unos pasos de distancia, entraron en la oficina de la Necropoli Vaticana. Pese a que a Sana le pareció un poco destartalada, hasta el punto de recordarle la oficina de un director de escuela, se alegró de librarse de la lluvia. Ante ellos había un mostrador y, delante, un baqueteado escritorio. Un hombre levantó la cabeza. Su expresión sugería que la interrupción le molestaba.

—Los Scavi ya han cerrado —dijo con fuerte acento—. El último grupo ha bajado hace media hora.

Sin decir palabra, Shawn le enseñó su identificación del Vaticano y el permiso de acceso. El hombre examinó el documento con detenimiento. Cuando leyó el nombre de Shawn, sus ojos se iluminaron. Levantó la cabeza y sonrió.

—¡Profesor Daughtry! *Buona sera.*

El hombre había reconocido el nombre de Shawn por sus trabajos en el lugar de hacía cinco años. Se presentó como Luigi Romani.

Shawn reconoció vagamente el nombre.

—¿Van a bajar a los Scavi? —preguntó Luigi.

—Sí, una visita breve. Hemos llegado a Roma esta tarde, y nos vamos mañana. Quería enseñarle a mi esposa algunos de los detalles más interesantes. No tardaremos mucho.

—¿Saldrán por aquí o por la basílica? Yo me iré dentro de poco.

—En ese caso, nos iremos por la basílica con el grupo que está ahí abajo.

—¿Me necesitan para entrar?

—No, tengo mis llaves, a menos que hayan cambiado las cerraduras.

—¿Cambiado? —Luigi rió—. Esas cosas nunca cambian.

Shawn salió de la oficina de los Scavi y guió a Sana por un pasillo de mármol algo inclinado, completamente desierto.

—Estamos a unos tres metros más o menos por debajo del nivel del suelo de la basílica.

—El hecho de que el señor Romani te reconociera, ¿tiene importancia?

—No imagino por qué —replicó Shawn en voz baja—. Como nadie más que nosotros sabe lo del osario, si lo encontramos y nos lo llevamos nadie se enterará.

Llegaron a un tramo de escaleras de mármol que descendía más de un piso completo. Shawn empezó a bajar.

Sana vaciló y señaló delante.

—¿Adónde conduce este pasillo?

—Se interna en la cripta más reciente que hay debajo de San Pedro.

En la base de las escaleras había un estrecho pasadizo de piedra bloqueado por una rejilla metálica cerrada con llave.

—¡Aquí viene la prueba de fuego! —dijo Shawn, al tiempo que sacaba las llaves. Recordó la llave correcta y la introdujo con facilidad—. Todo bien hasta el momento —dijo. Al cabo de un momento más de vacilación para armarse de valor, intentó girar la llave, y comprobó complacido que lo hacía con facilidad.

Después de atravesar una puerta de control de humedad y

bajar más escaleras, llegaron a lo que había sido la planta baja en la Roma antigua.

—Hay mucha humedad —comentó Sana. Eso no le gustaba.

—¿Te molesta?

—Solo si el sello del osario está roto.

—¡Exacto! —dijo Shawn, al darse cuenta de que el principal interés de Sana consistía en encontrar el ADN antiguo.

—¿Por qué no hay más luz aquí abajo? —se quejó Sana—. Me da claustrofobia.

La iluminación era muy escasa, y casi toda procedía de luces hundidas en el suelo. El techo se perdía en las sombras.

—Para recrear el ambiente de la época, supongo. Si quieres que te diga la verdad, no lo sé. Se hace más claustrofóbico todavía en los alrededores de la tumba de Pedro. ¿Podrás resistirlo?

—Creo que sí. ¿Dónde estamos ahora?

—Estamos en mitad de la necrópolis romana que Constantino rellenó por completo en el siglo IV para formar los cimientos de su basílica. Lo que han excavado es este único sendero de dirección este-oeste entre dos hileras de tumbas. La mayoría eran mausoleos paganos de entre los siglos I y IV, aunque también se han encontrado algunas imágenes mosaicas cristianas.

—Este lugar me da escalofríos. ¿Dónde está la tumba de Pedro, para poder examinarla y salir corriendo?

Shawn señaló hacia su izquierda, hacia la antigua colina vaticana. Después de recorrer unos quince metros, indicó un sarcófago romano en un rincón a oscuras.

—Si hemos de guardar cascotes, creo que los esconderemos ahí, ¿de acuerdo?

—Claro —dijo Sana, intrigada por la pregunta.

—¿Te interesa echar un vistazo más detenido a alguna de estas tumbas romanas antiguas? —preguntó Shawn—. Algunas tienen adornos muy interesantes.

—Quiero ver la tumba de Pedro y el lugar en el que trabajaremos —contestó Sana. Notaba húmedos los pantalones y tenía todo el cuerpo helado.

—Esta es la «pared roja» —explicó Shawn cuando doblaron el extremo derrumbado de una pared de ladrillo—. Nos estamos acercando. La pared se considera parte del complejo de la tumba de Pedro.

A Sana no le pareció nada especial. Más adelante, oyeron las explicaciones del guía del grupo.

—Para un momento —dijo Shawn, al llegar a una brecha en la pared roja—. Echa un vistazo a este agujero. ¿Ves una columna de mármol blanco?

Sana obedeció. Vio con facilidad la columna a la que se refería Shawn al otro lado de la pared roja, porque estaba iluminada. Daba la impresión de medir unos quince centímetros de diámetro.

—Forma parte del Tropaion de Pedro que fue construido sobre la tumba de san Pedro. Por lo tanto, el lugar que pisamos es el nivel del suelo de la basílica de Constantino.

—De manera que la tumba de Pedro está debajo de nosotros.

—Exacto. Debajo de nosotros y a nuestra izquierda.

—¿Dónde buscaremos el osario?

—Ahora estamos en el lado sur del edificio. Debemos ir hacia el lado norte.

—Vamos —dijo Sana.

Cuando dieron la vuelta al complejo y llegaron al lado norte, se toparon con el grupo de turistas, que incluía una docena de adultos de diversas edades. El único aspecto común era que todo el mundo hablaba inglés. Algunos escuchaban al guía, otros tenían la mirada clavada en la lejanía, mientras otros conversaban en voz baja. No era el tipo de grupo que Sana hubiera imaginado.

Shawn esperó a que el guía hiciera una pausa en sus explicaciones para animar a Sana a seguir al grupo. Al cabo de tres metros, llegaron a lo que el guía había estado describiendo, situado a su derecha. Era una pared de yeso blanco azulado con una profusión de epígrafes grabados uno encima de otro, de tal modo que era difícil discernir algún epígrafe en particular.

—Se llama la pared de los graffiti —explicó Shawn en voz baja—. Como ya te dije, durante la última excavación, con el fin de llegar hasta la tumba de Pedro sin tocar nada, en particular esta pared de graffiti, tuvieron que hacer un túnel debajo de la pared, y después por debajo de la pared que sostiene la bóveda original que hay encima de la tumba de san Pedro. El osario tiene que estar entre ambas paredes, cerca de la pared roja, que cruza estas dos en ángulo recto.

—Dios mío —exclamó Sana. Sacudió la cabeza exasperada. Todo era demasiado confuso.

—Lo sé —se compadeció Shawn—. Es muy complicado. El lugar ha sido ampliado y alterado continuamente a lo largo de casi dos mil años. Tal vez no me haya explicado bien, pero sé de qué estoy hablando. Mi única preocupación es que, cuando los romanos estaban construyendo la pared roja a finales del siglo I, hubieran tropezado sin querer con el osario y lo hubieran trasladado de lugar o destruido. No me cabe la menor duda de que su emplazamiento original tiene que estar cerca de la pared roja, que está justo detrás de nosotros.

—¿Dónde empieza el túnel? —preguntó Sana, mientras paseaba la vista alrededor de la cámara en que se encontraban.

—El túnel se halla directamente debajo de nuestros pies. En este momento nos encontramos en el nivel del suelo de la basílica de Constantino. Hemos de descender al nivel del suelo de la tumba de Pedro. Para ello, debemos ir a la siguiente cámara. ¿Preparada para continuar?

—Más que preparada —dijo Sana. Debido a su incomodidad, quería ver dónde iban a trabajar por la noche, para después marchar. Teniendo en cuenta las circunstancias, los detalles tridimensionales de lo que Shawn estaba describiendo con paciencia no se habían quedado grabados en su cerebro.

Shawn bajó el primero unos cuantos peldaños metálicos hasta entrar en una estancia relativamente grande, donde se había congregado el grupo de turistas. El guía estaba explicando que las cajas de plexiglás que se veían a través de una pequeña abertura en la pared de la tumba de Pedro contenían los huesos del santo.

—¿Es eso cierto? —susurró Sana a Shawn.

—Eso fue lo que dijo el papa Pío XII —contestó Shawn en voz baja—. Fueron encontrados diseminados en la tumba, dentro de un nicho en forma de «V» de la pared roja. Creo que lo que decidió al Papa fue la falta de cráneo. Se supone que la cabeza de san Pedro ha estado siempre en la basílica de San Juan de Letrán.

—Vale, pero ¿dónde está el túnel? —preguntó Sana impaciente. Ya tenía bastante de historia por el momento.

—¡Sígueme! —dijo Shawn.

Pasaron por detrás del grupo de turistas y se acercaron a una estructura grande similar a una tarima, a la que se accedía bajando unos peldaños. Tenía un armazón metálico tipo rejilla y barandillas. La superficie se componía de grandes cuadrados de cristal transparente de unos dos centímetros de grosor. Desde la tarima se podía ver el sector inferior de las excavaciones, metro y medio más abajo.

—Ese es el nivel del suelo de la tumba de Pedro —explicó Shawn—. Para llegar al túnel, tenemos que bajar ahí, y después volver bajo el punto en el que nos encontramos, delante de la pared de graffiti.

—¿Cómo vamos a bajar ahí? —preguntó Sana, mientras sus ojos recorrían la tarima transparente. No parecía existir ninguna abertura.

—El panel de cristal del extremo se levanta. Pesa una tonelada, pero juntos podremos hacerlo. ¿Qué te parece? ¿Te las podrás arreglar?

La idea de reptar a través de un túnel despertó la leve claustrofobia de Sana. Saber que ya se encontraba a unos doce o quince metros bajo tierra no le sirvió de consuelo.

—¿Vas a pensártelo mejor? —preguntó Shawn cuando Sana no contestó.

—¿Estas luces van a estar encendidas? —inquirió Sana con

un hilo de voz. Se pasó la lengua por los labios y trató de encontrar un poco de saliva. Se le había quedado la garganta seca de repente.

—No podemos tener las luces encendidas —dijo Shawn—. Funcionan con un temporizador automático, y si alguien abriera una puerta de la necrópolis y viera luces, sabría que algo estaba pasando. Además, necesitamos que las luces estén apagadas a modo de sistema de alarma. Si alguien atraviesa la basílica mientras estamos utilizando los cinceles, puede oírlos, pese a estar a doce o quince metros de distancia. Recuerda que el mármol es un gran transmisor de sonido. Si vienen a investigar, encenderán las luces, lo cual nos avisará de que alguien se acerca. ¿Te parece sensato?

Sana asintió de mala gana. Era de lo más sensato, pero no le gustaba.

—Háblame —dijo Shawn—. ¿Podrás apañártelas?

Sana volvió a asentir.

—¡Dime algo! —exigió Shawn, al tiempo que alzaba la voz en tono colérico—. ¡Tengo que estar seguro!

—¡Vale, vale! —dijo Sana—. Estoy contigo hasta el final.

Miró con timidez a los miembros más cercanos del grupo, algunos de los cuales los estaban mirando con curiosidad. Sana miró a Shawn.

—Estaré bien. ¡No te preocupes! —le aseguró en un susurro, pero de haber sabido lo que la esperaba unas horas más tarde, tal vez no se habría sentido tan segura.

# 11

11.34 h, martes, 2 de diciembre de 2008,
Nueva York
(17.34 h, Roma)

—¿Cómo te fue la comida ayer? —preguntó Jack. Había asomado la cabeza en el despacho de Chet, donde su colega estaba estudiando bajo el microscopio una serie de placas. Chet alzó la vista, y después se apartó de su escritorio.

—No fue lo que yo esperaba —confesó.

—¿Por qué?

—No sé en qué estaría pensando el sábado por la noche —dijo, al tiempo que sacudía la cabeza—. Se me debió de ir la puta olla. Esa mujer era del tamaño de un caballo.

—Lo siento —dijo Jack—. Supongo que, a fin de cuentas, no va a ser «ella».

Chet hizo un gesto como si ahuyentara a un insecto molesto, al tiempo que reía con sorna.

—¡Búrlate de mí! —le retó—. Me lo merezco.

—Quiero preguntarte sobre el caso de DAV del que hablaste ayer —dijo Jack, mientras intentaba refrenar el entusiasmo por su cruzada contra lo que consideraba la popularidad irracional de la medicina alternativa. Estaba más convencido que nunca de que era ineficaz en general, dejando aparte el efecto placebo y el hecho de que era cara: una mala combinación. Y por si eso no fuera suficiente, ahora sabía que, en algunas ocasiones, era peligrosa. De hecho, se sentía avergonzado de que la patología forense no hubiera tomado una postura responsable en el asunto.

La opinión de Jack se había fortalecido después de su visita en persona a la consulta de Ronald Newhouse la tarde anterior, si bien, al pensarlo, admitía que había sido una equivocación, pues se había dejado llevar por sus frágiles emociones. Aquel mismo día, más tarde, había llevado a cabo una búsqueda en internet y descubierto una enorme cantidad de información, que le habría ahorrado la necesidad de plantar cara a Newhouse. Ignoraba los miles de «estudios» realizados para demostrar o desaprobar la eficacia de la medicina alternativa o complementaria. Su búsqueda también puso en evidencia lo que consideraba el mayor defecto de internet: demasiada información, sin ningún método real de analizar la imparcialidad de las fuentes.

Por casualidad, se había topado con cierto número de referencias al libro *Trick or Treatment*, que antes había reservado en Barnes & Noble. Una comprobación de las credenciales de los autores lo dejó muy impresionado. Uno era el autor de un libro que había disfrutado varios años antes, titulado *Big Bang*. El dominio de la ciencia que demostraba el hombre, sobre todo en física, era asombroso, y Jack estaba dispuesto a confiar en las opiniones del hombre sobre la medicina alternativa. El segundo autor, con carrera en medicina convencional, se había tomado el tiempo y el esfuerzo de aprender algunos tipos de medicina alternativa, y practicaba ambas. Tales antecedentes no podían ser mejores para evaluar y comparar sin prejuicios los dos enfoques. Muy animado, Jack había decidido dejar internet, y se había marchado antes del trabajo para recoger el libro.

Cuando Jack había llegado a casa la noche anterior, se había llevado una decepción al descubrir que tanto Laurie como J.J. estaban dormidos como troncos, y una nota en la mesita contigua a la puerta principal: «Mal día, montones de lágrimas, nada de sueño pero dormida ahora. He de hacerlo cuando puedo. Sopa sobre los fogones. Te quiero, L».

La nota había conseguido que Jack se sintiera culpable y solo. No había llamado en todo el día por temor a despertarlos, cosa que ya había ocurrido otras veces. Aunque siempre animaba a Laurie a llamarle cuando pudiera, ella nunca lo hacía. Confiaba en que no fuera por resentimiento contra él, por irse a trabajar cuando ella se quedaba en casa; y aunque fuera así, sabía que ella nunca lo reconocería.

Pero no se sentía culpable tan solo por no llamar: era porque no quería saber lo que estaba pasando en casa. A veces, ni siquiera quería volver a casa. Estar en el apartamento le impedía olvidar la enfermedad del niño y su impotencia para remediarla. Aunque nunca lo había admitido ante Laurie, solo sostener al niño transido de dolor afectaba a sus sentimientos, y se odiaba por ello. Al mismo tiempo, comprendía lo que se agazapaba detrás de dichos sentimientos: estaba intentando en vano no encariñarse demasiado con el niño. La realidad no verbalizada que acechaba en los recovecos de su mente era que J.J. no iba a sobrevivir.

Jack aprovechó la paz que reinaba en la casa para sumergirse en *Trick or Treatment*. Cuando Laurie despertó cuatro horas después, lo encontró tan absorto que se había olvidado de cenar.

Jack escuchó mientras Laurie le contaba cómo había ido su jornada. Como cualquier otro día, cuanto más oía, más creía que ella era una santa y él todo lo contrario, pero dejó que se explayara a gusto. Cuando hubo terminado, fueron a la cocina, donde ella insistió en calentar un poco de sopa para los dos.

—Es irónico que esta mañana hayas hablado de probar con la medicina alternativa —dijo él mientras cenaban—. Voy a decirte una cosa: puede que estemos desesperados, pero nunca vamos a utilizar medicina alternativa.

Le habló de Keara Abelard y de su decisión de investigar en serio el tema de la medicina alternativa. Aunque Laurie se encontraba agotada física y mentalmente, escuchó su apasionado discurso a medias, hasta que llegó al caso fatal de la niña de tres meses fallecida después de una manipulación cervical quiropráctica. A partir de aquel momento, prestó toda su atención a Jack. Explicó que *Trick or Treatment* le estaba abriendo los ojos a todos los campos de la medicina alternativa, incluidas la homeopatía, la acupuntura y la medicina herbal, además de la quiropráctica.

Cuando Jack hubo concluido su miniconferencia, la reacción de Laurie fue felicitarle por encontrar un tema en el que valiera la pena ocupar su mente, mientras la familia no tuviera ni idea de qué hacer con relación al tratamiento de J.J. Hasta confesó sentir algunos celos, pero de ahí no pasó. Cuando Jack sacó a colación de nuevo la posibilidad de que volviera al trabajo con la ayuda de enfermeras las veinticuatro horas, ella se negó una vez más, y dijo que estaba haciendo lo que era necesario. Después, habló de tres casos de fallecimientos causados por la medicina alternativa de los que había oído hablar. Uno era un caso de una víctima de la acupuntura, que había muerto cuando el acupunturista había atravesado el corazón de la víctima con una de sus agujas, en la zona del nódulo sinoventricular. Otros dos murieron por envenenamiento de metales pesados, por culpa de unas hierbas chinas contaminadas.

A Jack le gustó escuchar los casos de Laurie, y había admitido haber enviado un correo electrónico a todos sus colegas, preguntando por casos similares, con el fin de calcular la incidencia de muertes inducidas por la medicina alternativa en Nueva York.

—¡Eh! —gritó Chet, al tiempo que daba un empujón al brazo de Jack—. ¿Qué te pasa, te ha dado una parálisis psicomotriz?

—Lo siento —contestó Jack, y sacudió la cabeza como si despertara de un trance—. Tenía la cabeza en otro sitio.

—¿Qué querías preguntar sobre mi caso de DAV? —preguntó Chet. Había estado esperando a que Jack terminara la pregunta.

—¿Podrías conseguir el nombre o número de acceso de ese

caso, para que pueda conocer los detalles? —dijo Jack, pero no escuchó la respuesta de Chet. Su mente estaba recordando aquella mañana, cuando había despertado a las cinco y media, todavía vestido, todavía sentado en el sofá de la sala de estar. Sobre su regazo descansaba *Trick or Treatment*, abierto por el apéndice.

El libro había acentuado sus sentimientos negativos hacia la medicina alternativa, y espoleado su interés por el tema. Aunque se había saltado algunas partes del libro, había leído casi todo el volumen, incluso subrayado ciertos párrafos cruciales. El mensaje enlazaba con su postura sobre el tema, y pensó que los argumentos utilizados por los autores para justificar sus conclusiones eran claros e imparciales. De hecho, Jack pensó que se habían esforzado al máximo por intentar defender la medicina alternativa, pero en su resumen únicamente podían concluir que la homeopatía proporcionaba tan solo efecto placebo; que la acupuntura, además del efecto placebo, podía paliar algunos tipos de dolor y náuseas, pero su efecto era breve y de poca importancia; que la quiropráctica, además del efecto placebo, mostraba cierta eficacia en relación con el dolor de espalda, pero los tratamientos convencionales eran igualmente beneficiosos y mucho menos caros; y que la medicina herbal era sobre todo efecto placebo, con productos de escaso o nulo control de calidad, y en aquellos productos de efecto farmacológico, los fármacos que contenían el ingrediente activo eran mucho más seguros y eficaces.

Tras haber dormido solo un par de horas, Jack pensó que estaba agotado, pero ese no había sido el caso, al menos al principio. Después de una tonificante ducha fría y un frugal desayuno, Jack había llegado al IML a bordo de su bicicleta en un tiempo casi récord.

Nervioso como estaba a causa de sus recientes descubrimientos sobre la medicina alternativa, Jack se sumergió en el trabajo y firmó diversos casos pendientes, antes de apoderarse de un poco dispuesto Vinnie para empezar a trabajar en la sala de autopsias. Cuando Jack llegó al despacho de Chet, ya había terminado tres autopsias, que incluían un tiroteo en un bar del East Village y dos suicidios, uno de los cuales consideró muy sospechoso, lo suficiente como para llamar a su amigo detective, el teniente Lou Soldano.

—¡Eh! —Chet llamó de nuevo su atención—. ¿Hay alguien en casa? Esto es ridículo. Es como charlar con un zombi. Acabo de decirte el nombre de mi caso de DAV, y tienes pinta de haber sufrido otra crisis de ausencia. ¿No has dormido esta noche?

—Lo siento —se disculpó Jack, cerró los ojos, y después parpadeó muy deprisa—. Tienes razón en que no he dormido mucho esta noche, y me tengo en pie gracias a la energía nerviosa. ¡Dime otra vez el nombre!

—¿Por qué estás tan interesado? —preguntó Chet, al tiempo que escribía el nombre en una nota que entregó a Jack.

—Estoy investigando la medicina alternativa en general, y las DAV quiroprácticas en particular. ¿Qué averiguaste cuando investigaste aquella DAV?

—¿Te refieres a aparte del hecho de que nadie quería saber nada de ella?

—¿Además de tu jefe, quieres decir?

—Cuando presenté el caso en la sesión clínica, suscitó una especie de debate, con la mitad del público a favor y la mitad en contra de la quiropráctica, y los que estaban a favor eran acérrimos. Fue un problema emocional que me pilló por sorpresa, sobre todo porque mi jefe era un fanático.

—Has dicho que reuniste cuatro o cinco casos. ¿Crees que podrías encontrar también los nombres? Sería interesante comparar de manera extraoficial la incidencia de la DAV entre Nueva York y Los Ángeles.

—Encontrar el nombre de mi caso fue relativamente fácil. Encontrar los demás es pedir un milagro. Pero buscaré. ¿Cómo lo vas a investigar desde aquí?

—¿Hace mucho que no miras tu correo electrónico?

—Debo confesar que sí.

—Cuando lo hagas, verás uno mío. Envié un correo electrónico a todos los médicos forenses de la ciudad, en busca de casos. A última hora de esta tarde voy a echar un vistazo a los historiales, por si encuentro algo.

De pronto, la BlackBerry de Jack vibró. Siempre preocupado por si era Laurie y una crisis en casa, lo sacó de su funda y contempló la pantalla de LCD.

—¡Ahí va! —dijo. No era Laurie. Era su jefe, Harold Bingham, que llamaba desde su despacho de abajo.

—¿Qué pasa? —preguntó Chet al observar la reacción de Jack.

—Es el jefe.

—¿Algún problema?

—Ayer realicé una visita oficial —confesó Jack—. Era el quiropráctico implicado en mi caso. No me comporté con mi diplomacia habitual. De hecho, casi llegamos a las manos.

Chet, quien conocía a Jack mejor que nadie de la oficina, hizo una mueca.

—¡Buena suerte!

Jack asintió en señal de agradecimiento y clicó para aceptar la llamada. La estirada secretaria de Bingham, la señora Sanford, estaba al habla.

—¡El jefe te quiere en su despacho ahora!

—Lo he oído —dijo Chet, al tiempo que hacía la señal de la cruz. El significado era sencillo: Chet estaba convencido de que la situación de Jack necesitaba que se apiadaran de él.

Jack se apartó del escritorio de Chet.

—Gracias por el voto de confianza —dijo con sarcasmo.

Mientras caminaba hacia el ascensor, Jack pensó que la convocatoria debía de estar relacionada con el buen doctor Newhouse, el quiropráctico. Jack había esperado una reacción después del episodio, pero no pensaba que fuera a ser tan rápida. Esto no se debía a la llamada de un airado quiropráctico, sino a la llamada de un abogado. Las consecuencias podían ser un tirón de orejas... o una demanda civil.

Jack salió del ascensor y pensó que, en lugar de defenderse delante de Bingham, lo cual sabía que sería difícil, cuando no imposible, tal vez debería pasar a la ofensiva.

—Tienes que entrar ahora mismo —dijo la señora Sanford, sin levantar la vista del ordenador. Como la mujer se había comportado igual la última vez que le habían dado un rapapolvo, diez años antes, se quedó de nuevo intrigado por el hecho de que hubiera sabido que era él.

—¡Cierra la puerta! —tronó Bingham desde detrás de su enorme escritorio de madera. El escritorio estaba situado bajo los altos ventanales cubiertos con persianas antiguas. Calvin Washington, el subdirector, estaba sentado a una mesa de biblioteca grande, con librerías acristaladas a su espalda. Ambos hombres miraron a Jack sin parpadear.

—Gracias por llamar —dijo Jack muy serio. Se encaminó sin vacilar hacia el escritorio de Bingham y dio un puñetazo sobre él para subrayar sus palabras—. El IML debe tomar una postura responsable sobre la medicina alternativa, en especial la quiropráctica. Ayer tuvimos una muerte por disección arterial vertebral bilateral provocada por una manipulación cervical innecesaria.

Bingham aparentó confusión por la forma en que Jack pasaba al contraataque.

—Yo he cogido la delantera —continuó Jack—, obligándome ayer a tomarme el tiempo y el esfuerzo de llevar a cabo una visita oficial al quiropráctico culpable, con el fin de confirmar que había llevado a cabo la manipulación cervical. Como puedes comprender, no fue tarea fácil, y tuve que mostrarme enérgico para obtener la información.

La cara llena de manchas de Bingham palideció un poco, y sus ojos llorosos se entornaron mientras miraba a Jack. Entonces, se quitó las gafas para limpiarlas, y también para ganar tiempo. Las réplicas irascibles nunca habían sido su fuerte.

—¡Siéntate! —tronó Calvin desde la parte posterior de la habitación.

Jack se sentó en una silla delante de la mesa de Bingham. No miró hacia atrás. Tal como esperaba y temía, Calvin no se había dejado influir por su táctica tanto como Bingham.

El corpachón impresionante de Calvin apareció por la periferia de la línea de visión de Jack. Poco a poco, alzó los ojos hacia él. Calvin tenía los brazos en jarras, el rostro demacrado, y sus ojos echaban chispas. Se inclinó sobre Jack.

—¡Corta el rollo, Stapleton! —bramó—. Sabes muy bien que no puedes ir por ahí exhibiendo tu placa como un poli renegado de la tele.

—Ahora que lo pienso, no lo llevé bien —admitió Jack.

—¿Fue una especie de venganza personal contra la quiropráctica? —preguntó Bingham.

—Sí, fue algo personal.

—¿Te importaría explicarlo? —preguntó Bingham.

—¿Aparte de que un quiropráctico no tiene por qué tratar enfermedades que no estén relacionadas con la columna? ¿O que la quiropráctica basa su lógica del tratamiento en una estúpida idea trasnochada de inteligencia innata que nunca ha sido descubierta, medida o explicada? ¿O que dicho tratamiento implica muy a menudo manipulaciones cervicales que pueden causar la muerte, como en el caso de mi paciente de veintisiete años?

Bingham y Washington intercambiaron una mirada consternada ante el exabrupto emocional de Jack.

—Eso puede ser cierto o no —dijo Bingham—, pero ¿qué lo convierte en algo personal?

—Preferiría no entrar en detalles —respondió Jack, mientras intentaba mantener la calma. Sabía que estaba dejándose llevar por sus emociones, igual que en la consulta del quiropráctico—. Es una larga historia, y la relación podría calificarse de indirecta.

—Preferirías no entrar en detalles —repitió ceñudo Bingham—, pero puede que nosotros lo consideremos necesario, y si no lo haces, podría ser bajo tu responsabilidad. Como es posible que todavía no hayas recibido la citación, tengo la desagradable responsabilidad de informarte de que tú y el IML habéis sido demandados por un tal doctor Ronald Newhouse...

—No es médico, por los clavos de Cristo —espetó Jack—. Es un maldito quiropráctico.

Bingham y Washington intercambiaron otra veloz mirada. No cabía duda de que Bingham se sentía frustrado, como el padre de un adolescente recalcitrante. Calvin fue menos generoso. Estaba muy furioso y le costaba morderse la lengua.

—De momento, tus opiniones sobre la quiropráctica no importan —dijo Bingham—. Lo que se cuestiona aquí son tus actos, y lo más probable es que este caballero en cuestión sea un doctor de quiropráctica. Tú y el IML estáis acusados de calumnias, difamación, agresión...

—No le toqué ni un pelo a ese tío —interrumpió Jack. Le resultaba difícil seguir su propio consejo en lo tocante a las emociones.

—No tienes por qué tocar a nadie para ser denunciado por agresión. El demandante solo ha de creer que estás a punto de hacerle daño de alguna manera. ¿Le chillaste en su despacho?

—Supongo —admitió Jack.

—¿Le amenazaste con detenerle por asesinar a su paciente?

—Supongo —dijo Jack con humildad.

—¡Supones! —repitió Bingham con creciente desdén y, exasperado, lanzó los brazos al cielo—. Te diré lo que yo opino —chilló—. Es un abuso mayúsculo de autoridad oficial. Tengo ganas de echarte a patadas de aquí y suspenderte de empleo y sueldo hasta que este follón se solucione.

Un escalofrío recorrió la espina dorsal de Jack. Si le suspendían, la cuerda de salvamento de su cordura emocional se rompería. Tendría que quedarse en casa, y Laurie debería ir a trabajar en su lugar. Tendría que asumir la responsabilidad de cuidar a J.J. «¡Oh, Dios mío!», gimió Jack por dentro. De repente, se sintió desesperado, más que en ningún momento hasta entonces. La última vez que se enfrentó a la ira de Bingham, no le importaba nada; pero ahora no podía permitirse ser autodestructi-vo. Su familia le necesitaba. No podía deprimirse. Bingham te-nía razón: era un follón.

Bingham respiró hondo ruidosamente y exhaló el aire a tra-vés de sus labios fruncidos. Observó a Calvin, quien seguía ful-minando con la mirada a Jack.

—¿Qué opinas, Calvin? —preguntó Bingham. Su voz casi había recuperado la normalidad.

—¿Qué opino de qué? —preguntó a su vez Calvin—. ¿Si suspendemos a este capullo de empleo y sueldo, o le damos una paliza de muerte?

—Tú te reuniste con la jefa de la asesoría jurídica, yo no —dijo Bingham—. ¿Cuál fue su opinión sobre el tema de la in-demnización? ¿Está convencida de que nuestro seguro cubrirá el episodio, tanto si la demanda se soluciona como si vamos a juicio?

—Dijo que debería ser así. Al fin y al cabo, no es una quere-lla criminal.

—¿Y qué te dijo acerca de la posibilidad de que los actos de Stapleton fueran considerados malintencionados a propósito?

—Estaba menos segura acerca de esa posibilidad.

Jack paseó la vista entre Bingham y Calvin. De momento, le ignoraban, como si no estuviera presente. Después de que los dos hombres intercambiaran algunos comentarios más, Bing-ham desvió su atención hacia Jack.

—Estamos hablando de si el seguro te cubrirá. Según tu con-trato, el IML te indemniza por mala praxis, excepto si la mala praxis implica criminalidad o se considera malintencionada, lo cual significa que lo hiciste a propósito y no fue accidental.

—No fui a la consulta del quiropráctico para hacer daño a nadie, si es eso lo que quieres decir —repuso contrito Jack. Per-cibía que estaba perdiendo el control de la situación.

—Eso es tranquilizador —dijo Bingham—. Hemos de deci-dir si vamos a defenderte o no. Por supuesto, es importante sa-ber si nuestro seguro cubriría o no un juicio contra ti. En caso negativo, tendrás que defenderte tú solo, lo cual podría ser caro, me temo.

—Mis motivos no fueron malintencionados —dijo Jack, y el corazón le dio un vuelco al pensar en la perspectiva de tener que defenderse solo. Con Laurie de baja por maternidad, y los gastos extra de la enfermedad de J.J., no le quedaba dinero para un abogado—. Fui a la consulta del quiropráctico con la única intención de descubrir si había recibido a mi paciente como profesional, y si había manipulado su columna cervical.

—Vuelve a decirme cuál fue la causa de su muerte —ordenó Bingham.

—Disección bilateral de arterias vertebrales.

—¡Vaya! —comentó Bingham, como si lo hubiera oído por primera vez. Al instante, sus ojos se pusieron vidriosos. Era un reflejo fisiológico siempre que su cerebro repasaba los miles de casos forenses en los cuales había intervenido durante su dilatada carrera.

Aunque a Bingham le costaba en ocasiones recordar acontecimientos recientes, como la causa de la muerte de Keara Abelard, cosa que Jack había explicado unos instantes antes, su memoria lejana era enciclopédica. A continuación, parpadeó y se reanimó, como si saliera de un trance.

—He tenido tres casos de DAV —informó.

—¿Fueron causados por manipulación quiropráctica? —preguntó Jack esperanzado. De todos modos, cada vez estaba más claro que no iba a conseguir mantener la separación entre su vida privada y su vida profesional, si quería evitar que le suspendieran de empleo y sueldo o algo peor. Tendría que confesar la enfermedad de J.J. y sus dificultades para apechugar con ella. Solo entonces Bingham y Calvin perdonarían su impulsivo comportamiento del día anterior.

—Dos estaban relacionados con la quiropráctica —dijo Bingham—. El otro era idiopático, lo cual significa que nunca descubrimos la causa. Bien, deja que te cuente...

Durante los siguientes minutos, Jack y Calvin tuvieron que

escuchar la historia de los tres casos de DAV. Si bien fue impresionante enterarse de la cantidad de detalles que Bingham era capaz de recordar, en aquel momento Jack lo consideró tedioso, en el mejor de los casos, pero el sentido común le aconsejó que no interrumpiera. Tras haber decidido revelar el cáncer de John Junior, estaba ansioso por hacerlo y acabar de una vez.

En el momento en que Bingham terminó su detallado recordatorio, Jack inició su mea culpa.

—Hace unos momentos he dicho que no quería explicar por qué mi comportamiento en la consulta del quiropráctico se debió a algo personal. Me gustaría corregirme.

—No estoy seguro de querer saber si conocías en persona a nuestra paciente del DAV —gruñó Calvin.

—¡No, no! —lo tranquilizó Jack. Nunca se le habría ocurrido que Calvin pudiera pensar semejante cosa—. No conocía en absoluto a la paciente. Nunca la había visto, ni sabía nada de ella. El origen de este follón es mi hijo recién nacido.

Jack vaciló un momento para dejar que su anuncio obrara efecto. Al instante, vio que la expresión de los dos hombres se suavizaba, sobre todo la de Calvin, cuya preocupación sustituyó de inmediato a la ira.

—Me gustaría pedir una cosa antes de revelar lo que estoy a punto de decir —siguió Jack—. Me gustaría pedir que no saliera de esta habitación. Es un asunto muy personal.

—En este momento, creo que somos nosotros los que hemos de decidir —dijo Bingham—. Si la demanda sigue adelante, sería fácil que nos destituyeran. Si eso ocurriera, entenderás que no podríamos cumplir nuestra promesa.

—Lo entiendo —respondió Jack—. Si no os destituyen, confío en que guardéis el secreto de Laurie y mío.

Bringham miró a Calvin. Este asintió.

—¿El niño está bien? —preguntó Calvin al instante.

—Por desgracia, no —admitió Jack, y en cuanto lo hizo, se le estranguló la voz—. Sé que estáis enterados de que Laurie no ha vuelto de su baja por maternidad, tal como había planeado.

—Pues claro que estamos enterados —dijo Calvin impaciente, como si Jack estuviera prolongando su historia a propósito.

—Nuestro hijo está gravemente enfermo —logró articular Jack. No había hablado a nadie de J.J., por temor a que verbalizar la situación la convirtiera en más real. Jack había estado utilizando una especie de negación como forma de lidiar con la conmoción posterior al diagnóstico de J.J.

Jack vaciló, mientras respiraba hondo varias veces. Bingham y Calvin esperaron. Vieron que la mandíbula de Jack temblaba y se dieron cuenta de que estaba reprimiendo las lágrimas. Querían saber más detalles, pero prefirieron concederle tiempo para serenarse.

—Sé que no he estado muy centrado en el trabajo durante los últimos tres meses o así —logró balbucir Jack.

—No teníamos ni idea —interrumpió Bingham, quien de repente se sentía culpable por haber sido tan severo con Jack.

—Pues claro que no —dijo Jack—. Solo se lo hemos dicho a los padres de Laurie.

—¿Te importa decirnos el diagnóstico? —preguntó Calvin—. Supongo que no es asunto nuestro, pero me gustaría saberlo. Ya sabes cuánto aprecio a Laurie. Es como de la familia.

—Neuroblastoma —contestó Jack. Volvió a respirar hondo para continuar—. Neuroblastoma de alto riesgo.

Se hizo el silencio mientras Bingham y Calvin asimilaban la revelación.

—¿Dónde están tratándolo? —preguntó Calvin con delicadeza para romper el silencio.

—En el Memorial. Sigue un programa de tratamiento, pero la mala suerte es que han tenido que suspenderlo porque desarrolló anticuerpos anti-ratón. Después de terminar la quimio, su terapia se ha basado en anticuerpos monoclonales de ratón. Por desgracia, en este momento no se encuentra bajo tratamiento. Como podéis suponer, a Laurie y a mí nos cuesta soportar este aplazamiento.

—Bien —dijo Bingham al cabo de otro silencio breve pero embarazoso—, esto arroja una nueva luz sobre la actual situación. Tal vez necesites un permiso de excedencia, pero pagado. Tal vez necesites estar en casa con tu mujer y tu hijo.

—¡No! —exclamó Jack—. ¡Tengo que trabajar! En serio, lo último que necesito es una excedencia. No sabéis lo frustrante que es ver sufrir a un hijo sin poder hacer nada por remediarlo. Amenazarme con la suspensión de empleo es lo que me ha impulsado a contaros esto.

—De acuerdo —concedió Bingham—. No habrá excedencia, pero a cambio has de prometer que no harás más visitas oficiales, sobre todo a quiroprácticos.

—Lo prometo —dijo Jack. Desde su punto de vista, casi no era una concesión.

—Todavía no comprendo tu comportamiento en la consulta del quiropráctico —prosiguió Bingham—. ¿Fue algo concreto, o tu desagrado general por la especialidad? Por lo que has dicho en cuanto has entrado, es evidente que no tienes en gran estima la terapia quiropráctica. ¿Has tenido una mala experiencia con un quiropráctico?

—Por supuesto que no —respondió Jack—. Nunca he ido a uno, ni sé gran cosa sobre ellos, pero debido a mi paciente con DAV de ayer, decidí investigar la quiropráctica y la medicina alternativa en general, con el fin de tener ocupada mi mente. Es evidente que estoy obsesionado con J.J., sobre todo porque no le están tratando. Antes de este caso de DAV, no había pensado en que la gente pudiera morir a causa de la medicina alternativa. Cuando empecé a investigar, uno de los primeros artículos que leí describía un caso de una niña de tres meses que había muerto debido a una manipulación cervical quiropráctica. Me quedé sobrecogido, sobre todo porque J.J. es casi de la misma edad.

»No profundicé en el tema, al menos hasta que empecé a hablar con Ronald Newhouse. Mientras estaba describiendo la base demencial del tratamiento quiropráctico para indisposiciones como alergias infantiles, sinusitis, o algo tan benigno como las rabietas, mientras de paso mataba al niño, perdí los papeles. Una cosa es que un adulto sea lo bastante estúpido para ponerse en peligro con un charlatán, pero un niño no. Con un niño se convierte en algo criminal.

Jack enmudeció. Una vez más, en la habitación se hizo un pesado silencio.

Bingham se encargó de romperlo.

—Creo que puedo hablar en nombre de Calvin y de mí al decir que lamentamos muchísimo la enfermedad de J.J. Aunque no puedo tolerar tu comportamiento con el quiropráctico, puedo decir que ahora lo comprendo mejor. También puedo decir que aliento tu investigación sobre la medicina alternativa. Desde un punto de vista de patólogo forense, te sentará bien por los motivos que has dicho, y será bueno para la patología forense. Imagino un valioso artículo para una de las revistas importantes de patología forense, que se sumará al debate sobre la medicina alternativa. No obstante, durante tu investigación, debo insistir en que no hagas más visitas oficiales a ningún practicante de medicina alternativa. Además, debes evitar cualquier declaración espontánea a la prensa. Cualquier declaración se derivará por mediación de relaciones públicas, una vez haya concedido yo mi aprobación. El problema de la medicina alternativa es más político que científico. En mi opinión, la ciencia está muy poco implicada en él. Para subrayar este punto, además de recibir la demanda esta mañana, he recibido una llamada de la oficina del alcalde. Por lo visto, elegiste al proveedor sanitario favorito de su Señoría.

—¿Estás de broma? —dijo Jack. Le parecía imposible. Jack había conocido al alcalde y se había quedado impresionado por la inteligencia del hombre, al menos hasta aquel momento.

—En absoluto —replicó Bingham—. Al parecer, el señor Newhouse es la única persona capaz de aliviar los dolores lumbares del alcalde.

—Me dejas de piedra —admitió Jack.

—Me lo imagino —replicó Bingham—. En cuanto a la demanda, haremos todo lo posible por defenderte.

—Gracias, señor —dijo Jack aliviado.

—También respetaremos tu deseo de privacidad, siempre que no haya destituciones. No divulgaremos tu secreto, sobre todo aquí, en el IML.

—Te lo agradezco —dijo Jack.

—Si cambias de opinión respecto a la excedencia, considera concedida la solicitud.

—También agradezco eso. Eres muy amable.

—Bien, supongo que tienes trabajo que hacer. Calvin me ha dicho que tienes más casos pendientes de lo acostumbrado. Así que ve a trabajar y termínalos.

Jack obedeció y desapareció a toda prisa.

Durante unos momentos, ni Calvin ni Bingham se movieron. Intercambiaron una mirada, todavía impresionados.

—¿Su trabajo se ha resentido de verdad? —preguntó Bingham para romper el silencio.

—Desde mi punto de vista, no —dijo Calvin—. Es cierto que va más retrasado de lo habitual, pero la calidad es la de siempre y, aunque va retrasado, todavía es nuestro miembro más productivo, con un rendimiento de un punto y medio superior al de los demás.

—No tenías ni idea de esta terrible noticia relacionada con su hijo, ¿verdad?

—No, en absoluto —respondió Calvin—. Ni siquiera la decisión de Laurie de prolongar su baja por maternidad despertó mis sospechas. Pensé que le encantaba ser madre. Sabía lo mucho que había deseado tener hijos.

—Él siempre ha sido una persona muy reservada. Nunca le he entendido, si quieres que te diga la verdad, sobre todo cuando empezó aquí. Era un creído, con tendencias autodestructivas, y no estoy seguro de qué es peor. Cuando ha llegado la demanda esta mañana y he recibido la llamada de la oficina del alcalde, he pensado que había vuelto a recaer en sus malas costumbres.

—Esa idea también ha pasado por mi mente —confesó Calvin—, por eso, supongo, no le he concedido el beneficio de la duda en este asunto.

—Habla con la jefa de la asesoría jurídica —dijo Bingham—. Dile que vamos a defender el caso, a menos que opine que debamos llegar a un acuerdo. Y ahora lárgate de aquí, a ver si puedo trabajar un poco.

# 12

*20.15 h, martes, 2 de diciembre de 2008,*
*Roma*
*(14.15 h, Nueva York)*

El destello de cien millones de voltios de electricidad fue lo primero, seguido por un siseo chisporroteante cuando hendió el aire húmedo y descargó sobre el antiguo obelisco egipcio que se alzaba en el centro de la piazza de San Pedro. Un parpadeo después llegó el retumbar del trueno, que sacudió literalmente el Fiat.

—¿Qué coño ha sido eso? —preguntó Sana, antes de que su mente le revelara lo que era.

—Rayos y truenos —dijo Shawn con desdén, aunque se había sobresaltado casi tanto como su esposa. Nunca había visto un rayo tan cerca—. ¡Cálmate, por el amor de Dios! Estás descontrolada.

Sana asintió mientras miraba por la ventanilla del coche alquilado. En la oscuridad había montones de transeúntes camino de casa, inclinados contra el viento y utilizando los paraguas como escudos contra la lluvia casi horizontal.

—No puedo evitarlo. ¿Estás seguro de que vamos a hacer esto? —preguntó—. O sea, vamos a entrar a escondidas en un antiguo cementerio romano, en una noche de lluvia, para robar un osario. Parece más bien el guión de una película de terror que algo correcto. ¿Y si nos cogen?

Shawn tamborileó con los dedos sobre el volante, irritado. Él también estaba tenso, y las ideas de Sana solo conseguían aumentar su angustia.

—No nos van a coger —replicó. No quería escuchar nada negativo. Estaba a punto de llevar a cabo su descubrimiento más espectacular, siempre que Sana colaborara.

—¿Cómo puedes estar tan seguro?

—Trabajé durante meses ahí abajo, y a menos que fuera acompañado de gente, nunca vi ni un alma.

—Estabas utilizando lápiz, papel y fotografías. Nosotros vamos a utilizar una taladradora, martillo y cincel. Tal como sugeriste, ¿y si alguien nos oye en la basílica?

—La basílica está cerrada a cal y canto de noche —escupió Shawn—. Escucha, no me hagas esto. Ya has aceptado el plan. Es el momento adecuado. Tenemos las herramientas. Sabemos dónde hay que buscar. Y utilizando la taladradora para encontrar el osario de piedra, saldremos dentro de un par de horas. Si quieres preocuparte por algo, preocúpate de sacar el osario de la necrópolis y meterlo en el maletero del coche.

—Lo dices como si fuera muy fácil —comentó Sana. Miró a través del parabrisas la piazza de San Pedro, con las columnas curvas y elípticas de Bernini desfilando a cada lado.

—Te digo que será fácil —contestó Shawn con aparente convicción, aunque los recelos de Sana estaban despertando los de él. En realidad, sabía que existían muchas probabilidades de que las cosas salieran mal. Pese a lo que acababa de decir, era consciente de que podían sorprenderlos. Un problema más probable era que no encontraran el osario. En tal caso, tendría que hablar a las autoridades de la carta de Saturnino y compartir el prestigio si al final encontraban el osario. Por supuesto, eso solo sucedería si el Papa permitía llevar a cabo la búsqueda, algo poco probable, puesto que el descubrimiento del osario pondría en cuestión el dogma de la Iglesia y la infalibilidad del Papa.

—De acuerdo —dijo Sana de repente—. Si vamos a hacerlo, hagámoslo y terminemos de una vez por todas. ¿Por qué seguimos sentados aquí?

—Ya te lo he dicho. Hemos llegado antes de lo que pensaba. La última ronda de los guardias de seguridad en la basílica es a las ocho. Quiero concederles mucho tiempo para terminar y cerrar el recinto.

Sana consultó su reloj. Eran casi las ocho y media.

—¿Y si descubren que falta algo, como la *Pietà*?

Shawn se volvió para estudiar el perfil de su esposa en la oscuridad. Confiaba en que estuviera bromeando, pero no lo creía. Estaba mirando por las ventanillas del coche como una especie de presa hiperalerta a punto de ser devorada.

—¿Hablas en serio?

—No lo sé —admitió Sana—. Estoy nerviosa y agotada. O sea, hoy hemos viajado desde Egipto. Puede que eso haya sido fácil para ti, pero no para mí.

—No me extraña que estés nerviosa. Yo también lo estoy, joder. Es normal estar un poco nervioso.

—¿Y si me da claustrofobia?

—Haremos lo posible para que no sea así. No te obligaré a entrar en el túnel. Tampoco creo que haya sitio para ti.

Sana miró a su marido a través de la tenue luz del interior del coche. Los faros de la multitud de vehículos que pasaban iluminaban de manera intermitente su rostro.

—¿Estás seguro de que no me vas a necesitar en el túnel?

—Si bajamos y no quieres entrar en el túnel, ya nos las arreglaremos. Pensemos en positivo. ¿Puedo contar contigo?

—Supongo —dijo Sana, con muy poca confianza.

A las nueve menos cuarto, Shawn puso en marcha el coche y se alejó del bordillo. Tuvo que esforzarse por ver, debido a los limpiaparabrisas que pugnaban contra la lluvia. El tráfico que entraba en la piazza los adelantó a toda velocidad. Al entrar en la piazza de San Pedro, siguió en paralelo a la Columnata de Bernini hacia el Arco delle Campane.

—Si la Guardia Suiza pregunta por qué no llevas tarjeta de identificación del Vaticano, déjame hablar a mí —dijo Shawn. Los dos puestos marrón oscuro de la guardia aparecieron entre la niebla. Los guardias salieron, con impermeables oscuros sobre sus uniformes negros y naranja. No parecían complacidos por estar de guardia en semejante noche. Shawn bajó la ventanilla cuando llegó ante las casetas y paró. Algunas gotas entraron de inmediato por el hueco y bailaron en el aire remolineante.

—Buenas noches, caballeros —dijo Shawn, con un esfuerzo por disimular su nerviosismo. Tal como había esperado, el turno había cambiado. Eran guardias diferentes.

Como había sucedido por la tarde, el guardia tomó la tarjeta de identificación de Shawn sin decir palabra. La examinó con una linterna y comparó la foto con el rostro de Shawn.

—¿Adónde van? —preguntó mientras se la devolvía.

—A la necrópolis —dijo Shawn, mientras entregaba su permiso de acceso—. Vamos a hacer un pequeño trabajo de mantenimiento.

El guardia suizo estudió el permiso y luego se lo devolvió.

—Abra el maletero —ordenó, mientras desaparecía hacia la parte posterior del coche.

Sana se revolvió incómoda en el asiento cuando el segundo guardia suizo dirigió el rayo de la linterna a su cara. Antes de eso, había utilizado la linterna y un espejo sujeto al extremo de un palo largo para inspeccionar la parte inferior del coche en busca de artefactos explosivos.

Shawn oyó que el maletero se cerraba, y un momento después el guardia regresó a la ventanilla bajada de Shawn.

—¿Para qué son las herramientas? —preguntó.

—Para el trabajo de mantenimiento —contestó Shawn.

—¿Van a entrar por la oficina de los Scavi?

—Sí.

—¿He de llamar a seguridad para que les abran?

—No es necesario. Tengo llaves.

—De acuerdo —dijo el guardia—. Un momento.

Volvió al diminuto puesto para buscar un permiso de aparcamiento. Un momento después, estaba detrás del coche para copiar el número de la matrícula, antes de regresar a la ventanilla bajada. Tiró el permiso sobre el salpicadero.

—Aparquen allí delante, en la piazza Protomartiri, y dejen el permiso de aparcamiento visible sobre el salpicadero.

Se despidió con un saludo militar.

—Uf —dijo Sana cuando se alejaron—. Tenía miedo de que fueran a detenernos cuando han abierto el maletero y han visto las herramientas.

—Yo también. Durante los meses que trabajé aquí, nunca me dedicaron ese tipo de atención. Han reforzado las medidas de seguridad.

Shawn aparcó donde le habían dicho, pero lo más cerca posible de la oficina de los Scavi.

—Yo cogeré las herramientas. Tú ve a refugiarte en el pórtico. No quiero que te mojes como esta tarde.

—¿Te las podrás arreglar? —preguntó Sana mientras sacaba un paraguas del asiento trasero.

Shawn aferró su brazo.

—La cuestión es si tú podrás.

—Me siento mejor ahora que cuando hemos llegado.

Sana estaba a punto de bajar del coche, cuando Shawn aumentó la presión.

—Espera que pasen esos coches —dijo.

Sara se volvió y vio una hilera de coches que se acercaban a ellos en la oscuridad. Pasaron de largo sobre los resbaladizos adoquines, sembrados de charcos, y arrojaron un torrente de agua contra el Fiat. Shawn y Sana siguieron con la mirada las luces traseras rojas que se alejaban y atravesaban el Arco delle Campane sin aminorar la velocidad.

—Debía de ser uno de los peces gordos, tal vez incluso el pez más gordo —comentó Shawn.

—Gracias por no dejarme abrir la puerta —dijo Sana—. Me habrían duchado.

Pocos minutos después se encontraban en el interior de la oficina a oscuras de los Scavi. Shawn había cargado con dos cubos llenos de herramientas y demás parafernalia. Ahora que estaba tan cerca, su nerviosismo y angustia habían aumentado varios grados.

—¿Qué debo hacer con el paraguas? —preguntó Sana con inocencia.

—¡Joder! —estalló Shawn—. ¿Tengo que decírtelo todo?

Había perdido la paciencia. Primero, amenazaba con no seguir su plan, y ahora, hacía preguntas estúpidas.

—No hace falta que me hables así. Es una pregunta razonable. Si lo dejamos aquí, puede que venga alguien y sospeche que un intruso ha bajado a las excavaciones.

—¿Por qué demonios llegaría alguien a la conclusión de que un intruso ha bajado a las excavaciones? ¿Por el hecho de que se hayan dejado un paraguas en las oficinas de los Scavi? Eso es ridículo.

—¡Vale! —replicó Sana. Extendió el brazo y dejó caer al suelo el paraguas del hotel Hassler. Pensó que la preocupación de Shawn por sus sentimientos había descendido a un nuevo nivel.

Shawn se sentía igualmente descontento. Durante el último año, a medida que la carrera de ella progresaba, en un momento dado se comportaba como una revoltosa independiente y se dejaba el pelo muy corto en contra de los deseos de Shawn, y al instante siguiente se mostraba irascible como una niña pequeña y tiraba el paraguas al suelo.

Durante varios segundos se fulminaron mutuamente con la mirada. Sana fue la primera en ceder.

—Nos estamos portando como unos idiotas —dijo. Recogió el paraguas y lo apoyó contra un banco de madera.

—Tienes razón. Lo siento —se disculpó Shawn, pero sin mucha convicción—. Estoy tenso porque tenía miedo de que no fueras a acceder a esto, que es de vital importancia para mí.

En la mente de Sana, el beneficio obtenido de la tibia disculpa de Shawn se derritió como una bola de nieve en los trópicos.

En lugar de aceptar la responsabilidad de su comportamiento, la culpaba a ella. En otras palabras, la razón de que él la hubiera ofendido era culpa de ella, no de él.

—Acabemos de una vez —dijo Sana. En aquel momento, lo último que deseaba era enzarzarse en una discusión. Lo que le apetecía de veras era volver al hotel y acostarse.

—Así me gusta.

Cada uno cogió un cubo y atravesaron la puerta de cristal de la oficina. El pasillo que había al otro lado estaba iluminado tan solo por una serie de luces nocturnas de baja intensidad situadas en los rodapiés de mármol.

Cuando llegaron al tramo de escaleras que descendía a la entrada de la necrópolis, Shawn hizo una pausa para mirar el pasillo que conducía a la cripta. No vio a nadie.

—Muy bien —dijo—. Vamos a ello.

Bajaron las escaleras. Al final, Shawn abrió la rejilla con la llave correspondiente, dejó pasar a Sana, entró y cerró la barrera metálica a su espalda.

Sin más iluminación que la de las luces nocturnas del pasillo de arriba, la pareja se colocó de inmediato los cascos de construcción y encendió los focos.

—No está mal —comentó Sana, mientras utilizaba el foco para mirar el estrecho pasadizo de piedra, y después la sólida puerta a prueba de humedad de la necrópolis. Tan solo un momento antes, había experimentado una leve claustrofobia. El foco lo cambiaba todo.

—Coge esto con una mano y el cubo con la otra —dijo Shawn, después de encender una linterna.

—Creo que con el foco no será necesario.

—Cógelo —insistió él.

Shawn se adelantó y empezó a bajar hacia la puerta. A cada paso que daba aumentaba su nerviosismo. No podía evitar sentirse optimista. Estaba convencido de que el osario estaría donde Saturnino lo había ubicado hacía casi dos mil años.

Después de abrir la puerta, se apartó de nuevo para dejar que

Sana le precediera. Después de volver a cerrarla, adelantó a su mujer para bajar a toda prisa hacia el nivel del cementerio de la era romana. Estaba a punto de desviarse al oeste, cuando intuyó que Sana no estaba detrás de él.

—¿Qué coño estás haciendo? —preguntó cuando miró hacia atrás y vio que bajaba poco a poco, mientras el foco y la linterna describían arcos erráticos.

—Esto no me gusta —dijo Sana.

—¿Qué es lo que no te gusta? —preguntó Shawn—. ¿Qué coño pasa ahora? —masculló.

Solo acababan de empezar, y ya estaba descubriendo que su mujer era un estorbo cada vez más frustrante. Por un momento, pensó en pedirle que esperara en el coche, pero después recordó que la necesitaba. Lo que había planeado era un trabajo para dos personas.

—Parece que mis luces no llegan al techo. Me produce una sensación extraña.

—El cielo está oscurecido a propósito para que los visitantes no vean los soportes de acero. Sirve para crear ambiente.

—¿Es por eso? —preguntó Sana. Llegó al nivel del cementerio antiguo y dejó que sus luces resbalaran sobre las entradas sombrías de los mausoleos.

Shawn puso los ojos en blanco.

—Este lugar es todavía más siniestro de noche que de día —comentó Sana.

—Porque las putas luces están apagadas, joder —gruñó Shawn.

—¿Qué ha sido ese ruido? —preguntó Sana desesperada.

—¿Qué ruido? —preguntó Shawn con idéntica preocupación.

Durante unos momentos de pánico, se esforzaron por percibir el sonido, cualquier sonido. El silencio era ensordecedor.

—Yo no he oído nada —dijo Shawn al fin—. ¿Tú qué has oído?

—Me ha parecido que era una voz aguda.

—¡Santo Dios! Ahora te pones a imaginar cosas.

—¿Estás seguro?

—Lo estoy, pero no estoy convencido de que puedas hacer esto. Nos encontramos muy cerca.

—Si estás seguro de que no he oído nada, acabemos de una vez y salgamos de aquí.

—¿Puedes calmarte?

—Lo intentaré.

—De acuerdo, vamos, pero no te alejes.

Shawn la guió en dirección oeste, hacia la tumba de Pedro. Sana le seguía a un paso de distancia, y evitaba mirar los mausoleos cuando pasaba ante sus entradas oscuras y lóbregas.

De pronto, Shawn se detuvo y Sana tropezó con él.

—Lo siento —dijo Sana—. Avísame cuando te pares.

—Intentaré recordarlo —dijo Shawn, mientras indicaba a la izquierda con su linterna—. Ahí está el sarcófago romano que te he enseñado esta tarde. En él meteremos los cascotes de la excavación. ¿Crees que podrás traerlos hasta aquí mientras yo cavo?

—¿Sola?

Shawn contó en silencio hasta diez.

—Si yo estoy cavando, pues claro que lo harás sola —dijo impaciente.

—Ya veremos —respondió Sana.

La idea de vagar por la necrópolis sola era desalentadora, y muy poco atrayente. Solo podía confiar en adaptarse.

Shawn se mordió la lengua. Continuó adelante y rodeó el extremo sur de la pared roja. Pese a la subida, Sana le seguía de cerca. Unos momentos después, se encontraban en la cámara grande del lado este del complejo de la tumba de Pedro, cerca del monumento llamado el Tropaion de Pedro. Shawn apuntó la linterna a través de uno de los numerosos cristales de la tarima, la cual había sido construida para permitir que los turistas modernos pudieran ver el interior de la tumba.

—Casi hemos llegado —comentó Shawn con voz emocionada—. Pronto estaremos en el nivel del suelo de la tumba de Pedro.

—Te creo a pies juntillas —dijo Sana con presteza—. Acabemos de una vez.

Levantar el panel de cristal de dos centímetros de grosor de la esquina más alejada, que permitía acceder al nivel inferior, requirió un trabajo más considerable del que Sana esperaba. Después de muchos esfuerzos, dejaron el panel apoyado contra la pared.

—Yo iré primero —dijo Shawn. Sana asintió. Descender bajo el nivel de la tarima de cristal era la parte que menos le apetecía, y si iba a tener problemas de claustrofobia, empezarían allí.

Shawn se ajustó los protectores a las rodillas y se enfundó los guantes de trabajo, al tiempo que aconsejaba a Sana hacer lo mismo. A partir de aquel momento tendrían que ir a cuatro patas, pues la altura desde el suelo excavado hasta la tarima de cristal no permitía a ninguno de los dos caminar erguidos. Sentado en el borde de la tarima con los pies colgando en el espacio, Shawn avanzó hacia delante poco a poco, y luego se quedó de pie sobre el suelo de tierra. Después de que se agachara y apartara de la abertura, Sana imitó sus movimientos, y pronto estuvieron reptando, empujando sus respectivos cubos delante de ellos.

El suelo era tal como lo había descrito Shawn, una especie de tierra arcillosa comprimida mezclada con grava. Aunque Sana se sentía cada vez más angustiada a medida que iban alejándose de la abertura, una cosa la alentaba. La tierra, al contrario que otras zonas de la necrópolis, estaba muy reseca, lo cual sugería que el osario, si lo encontraban, también lo estaría.

Después de avanzar en diagonal bajo la tarima de cristal, llegaron a la sección del espacio excavado que se extendía bajo el nivel de arriba. Ahora, el techo era como el durisol del suelo. Sana observó que no había soportes y dejó de arrastrarse, al tiempo que miraba el techo con desconfianza.

Shawn continuó hacia delante unos tres metros más y se detuvo para apuntar la linterna al túnel de su izquierda.

—Es aquí —dijo. Se volvió y vio que Sana se había detenido

a unos dos metros y medio de distancia. Le indicó por señas que le siguiera. Quería enseñarle dónde creía que se encontraba el osario.

—¿Es seguro? —preguntó Sana, al tiempo que miraba el techo.

—Totalmente —contestó Shawn, siguiendo su mirada—. En este nivel, la tierra es como cemento. ¡Confía en mí! Has llegado hasta aquí. Quiero enseñarte dónde cavaremos.

Sana avanzó a regañadientes y se encontró mirando un angosto túnel de un metro veinte de ancho, uno de altura y metro y medio de profundidad. En la boca y el final del túnel había soportes de madera vulgar, consistentes cada uno en dos recias vigas verticales y una viga transversal, que formaban un soporte de puntales.

—¿Por qué hay soportes allí y aquí no? —preguntó Sana. No podía evitar preocuparse por el hecho de que nada sujetara el techo del lugar donde Shawn y ella estaban acuclillados.

—El primer soporte que hay aquí en el borde es el que sostiene la pared de los graffiti, mientras que el de dentro sostiene el muro de contención de la bóveda de la tumba de Pedro. El espacio que se encuentra más allá del soporte de puntales interior corresponde a la tumba. Si quieres entrar reptando, verás un nicho con muescas en la base de la pared roja, si miras a la derecha. En él se encontraron los huesos que el Papa afirmó pertenecían a san Pedro, los que guardan en el nivel de arriba en cajas de plexiglás.

—Creo que paso —dijo Sana.

La idea de reptar sobre el estómago a través del túnel para entrar en la tumba de Pedro le produjo escalofríos y despertó el temor a la claustrofobia que había intentado reprimir. Tuvo que recurrir a todo su autocontrol para no salir huyendo a la zona situada bajo la tarima de cristal, y después por la abertura hasta la galería de arriba.

—Deja que te enseñe otra cosa —dijo Shawn, mientras se internaba en el túnel, y después rodaba sobre su espalda. Apuntó la linterna al techo y dio un golpecito en él entre los dos soportes de puntales—. El osario estará aquí, si no fue descubierto por accidente cuando erigieron la pared roja, o bien la pared de los graffiti. Dame la taladradora y las gafas. Voy a ver si establezco contacto con la piedra.

Sana se concentró en las peticiones de Shawn para evitar pensar en toda la masa de la basílica de San Pedro acumulada encima de ella.

—Si no te importa —dijo, cuando Shawn ya estaba preparado para empezar—, voy a desplazarme hasta la zona más abierta que hay debajo de la tarima de cristal. Aquí me cuesta respirar.

—Haz lo que quieras —respondió Shawn distraído.

La perspectiva de volver a la arqueología de campo le emocionaba. Después de dejar el balde al lado de su cuerpo, probó la taladradora. Su zumbido se le antojó muy alto en el espacio confinado. Satisfecho con las prestaciones de la taladradora, apoyó el extremo de la broca contra el techo. La broca atravesó el durisol como un cuchillo la mantequilla. Al cabo de pocos segundos, hundió por completo la broca de diez centímetros de longitud. Cayó tierra seca sobre su pecho, aunque una parte fue a parar al cubo. Algo decepcionado por no tocar piedra en este primer intento, sacó la broca, se desplazó quince centímetros a la izquierda y probó de nuevo.

Al cabo de media hora todavía no había tocado piedra, pese a practicar docenas de agujeros de prueba por todo el techo. Estaba dispuesto a cambiar la taladradora por el martillo y el cincel, cuando observó algo: los excavadores no habían cavado bajo la pared de sujeción de la bóveda, como él había pensado, sino que habían horadado directamente su base. Cuando miró con detenimiento, Shawn vio extremos del enladrillado de la pared fuera de los soportes verticales del entramado de puntales interior.

—¡Dios mío! —exclamó Shawn para que Sana le oyera. No la veía, pero sabía que estaba debajo de la tarima de cristal. Sabía dónde se hallaba a causa de sus preguntas impacientes cada cinco minutos acerca de sus progresos. A juzgar por el sonido de su voz, sabía que estaba cada vez más angustiada, pero no podía hacer nada al respecto, aparte de mantenerla informada sobre sus progresos.

—¿Lo has encontrado? —contestó Sana esperanzada.

—No, todavía no, pero he descubierto otra cosa. Los cimientos de la bóveda se hunden más abajo. El osario debía de estar también más abajo. Si sigue ahí, ha de encontrarse a la derecha del túnel, en dirección a la pared roja.

Después de levantar la taladradora y apoyarse sobre su costado izquierdo, Shawn empezó a practicar agujeros en la pared derecha del túnel. El primero estaba a mitad de camino entre el suelo y el techo, y en mitad del túnel, con el mismo resultado de los agujeros del techo. Liberó la broca y atacó un segundo agujero a la misma altura, pero internándose más en el túnel. A unos siete centímetros de profundidad, tocó algo lo bastante duro para conseguir que la taladradora saltara de su mano. Animado, empezó otro agujero a siete centímetros por encima del primero. Contuvo el aliento cuando la broca cortó el durisol. Una vez más, tocó una superficie dura.

Shawn sentía el pulso latir en sus sienes. De nuevo, taladró un agujero a pocos centímetros del último, y notó resistencia a la misma profundidad. Su entusiasmo se intensificó, pero aún no estaba dispuesto a celebrarlo. Practicó a toda prisa una docena más de agujeros, hasta dibujar el perfil de una piedra plana de unos cuarenta centímetros cuadrados, empotrada siete centímetros en la pared del túnel. En aquel momento llamó a Sana.

—¡Lo he encontrado! ¡Lo he encontrado! —repitió muy entusiasmado.

—¿Estás seguro? —gritó Sana.

—Yo diría que en un noventa por ciento —contestó Shawn.

Con una noticia tan alentadora, Sana venció su reticencia y volvió para echar un vistazo al túnel.

—¿Dónde está?

—Justo aquí —dijo Shawn. Dio un golpe con los nudillos en

la pared del túnel, en el centro preciso del conjunto de agujeros que había practicado.

—No lo veo —dijo Sana, decepcionada.

—Pues claro que no lo ves —bramó Shawn—. Aún no lo he sacado. Solo lo he localizado.

—¿Cómo puedes estar tan seguro?

—Escucha, dame el martillo y el cincel. Te lo enseñaré, incrédula.

No era que Sana no creyera a Shawn, pero, al igual que él, no quería hacerse vanas esperanzas. Sana cogió las herramientas y se las dio a su marido.

Shawn atacó la pared del túnel. El trabajo era más difícil de lo que había esperado, e hicieron falta muchos golpes para hundir el cincel varios centímetros en la tierra dura como el cemento, después de lo cual extrajo el cincel. El ruido del martillo de acero contra el cincel también de acero era agudo y penetrante, casi doloroso en los angostos confines. En un intento de acelerar el proceso, Shawn casi hundió el cincel, antes de golpearlo lateralmente para soltar la tierra circundante. Necesitó un montón de golpes, y cada uno retumbó con un sonido similar al de un disparo, de modo que los oídos de ambos zumbaron. Sana tuvo que tapárselos con las manos para protegerse del ruido, casi doloroso.

Al cabo de media hora de golpear el martillo apoyado sobre su costado, Shawn estaba sudando y le dolía el hombro. Como necesitaba un descanso después del esfuerzo continuado, dejó las herramientas y se masajeó sus músculos doloridos. Un momento después, el rayo del foco de Sana se fundió con el suyo. Ante su sorpresa, Sana había asomado la cabeza por el túnel.

—¿Cómo va? —preguntó.

—¡Lento! —admitió Shawn.

Secó con la mano enguantada la superficie de piedra caliza que había dejado al descubierto. Pese a que había intentado no golpear la piedra con el cincel, la había astillado media docena de veces. Los cortes destacaban como máculas de tono cremoso en un campo de color marrón pardusco. Como arqueólogo, lamentaba haber empleado una técnica tan poco precisa, pero pocas alternativas le quedaban. Sabía que los agentes de seguridad efectuaban rondas a las once, cuando cambiaba el turno, y quería marcharse cuanto antes. Ya eran cerca de las diez.

—¿Aún crees que lo has encontrado? —preguntó Sana.

—Bien, digámoslo así: es una pieza de piedra caliza labrada que seguramente no es de la zona, en el punto exacto donde Saturnino la emplazó. ¿Cómo lo ves?

Sana se ofendió por el tono condescendiente de Shawn. Estaba haciendo una pregunta válida, porque lo único que se veía era una pieza lisa de piedra, y teniendo en cuenta todas las construcciones y modificaciones sucedidas alrededor de la tumba de Pedro a lo largo de milenios, habrían surgido múltiples oportunidades de que una losa de piedra fuera enterrada de manera accidental donde esta se encontraba. Sana verbalizó sus pensamientos con tono irritado.

—Así que ahora eres tú la experta —replicó Shawn con sarcasmo—. Deja que te enseñe algo. —A continuación, dirigió el rayo de su foco al borde inferior de la piedra caliza, donde había empezado el trabajo más difícil de liberar el objeto. En aquel momento, todo el borde inferior estaba al descubierto—. Observa algo curioso —dijo, con el mismo tono condescendiente que había utilizado un momento antes—. La «losa», como tú la llamas, es perfectamente horizontal y vertical. Si fueran restos de cualquier otro proyecto, es muy probable que no hubiera acabado tan lisa y perpendicular. Esta pieza de piedra caliza fue depositada con sumo cuidado. No fue fruto del azar.

—¿Falta mucho? —preguntó Sana con voz cansada. No cabía la menor duda en su mente de que el sacrificio de luchar contra su claustrofobia no había sido agradecido. De haberse sentido capaz de marchar sola, lo habría hecho en aquel momento.

Sin hacer caso de la pregunta de Sana, y con la circulación restablecida en los músculos del hombro, Shawn volvió al trabajo. Llenó a toda prisa el primer cubo con tierra. Pidió, a continuación, el segundo. Veinte minutos después, tenía una abertura de unos diez centímetros de profundidad y diez de anchura, la cual dejaba al descubierto lo que era, sin duda, un recipiente de piedra caliza. La cubierta mediría dos centímetros y medio de grosor, y estaba sellada con cera color caramelo. Renunció al martillo a causa del confinado espacio y utilizó el cincel para rascar, antes de eliminar los restos a mano.

De pronto, Shawn se quedó paralizado. Aspiró una profunda bocanada de aire y su corazón se aceleró un poco. Las luces de la necrópolis se habían encendido, acompañadas por el retumbar sordo de los transformadores eléctricos al ser activados.

# 13

*15.42 h, 2 de diciembre de 2008,*
*Nueva York*
*(21.42 h, Roma)*

Jack estaba muy disgustado consigo mismo. Por segunda vez en dos días, había perdido el control por completo. El día anterior había sido con Ronald Newhouse, lo cual ilustraba hasta qué punto llevaba mal la enfermedad de su hijo. Cuando pensaba en su comportamiento en la consulta del quiropráctico, se sentía avergonzado, sobre todo porque era Laurie quien cargaba con el peso de la tragedia, mientras él huía de casa cada día para no pensar en el problema. Ese día había culpado a su hijo de cuatro meses de su lapso de cordura, lo cual resultaba todavía más vergonzoso que encararse a un quiropráctico. Pensó en qué diría Laurie cuando supiera que había hablado a Bingham y a Calvin de J.J. Aunque no lo habían comentado abiertamente, ambos consideraban la situación un asunto privado.

Jack seguía sentado a su mesa, donde se había refugiado después del rapapolvo en el despacho de Bingham. Miró su bandeja, rebosante de resultados de laboratorio e información que había solicitado a los investigadores médico-legales. Sabía que debía poner manos a la obra, pero no se decidía a empezar.

Lanzó una mirada al microscopio y a las pilas de portaobjetos, cada uno de los cuales representaba un caso diferente. Tampoco podía hacer eso. Por preocupado que estuviera, todavía le preocupaba más pasar por alto algo importante.

Como paralizado, Jack apoyó la cabeza en las manos. Con los codos descansando sobre la mesa y los ojos cerrados, trató de decidir si se estaba deprimiendo. No podía permitir que volviera a suceder.

—¡Patético! —rugió con los dientes apretados, la cabeza todavía inclinada.

Verbalizar una opinión tan severa sobre sí mismo fue como si le hubieran abofeteado. Jack se incorporó en la silla. Tras, en cierto sentido, tocar fondo, se recuperó. Con la idea de que la mejor defensa era el ataque, la estrategia que había adoptado durante su reunión con Bingham y Calvin, un estado de ánimo que habría deseado mantener, en lugar de convertirse en un pelele que había temido ser suspendido de empleo y sueldo, Jack concentró su mente en su cruzada contra la medicina alternativa.

—¡Que te den por el culo, Bingham! —soltó Jack.

De repente, en lugar de dejarse acobardar por Bingham, adoptó una postura desafiante. Aunque al principio se había sentido motivado por el deseo de distraerse de la enfermedad de J.J., ahora sabía que la cruzada era un objetivo legítimo en sí misma, y no un simple ejercicio de escritura para una revista de patología forense. Se trataba de una manera fiable de informar al público sobre un problema del que debería preocuparse mucho.

Una vez recuperada su motivación, Jack levantó la cabeza y trasladó la silla desde la zona de trabajo a la pantalla del ordenador. Con unos cuantos clics del ratón, se puso a examinar su correo electrónico, para ver si alguno de sus colegas había contestado a su solicitud de casos en que estuviera implicada la medicina alternativa. Solo había dos: Dick Katzenberg, de la oficina de Queens, y Margaret Hauptman, de Staten Island. Jack maldijo por lo bajo ante la falta de respuesta de los demás.

Jack sacó un par de fichas de 10×15 y apuntó los nombres,

además de los números de acceso. Después, envió otro correo electrónico de grupo a todos los médicos forenses, dando las gracias a Dick y a Margaret con mención de su nombre y exhortando a los demás a seguir su ejemplo.

Jack cogió las fichas y su chaqueta y salió. Quería ver los expedientes de los dos casos, lo cual significaba trasladarse al departamento de historiales, sito en el nuevo edificio de ADN del IML, en la calle Veintiséis.

Pasó de largo del antiguo complejo hospitalario de Bellevue, remozado en fecha reciente, y entró en el nuevo edificio del IML ADN, separado de la Primera Avenida por un pequeño parque. El edificio era un moderno rascacielos, construido con una mezcla de cristal azul tintado y piedra caliza marrón claro, que se alzaba sobre el antiguo hospital. Jack estaba orgulloso del edificio, y orgulloso también de que Nueva York lo hubiera construido.

Exhibió su tarjeta de identificación y pasó el torno de seguridad. El departamento de historiales se encontraba en la cuarta planta, en una oficina inmaculada forrada del suelo al techo de compartimientos verticales de madera noble de imitación. Cada enorme compartimiento contenía ocho estanterías horizontales de un metro veinte de anchura. Al final del día, cada pasillo tenía una puerta plegable de la misma madera de imitación que se cerraba con llave.

Al frente de la recepción del departamento se hallaba una sonriente mujer llamada Alida Sanchez.

—¿En qué puedo ayudarlo? —preguntó con voz cantarina—. Se le ve muy motivado.

—Supongo que lo estoy —admitió Jack, al tiempo que le devolvía la sonrisa. Le entregó las dos fichas y pidió ver los historiales.

Alida les echó un vistazo antes de levantarse.

—Vuelvo enseguida.

—Esperaré —dijo Jack. La vio alejarse en dirección al East River, visible a través de las ventanas. Unos momentos después, reapareció con una carpeta. Regresó al escritorio y la entregó a Jack.

—Aquí tiene el primero, para empezar.

Jack abrió el historial e inspeccionó el informe médicolegal, las notas de la autopsia, el informe de la autopsia, los formularios para informar por teléfono de la muerte y la hoja de trabajo del caso, hasta llegar al certificado de defunción. Extrajo esta hoja y observó de inmediato que la causa inmediata era la misma de Keara Aberlard, disección de la arteria vertebral. En la siguiente línea de la hoja, después de la frase «debido a o a consecuencia de», había escrito «manipulación cervical quiropráctica».

—Perfecto —masculló Jack para sí.

—Aquí tiene el segundo historial —dijo Alida cuando volvió de un pasillo más alejado.

Picado por la curiosidad, Jack abrió la segunda carpeta y extrajo el certificado de defunción. Cuando echó un vistazo a la línea de «causa inmediata de la muerte», se quedó sorprendido al ver que incluía «melanoma». Bajó los ojos hacia la línea siguiente y vio que la muerte había sido consecuencia de un cáncer que se había extendido al hígado y el cerebro. Confundido por el motivo de que Margaret le hubiera enviado el caso, avanzó hacia la segunda parte de la causa de la muerte. Había una línea titulada «otras condiciones significativas conducentes a la muerte», donde Margaret había escrito que al paciente le habían aconsejado utilizar tan solo homeopatía durante seis meses.

—¡Dios santo! —exclamó Jack.

—¿Pasa algo, doctor? —preguntó Alida.

Jack levantó la vista del certificado de defunción, y después lo alzó en el aire.

—Este caso me ha abierto los ojos a otro aspecto negativo de la medicina alternativa en el que no había pensado.

—Ah, ¿sí? —preguntó Alida. En su trabajo, no estaba acostumbrada a sostener conversaciones con los médicos forenses, sobre todo después de que el departamento de historiales hubiera sido trasladado desde el depósito de cadáveres hasta el nuevo edificio.

—Pensaba que medicinas alternativas como la homeopatía eran inofensivas, pero no es así.

—¿Qué es la homeopatía exactamente? —preguntó Alida.

Como Jack había leído la noche anterior todo un capítulo sobre la especialidad en *Trick or Treatment*, contaba con una respuesta rápida que no habría tenido en caso contrario.

—Es un tipo de medicina alternativa basada en la muy poco científica idea de «lo semejante cura a lo semejante». En otras palabras, si una planta provoca náuseas cuando la comes, la misma planta curará las náuseas cuando se toma en una cantidad muy diluida, y estoy hablando de una disolución radical, con tan solo una o dos moléculas del ingrediente activo.

—Eso suena bastante extraño —comentó Alida.

—Dígamelo a mí —contestó Jack con una carcajada—. Pero como ya he dicho, yo pensaba que era inofensiva hasta que usted me ha dado este caso. —Agitó el certificado de defunción que sostenía en la mano—. Este caso subraya el hecho de que la gente es capaz de tragarse estas terapias de medicina alternativa, como la homeopatía, hasta el extremo de renunciar a la medicina convencional, la cual, en ciertas circunstancias, puede ofrecer una cura solo si se inicia pronto la terapia convencional, como en el caso de ciertos cánceres. El caso que me ha dado es uno de esos.

—Eso es terrible —dijo Alida.

—Estoy de acuerdo —contestó Jack—. Gracias por su ayuda.

—De nada. ¿Puedo ayudarle en algo más?

—Ha llegado a mis oídos que van a digitalizar los historiales del IML. ¿Han empezado ya?

—Desde luego —dijo Alida.

—¿Hasta dónde han llegado?

—No muy lejos. Se necesita mucho tiempo, y aquí solo trabajamos tres personas.

—¿Hasta qué año han llegado?

—Ni siquiera hemos terminado uno.

Jack puso los ojos en blanco, decepcionado.

—Ni siquiera un año.

—Es un proceso muy laborioso.

—¿Cómo podría buscar en los historiales del IML muertes relacionadas con la medicina alternativa, como las que me acaba de dar?

—Temo que debería ser historial a historial, lo cual podría tenerle ocupado años, dependiendo de la cantidad de gente asignada a la tarea.

—¿Esa es la única forma? —preguntó Jack. No era lo que deseaba oír.

—Es la única manera hasta que los historiales estén digitalizados. E incluso con historiales digitales, solo localizaría los que le interesan si los médicos forenses hubieran añadido las palabras «medicina alternativa» en la casilla de la causa del fallecimiento.

—O «quiropráctica», «homeopatía», etcétera etcétera —añadió Jack—. El tipo de medicina alternativa implicada.

—Exacto, pero imagino que no habrá demasiados médicos forenses que añadan eso. Al fin y al cabo, en los certificados de defunción de gente que muere a causa de complicaciones terapéuticas, no consta medicina convencional o medicina alternativa como factor contribuyente, ni cirugía ortopédica o cualquier otra especialidad, a ese respecto. Solo podría aparecer, si el médico forense no lo incluyó en el certificado de defunción, en el informe del investigador bajo «otras observaciones». Incluso entonces sería improbable, puesto que por mi experiencia sé que los investigadores casi nunca escriben nada.

—¡Mierda! —exclamó Jack. Entonces, al darse cuenta de lo que había dicho, se disculpó—. Estoy desesperado por encontrar esta información —dijo—. Quería saber cuántas muertes ha estudiado el IML, durante los últimos treinta años, en que hubiera estado implicada la medicina alternativa. Son esas estadísticas las que llaman la atención de la gente.

—Lo siento —se disculpó Alida con una sonrisa forzada.

# 14

*22.08 h, martes, 2 de diciembre de 2008,*
*Roma*
*(16.08 h, Nueva York)*

—¡Mantén los ojos cerrados! —susurró Shawn—. ¡No los abras, pase lo que pase! Imagina que estás en una playa al sol, y nubes blancas algodonosas están surcando el cielo azul.

—Hace demasiado frío para imaginar una playa —dijo Sana con desesperación en la voz.

—Entonces, por los clavos de Cristo, imagina que estás tumbada en la nieve en Aspen, contemplando un cielo invernal tan cristalino que experimentas la sensación de poder ver las estrellas más allá de la Vía Láctea.

—No hace tanto frío.

Por un momento, Shawn no contestó. Se le estaba agotando la paciencia y las cosas que podía decir a Sana, a la que había estado consolando todo el rato que habían estado escondidos, acurrucados juntos en el túnel. Hacía casi cinco años que la conocía, y nunca había sospechado la gravedad de su claustrofobia ni el pánico que era capaz de provocar. Ella empezó a quejarse en voz alta desde el momento en que habían apagado los focos para lanzarse de cabeza al túnel, donde terminaron tendidos de costado frente a frente en un abrazo incómodo. Al principio, la había obligado a callar, pues estaba casi tan aterrorizado como ella, aunque su miedo estaba espoleado por el peligro real de ser descubiertos por los agentes de seguridad del Vaticano, no por la claustrofobia.

Por desgracia, el pánico de Sana era de tal calibre que tuvo que esforzarse por calmarla, de lo contrario los habrían descubierto. Cuando la miró a la tenue luz que se filtraba por los dos extremos del túnel, vio que estaba temblando, con la frente perlada de sudor, y sus ojos estaban abiertos de par en par.

—¡Debes calmarte! —había susurrado Shawn con violencia.

—No puedo —había gritado ella, en voz tan baja como el pánico le permitió—. No puedo quedarme aquí. Tengo que salir. ¡Me estoy volviendo loca!

Obligado a mostrarse creativo, Shawn le ordenó que cerrara los ojos y los mantuviera así. Consiguió el efecto deseado, aunque no lo esperaba. Ella se calmó de inmediato, lo bastante para quedarse callada.

—¿Cómo estás? —preguntó por fin Shawn.

Aunque ella no contestó, Shawn estaba más animado. No había abierto los ojos ni proferido quejas sobre su pánico desde hacía varios minutos, lo cual proporcionó a Shawn un momento para serenarse. Cuando las luces se habían encendido de repente veinte minutos antes, también había sido presa del pánico, y había salido corriendo desde dentro del túnel hasta la zona situada bajo la tarima de cristal. Sabía que debía colocar en su sitio el pesado panel de cristal que había dejado apoyado contra la pared. No cabía duda de que, si veían el panel abierto, los habrían descubierto.

Minutos después de haber colocado el panel en su sitio y regresado al túnel, habían oído voces de gente que llegaba y subía a la tarima de cristal mientras conversaba.

Mientras Sana intentaba controlar su ataque de pánico, Shawn tuvo que lidiar con su propio temor de que Sana y él hubieran dejado parte de su equipo a la vista a través de la tarima de cristal. Durante los diez minutos que los miembros de seguridad estuvieron en la zona, Shawn había temido que los descubrieran.

Se preguntó qué habría atraído a los agentes de seguridad. Nunca lo sabría con certeza, pero admitió que Sana había sido muy clarividente. Tenía que haber sido el ruido metálico del martillo contra el cincel, que el durisol y el mármol habían transmitido hasta la basílica.

—¿Puedo abrir los ojos ya? —preguntó Sana de repente, rompiendo el pesado silencio que reinaba en el angosto túnel.

—¡No, mantenlos cerrados! —replicó Shawn. Lidiar de nuevo con la claustrofobia de Sana era algo que no necesitaba en aquel momento.

—¿Cuánto tiempo vamos a quedarnos así? —preguntó Sana con voz trémula. Por lo visto, seguía luchando contra sus temores, pero antes de que Shawn pudiera contestar, las luces de la necrópolis se apagaron y los sumieron en la oscuridad más absoluta.

—¿Se han apagado las luces? —preguntó Sana nerviosa, pero también con una pizca de alivio.

—Sí —contestó Shawn—, pero mantén los ojos cerrados hasta que enciendas tu foco.

Empezó a arrastrarse hacia atrás en un intento de salir del túnel. Cuando estuvo fuera, conectó su foco. Sana se reunió con él un momento después, y también encendió el de ella.

Al principio, se miraron unos segundos. Aunque Shawn estaba preocupado por si se reproducía la reacción de pánico de Sana, cuando abrió los ojos no pasó nada. Salir del estrecho túnel había aportado alivio suficiente para mantener bajo control su claustrofobia.

—Recuérdame que no vuelva a llevarte a ninguna excavación —dijo Shawn irritado, como si culpara a Sana del susto.

—¡Recuérdame que no vaya nunca! —replicó Sana.

Continuaron mirándose unos instantes más, los dos jadeando como si hubieran corrido cien metros en lugar de haber estado inmóviles durante media hora.

—Larguémonos de aquí —dijo Sana—. Hasta el momento, esta ha sido una de mis experiencias menos favoritas. ¡Entra ahí y coge el maldito osario!

Lo último que deseaba Shawn era que Sana le diera órdenes después de haber tenido que sujetar su mano, al menos de manera figurada, durante toda la odisea. Tener que aguantar sus temores había sido peor que el miedo a ser descubiertos.

—Voy a coger el osario porque es lo que quiero hacer —replicó Shawn—, no porque tú me lo ordenes.

Agarró el cincel y el cubo, y volvió a introducirse en el túnel.

Sana oyó que rascaba la tierra alrededor del osario, pero por desgracia no tenía nada que hacer y su mente volvió a obsesionarse con la situación. Ahora que el panel de cristal estaba encajado en su sitio, se encontraba a merced de Shawn, como si estuviera encarcelada. En consecuencia, su pánico y angustia amenazaban con regresar.

—¡Shawn! —llamó Sana por encima de los ruidos y gruñidos procedentes del túnel—. Necesito que volvamos para levantar el panel de cristal.

—Hazlo tú misma —replicó Shawn, junto con algo más que Sana no oyó pero imaginó.

Como sabía que no podía levantar sola el panel de cristal, y que Shawn también lo sabía, se enfureció, pero había en ello un aspecto positivo: no tardó en darse cuenta de que su ira tranquilizaba su claustrofobia. Cuanto más furiosa estaba con Shawn, menos angustiada se sentía por estar en un espacio angosto. Al recordar que cerrar los ojos le había ido muy bien para calmar el pánico en el túnel, volvió a hacerlo.

—*Voilà!* —gritó Shawn desde dentro del túnel—. ¡Se ha soltado! ¡Está saliendo!

Como si despertara de un trance hipnótico, los ojos de Sana se abrieron. Por lo que ella sabía, era posible que Shawn estuviera hablando de ella. La liberación del osario sería su propia liberación, pues significaba que no tardarían en marcharse. Olvidó por completo su fobia, avanzó a gatas hacia la boca del túnel y vio que Shawn extraía el osario de piedra del nicho de la pared.

—¿Pesa?

—Bastante —dijo Shawn con un gruñido, al tiempo que dejaba el recipiente de piedra caliza sobre el suelo del túnel. Lo sacó a empujones y salió.

Shawn se acuclilló de rodillas y miró con avaricia el osario que había entre ellos. La pareja olvidó al instante su irritación. Shawn extendió con reverencia su mano enguantada y sacudió la tierra que todavía cubría la parte superior. Por un momento, se sintió abrumado ante la posibilidad de que tal vez contuviera las reliquias de una de las personas más veneradas de la historia. La superficie estaba cubierta de lo que parecían rayones indescifrables. Una vez descubrió el sentido, todas las piezas encajaron en su sitio.

—Esperaba ver un nombre —dijo Sana, decepcionada.

—¡Hay un nombre! —exclamó Shawn—. ¡Y una fecha!

Dio la vuelta al osario para que Sana viera lo que él había estado estudiando. Ella los examinó, y solo reconoció los números romanos de una fecha: DCCCXV, que supuso sería 815. Levantó poco a poco los ojos hacia Shawn. Pensaba que su esfuerzo no había servido de nada.

—¡Oh, no! —exclamó—. ¡El maldito trasto es de la Edad Media!

Shawn sonrió con astucia.

—¿Estás segura? —preguntó en tono burlón.

Confusa, Sana volvió a mirar los números romanos y los tradujo de nuevo. Le seguía saliendo 815. Tendría que convencer a Shawn de que habían fracasado. Tal como ella había dicho, el trasto procedía de la Edad Media.

Entonces, Shawn señaló los números romanos.

—¿Ves las letras en latín que siguen a los números romanos?

Sana volvió a mirar la fecha. Después de escudriñar el laberinto de rayones, aparecieron tres letras.

—Sí, las veo. Parece algo así como AUC.

—Es exactamente AUC —dijo Shawn en tono triunfal—. Significa *ab urbe condita*, que se refiere a la supuesta fundación de Roma en 753 a.C., según el calendario gregoriano, que no fue introducido hasta 1582 d. C.

—Estoy confusa —admitió Sana.

—Enseguida lo entenderás. Los romanos no utilizaban a. C. ni d. C. Utilizaban AUC. Para convertir el antiguo calendario romano a nuestro gregoriano, has de restar setecientos cincuenta y tres años.

Sana restó mentalmente.

—Entonces, la fecha es 62 d. C.

—Correcto. Deduzco que Simón el Mago creía que la Virgen María murió en 62 d. C.

—Supongo que es una posibilidad razonable —dijo Sana, al tiempo que asentía y pensaba en su catecismo.

—Yo diría que sí —continuó Shawn—. Suponiendo que María tuviera su primogénito, Jesús, en 4 a.C., y que contara unos quince años de edad, habría muerto a los ochenta y cuatro años, aproximadamente. Una vida demasiado longeva para el siglo I, pero es posible. Mira, también hay un nombre.

—Yo no veo ninguno —dijo Sana, al tiempo que desviaba la vista hacia el batiburrillo de rayones que rodeaban la fecha.

—Aquí. Está en arameo, justo encima de los números romanos.

—La verdad es que no veo ninguna letra.

—Te las dibujaré cuando volvamos al hotel.

—¡Fantástico! Pero ¿cuál es el nombre?

—Maryam.

—¡Santo Dios! —susurró Sana. Por lo visto, algo que nunca había creído posible estaba sucediendo.

—Una elección de palabras muy adecuada —dijo alborozado Shawn—. Vamos al hotel con este trasto para celebrarlo.

Trasladó poco a poco el recipiente hacia la zona situada bajo la tarima de cristal. Era difícil porque no podía andar erguido.

—¿Y las herramientas y los cubos? —preguntó Sana—. Si los cargo, no podré ayudarte a transportar el osario.

Shawn se rascó la cabeza y asintió. El osario pesaría entre quince y veinte kilos, un peso con el que podría cargar, pero necesitaría descansar, sobre todo cuando subiera los múltiples tramos de escaleras.

—Lo sé —repuso—. Vamos a dejar que algún futuro arqueólogo encuentre algo. Lo enterraremos todo, excepto nuestros cascos, en el antiguo emplazamiento del osario. Al fin y al cabo, hemos de deshacernos de la tierra.

—Buena idea —dijo Sana, pero cuando Shawn empezó a alejarse a gatas hacia el túnel, le agarró del brazo para detenerlo—. Antes de que lo hagas, ¿puedo pedirte un gran favor?

—¿Qué? —preguntó Shawn. Pese a su aparente éxito, no estaba de humor para ser generoso.

—¿Podemos subir el panel de cristal? Conseguirá que me sienta menos asustada. Después, mientras tú entierras las herramientas, yo dejaré el osario en el rincón, debajo del panel de acceso.

Shawn paseó la vista entre el túnel y el osario. Incluso consultó un momento su reloj, pues sabía que debían estar fuera de los Scavi a las once.

—De acuerdo —dijo, como si hiciera una gran concesión. Pocos minutos después, se hallaba de vuelta en el túnel para enterrar su equipo en el agujero donde había estado el osario, a base de recoger tierra con las manos y allanarla. No consiguió devolver por completo la pared del túnel a su estado original, pero hizo lo que pudo, y cuando terminó, tenía mejor aspecto de lo que esperaba.

Después de alisar el suelo de tierra y asegurarse de que no había dejado nada a la vista, retrocedió a toda prisa hacia donde Sana le estaba esperando, en el extremo de la tarima de cristal. Trabajando en equipo, levantaron el osario hasta la altura del pecho de Shawn, y después lo dejaron sobre la superficie de la tarima.

Con muchos esfuerzos, recorrieron el largo trayecto a través de la necrópolis hasta la salida, y se detuvieron en repetidas ocasiones para recuperar el aliento, mientras Shawn insistía en continuar adelante. En una de sus paradas, cerca de la puerta de entrada de la necrópolis, Sana dijo:

—¿Sabes qué es lo que más me emociona?

—¡Dímelo! —contestó Shawn, mientras se masajeaba los músculos doloridos de los brazos.

—El hecho de que la tapa del osario continúe sellada.

Shawn se agachó y miró.

—Creo que tienes razón.

—Si hubieran sellado el recipiente en Qumran, y Qumran fuera tan seco como dices, creo que tenemos bastantes probabilidades de encontrar algo de ADN mitocondrial del siglo I.

—Y una muestra de ADN bastante especial. Vamos a llevar esta cosa al maletero del coche.

El último tramo del recorrido fue el más angustioso. Como eran casi las once, existía un riesgo pequeño pero real de toparse con guardias de seguridad entre la oficina de los Scavi y la piazza dei Protomartiri Romani, donde esperaba el coche. Por suerte, eso no ocurrió. Una vez en el exterior, Shawn cargó con el osario para que Sana pudiera sostener el paraguas. Ella no quería correr el peligro de que el exterior del osario se mojara.

Con la reliquia a salvo en el maletero del coche, la preocupación no los abandonó mientras se dirigían hacia los puestos de la Guardia Suiza bajo el Arco delle Campane. Pero la preocupación era innecesaria. Tal vez debido a la lluvia, los guardias ni siquiera salieron de sus puestos cuando Shawn y Sana pasaron de largo, en dirección a la ciudad oscura y mojada.

—Bien, ha sido fácil —dijo Shawn, mientras se reclinaba en su asiento. Sana llevaba puesto el casco de construcción con el foco iluminado. Sobre su regazo descansaba un plano de la ciudad con el que esperaba guiarlos de vuelta al hotel.

—Yo no me atrevería a decir que ha sido fácil —puntualizó Sana, sin darse cuenta de que Shawn bromeaba. Se estremeció al recordar su ataque de pánico. Nunca había experimentado tanta angustia.

—Solo me arrepiento de haberme dejado convencer de abandonar el martillo y el cincel —añadió Shawn, perseverando en su intento humorístico. Sabía muy bien que había sido idea de él abandonar las herramientas.

Sana miró la silueta de su marido y lanzó chispas, pues no se había dado cuenta de que intentaba ser gracioso. ¿Cómo podía ser tan insensible?, se maravilló. ¿Por qué corría el riesgo de herir sus sentimientos así? Era absurdo, sobre todo porque habían encontrado lo que buscaban y habían conseguido apoderarse de ello ante las narices de todo el mundo.

—Sería muy útil abrir el osario.

La irritación de Sana con Shawn se convirtió en preocupación acerca de sus intenciones.

—¿Cuándo piensas abrirlo? —preguntó, temerosa de su respuesta.

—No lo sé con exactitud —contestó Shawn. Miró a su mujer, sorprendido por su tono y el hecho de que le estuviera mirando tan fijamente—. Antes me gustaría tomar una copa, pero quiero saber si contiene documentos, y cuanto antes mejor.

Sana no rió, ni siquiera intentó sonreír, de lo que percibió como un débil intento de ser gracioso. No era divertido abrir el osario antes de tiempo. De hecho, tenía miedo de que la impaciencia de Shawn pusiera en peligro su interés en el osario.

—¿A qué viene esa cara tan larga? —preguntó él, mientras se protegía los ojos del foco de Sana.

—No puedes abrir el osario hasta que yo pueda estabilizar las reliquias con métodos biológicos —soltó Sana, al tiempo que apagaba el foco y tiraba el casco en el asiento trasero—. De lo contrario, correríamos el riesgo de disminuir las posibilidades de aislar algo de ADN mitocondrial.

—¿De veras? —preguntó Shawn con sorna. Le asombraba que su esposa fuera capaz de pensar que podía imponerle su voluntad, teniendo en cuenta que era su primer hallazgo arqueológico—. ¡Voy a abrir el maldito osario esta noche! Ya nos preocuparemos de tu ADN cuando llegue el momento.

—Serías capaz de tirar piedras sobre tu propio tejado —replicó Sana—. Tu impaciencia podría costarnos muy cara. Recuerda que este trasto ha estado sellado durante casi dos mil años. Si contiene documentos, será mejor que estés preparado para conservarlos de inmediato, de lo contrario podrías perderlos, junto con el material biológico.

—De acuerdo, puede que tengas razón —admitió Shawn de mala gana—, al menos en lo tocante a los documentos. Pero, a excepción de un vago interés científico, ¿de qué serviría conocer la secuencia del ADN mitocondrial de la Virgen María?

—No estoy segura de qué contestar a eso. Podríamos rastrear su genealogía hasta muy atrás, porque ya nos encontraríamos dos mil años atrás antes de empezar. Pero lo más importante, debido a que el ADN mitocondrial solo se hereda de la madre, sin que se produzcan nuevas combinaciones, al final serás el responsable de averiguar la secuencia del ADN mitocondrial de Jesucristo.

—¡Vaya! —dijo Shawn, boquiabierto.

—¡Vaya! —coreó Sana—. Te incluirían en ese selecto grupo de científicos que han hecho extraordinarias contribuciones al conocimiento, más que cualquier documento.

—Dios mío —dijo Shawn, imaginando los elogios.

—¿Me das tu palabra de que no abriremos el osario hasta llegar a Nueva York? Solo tendrás que esperar unos días.

—Te doy mi palabra.

Sana respiró hondo y expulsó el aire. Se sentía aliviada. También estaba algo avergonzada por caer tan bajo, hasta el punto de manipular a Shawn con su propia vanidad. Con todo, no estaba lo bastante avergonzada para admitirlo. Se hallaba concentrada en maximizar las probabilidades de aislar el ADN de María, porque ella, como bióloga molecular, antes que Shawn, como arqueólogo, recibiría al final el mérito de haber descifrado la secuencia del ADN mitocondrial de Jesucristo.

# 15

10.06 h, viernes, 5 de diciembre de 2008,
Nueva York

—Bien, no cabe duda qué lo mató —dijo Jack. Acababa de abrir el corazón de un varón negro de sesenta y dos años llamado Leonard Harris. Un coágulo de sangre de buen tamaño en forma de salchicha ocluía por completo el atrio derecho.

—¿Ese coágulo procedía de las piernas? —preguntó Vinnie.

—Tendremos que averiguarlo —contestó Jack.

La sala de autopsias estaba en pleno apogeo, con las ocho mesas en uso. Jack y Vinnie ya estaban inmersos en el tercer caso, mientras casi todos los demás médicos forenses todavía iban por el primero.

El primer caso había sido un adolescente muerto a tiros en Central Park. Existían dudas sobre si se trataba de homicidio o suicidio. Por desgracia, el investigador médico-legal del IML, George Sullivan, había cometido una equivocación, cuando el detective a cargo de la investigación le había obligado a ir con prisas. El resultado era que había olvidado guardar en una bolsa las manos de la víctima, lo cual había provocado quizá una pérdida de pruebas irreparable. Como la víctima era hijo de un abogado con contactos políticos, habían llamado a Calvin, y este había ordenado a Jack encargarse del caso.

Los otros dos casos de Jack eran menos complicados, pero por los pelos. El segundo era un universitario de primer curso fallecido por una sobredosis. Pero el tercer caso, aquel en el que estaba ocupado ahora, presentaba un desafío sorpresa. Jack estaba convencido de que la causa de la muerte era una embolia pulmonar, pero la forma en que había fallecido no era necesariamente natural.

—Vinnie, amigo mío, ¿sabes...? —empezó Jack mientras abría el resto del corazón, en busca de más coágulos de sangre, sobre todo en las válvulas tricúspides y pulmonares.

—¡No! —interrumpió Vinnie, sin ni siquiera permitir que Jack acabara la frase—. Cuando empiezas una pregunta siendo amable conmigo, sé que se te ha ocurrido algo en lo que no quiero intervenir.

—¿Tan malo soy? —preguntó Jack, mientras ascendía hasta la bifurcación de la arteria pulmonar en busca de más coágulos.

—¡Malísimo! —anunció Vinnie.

—Siento que pienses eso —dijo Jack—, pero déjame terminar la frase. ¿Sabes qué tiene de especial este caso?

Vinnie contempló el coágulo grande y oscuro, y después el cadáver abierto en canal, mientras intentaba pensar en algo gracioso que contestar. Como no se le ocurrió nada, decidió decir la verdad.

—¡No!

—Este caso es un ejemplo perfecto de la importancia de los investigadores médico-legales en la patología forense. Debido a que Janice hizo las preguntas que debía, este caso será observado a una luz diferente. Yo me habría quedado convencido de que se trataba de una muerte natural, pero como ella preguntó a su mujer si había tomado alguna medicación, averiguó algo que los médicos de urgencias ignoraban: que el hombre estaba tomando un remedio herbal, PC-SPES, hecho a base de hierbas chinas, que en teoría había sido retirado del mercado, pero todavía estaba disponible. Janice buscó las hierbas en Google y averiguó que era un medicamento desautorizado por la FDA, que a menudo había sido contaminado con hormonas femeninas y, por lo tanto, estaba relacionado con problemas de coágulos y embolias pulmonares fatales.

—Así que el remedio herbal mató al hombre.

—Es posible —dijo Jack.

—¿Podrás demostrarlo?

—Quizá. Que toxicología analice las muestras que hemos recogido, a ver si su mujer nos puede conseguir el medicamento que estaba tomando.

—¡Eh, sigue trabajando! —protestó Vinnie. Jack había parado mientras hablaba.

—¿Tú tomas hierbas medicinales, Vinnie? —preguntó Jack mientras reanudaba la autopsia.

—A veces. Hay un afrodisíaco chino llamado Tiger Stamina que uso de vez en cuando. Y, en ocasiones, mi acupunturista me receta algo para pequeñas afecciones sin importancia.

Jack dejó de trabajar y miró a su técnico del depósito de cadáveres favorito.

—¿Qué pasa? ¿Por qué me miras así?

—Como suele decirse, sabía que eras tonto, pero no creía que fueras estúpido.

—¿Por qué? ¿De qué estás hablando?

—No tenía ni idea de que utilizabas medicina alternativa. ¿Por qué?

Vinnie se encogió de hombros.

—Porque es natural, supongo.

—Natural, y una mierda —dijo Jack, despectivo—. El peor veneno conocido del hombre proviene de una rana de Sudamérica. No puedes imaginar qué ínfima cantidad bastaría para matarte, y es natural. Llamar a algo natural es un truco de marketing carente de sentido.

—¡De acuerdo, cálmate! Tal vez me gusta la medicina alternativa porque se utiliza desde hace más de seis mil años. Después de tanto tiempo, tienen que saber lo que hacen.

—¿Te refieres a la disparatada idea de que, en el pasado remoto, la gente poseía más sabiduría científica que hoy? Eso es demencial y contrario al sentido común. Hace seis mil años, la gente pensaba que el trueno eran un puñado de dioses cambiando los muebles de sitio.

—De acuerdo —repitió Vinnie, algo irritado—. Me gusta la medicina alternativa porque trata todo mi cuerpo, no solo el brazo, el bazo o lo que sea.

—¡Ah! —dijo Jack. Alzó la voz, teñida de más desprecio que cuando hablaba de la fábula «naturalista»—. El mito holístico es tan demencial como todo lo demás que has dicho. La medicina convencional es mil veces más holística que la medicina alternativa. La medicina convencional tiene en cuenta incluso los perfiles genéticos individuales. ¿Se puede ser más holístico?

—¿Qué te parece si terminamos esta autopsia? —sugirió Vinnie—. Y quizá deberías parar de chillar.

Tal como había sucedido unos días atrás en la consulta de Ronald Newhouse, Jack tomó conciencia bruscamente de lo que estaba pasando. Una vez más, había permitido que sus emociones se impusieran. La sala había quedado en silencio, y todo el mundo le estaba mirando. Cuando contempló sus manos, cayó en la cuenta de que con una todavía sujetaba el corazón y los pulmones que había estado examinando, mientras que con la otra continuaba sosteniendo el cuchillo de carnicero. El murmullo de las conversaciones se reanudó tan de repente como había enmudecido.

—¡Caramba! —murmuró Vinnie—. Con la edad te estás volviendo cada vez más susceptible.

—He estado investigando la medicina alternativa desde nuestro caso del lunes de disección de la arteria vertebral, y lo que he descubierto me ha sensibilizado un poco.

—¿Un poco? —preguntó Vinnie con sorna—. Yo diría que de manera exagerada, pero voy a explicarte lo que haré: dejaré la acupuntura si con eso consigo que te sientas mejor.

—Pues sí —respondió Jack—, sobre todo si dejas también las hierbas.

Vinnie se inclinó hacia Jack y entornó los ojos.

—¿Me estás tomando el pelo o qué?

No estaba seguro.

—A medias —dijo Jack—. Entretanto, acabemos con esta autopsia.

Terminaron el caso de la embolia pulmonar en un tiempo casi récord, demasiado incómodos para hablar.

—Lo siento, amigo mío —se disculpó Jack cuando terminaron—. Me he pasado un pueblo.

—Estás perdonado. Para compensarme, promete que no empezaremos las autopsias hasta que todos los demás lo hayan hecho.

—Tú sueñas —dijo Jack, se quitó los guantes y fue a los servicios.

Jack se lavó y volvió a su escritorio. Todavía se sentía incómodo por su breve exabrupto en la sala de autopsias, de modo que cerró la puerta. Durante un rato, de momento, no deseaba ver ni hablar con nadie. Se obligó a trabajar y dictó las tres autopsias que acababa de terminar para no olvidar ningún detalle, utilizando sus notas escritas para recordar puntos concretos importantes.

Una vez concluido el dictado, Jack contempló su abarrotada bandeja de entrada, pero, como le pasaba tan a menudo en los últimos tiempos, no encontró motivación para empezar. Abrió el cajón del centro y extrajo un sobre grueso en el que había ido guardando todos sus datos sobre medicina alternativa. En aquel momento, tenía un total de doce casos procedentes de sus colegas. Keara Abelard era el decimotercero, y el caso herbal de la mañana sumaba un total de catorce.

Jack tendría que haberse sentido satisfecho con sus progresos, pero no era así. Había llegado a la conclusión de que el número de casos que iba a encontrar, hiciera lo que hiciera, iba a ser muy inferior al número real, por diversos motivos. Un problema consistía en que los historiales del Instituto de Medicina Legal no estaban digitalizados, lo cual significaba que una búsqueda era imposible. Aunque los historiales estuvieran digitalizados, no habría códigos para medicina alternativa en general, ni para tipos específicos de medicina alternativa en particular. Para colmo, aunque pudiera localizar casos de DAV, no existían garantías de que los historiales dijeran algo acerca de quiropráctica, aunque la terapia quiropráctica estuviera implicada en el caso.

En situaciones relacionadas con medicina herbal, los casos serían descartados como envenenamiento accidental, y la causa de la muerte se atribuiría al veneno específico implicado. Sería la excepción, no la regla, que hablaran de medicina herbal.

Si bien Jack opinaba que su cruzada por sacar a la luz los peligros de la quiropráctica y otras formas de medicina alternativa era una gran idea, y valía la pena perseverar en ella, estos obstáculos tácticos estaban enfriando su entusiasmo. Catorce casos durante un período de tiempo indeterminado no eran suficientes para atraer la atención del público. Cuando había empezado, imaginaba una gran revelación, cientos de casos capaces de ocupar la primera plana de los medios durante días. Jack ya asumía que eso no iba a suceder.

A medida que el entusiasmo de Jack se difuminaba, sus problemas en casa se le antojaban más graves todavía. Sus emociones descontroladas, como ejemplificaba el reciente episodio con Vinnie, eran una clara señal de que todavía carecía de concentración. Durante unos momentos, Jack se planteó si debía aferrarse a la idea de la medicina alternativa con la esperanza de solucionar los problemas de investigación, o si debía intentar encontrar algo más absorbente.

El timbre del teléfono le sobresaltó. Contempló el aparato con rabia repentina, y reprimió el deseo de arrancar el cable de la pared. No quería hablar con nadie.

Pero ¿y si era Laurie? Tal vez se había producido un cambio a peor en el estado de J.J. Tal vez ella estaba llamando desde urgencias del Memorial. Jack levantó el auricular.

—¡Sí! —bramó.

—Hola, muchachote —rugió Lou Soldano—. ¿Te pillo en un mal momento? Pareces agobiado.

Jack tardó un momento en ponerse las pilas. Había estado convencido de que era Laurie para comunicar algún desastre.

—No pasa nada —dijo, y luchó por calmarse—. ¿Qué sucede?

Después de Laurie, el detective teniente Lou Soldano era una de sus personas favoritas. En muchos sentidos, la amistad de Jack y Lou había experimentado un curioso giro. Antes de que Jack hiciera acto de aparición, Lou y Laurie habían salido juntos un tiempo. Por suerte para Jack, su relación había pasado de ser romántica inestable a platónica plácida, y cuando Jack y Laurie empezaron a salir, Lou abogó por Jack en múltiples ocasiones. En una coyuntura particularmente difícil, fue la convicción de Lou de que Jack y Laurie estaban hechos el uno para el otro lo que salvó la situación.

—Quería ponerte al día —dijo Lou— sobre ese suicidio por arma de fuego acerca del cual me llamaste el martes. ¿Sabes de qué caso estoy hablando?

—Por supuesto. La mujer se llamaba Rebecca Parkman. Fue el caso en que el marido se emperró, y perdona la expresión, en que no se practicara la autopsia a su mujer, alegando motivos religiosos.

—Por lo visto, existían otros motivos —dijo Lou.

—No me sorprende. Aunque la herida de entrada presentaba forma de estrella, no estaba muy bien definida, lo cual sugería que no era herida de contacto. ¿A qué distancia calculé que estaba la pistola cuando se disparó?

—¡Cinco centímetros!

—En toda mi carrera forense, nunca he visto un suicidio con una herida de bala en la cabeza que no fuera herida de contacto.

—Bien, gracias a tus sospechas conseguimos una orden de registro e irrumpimos en casa del tipo. Y, no te lo pierdas, estaba retozando con una jovencita. ¿Te lo imaginas? Dos días después de que su esposa se suicide presuntamente, está cepillándose a una animadora.

—¿Encontrasteis algún indicio acusador?

—¡Ya lo creo! —dijo Lou con una risita pletórica de seguridad—. En la secadora encontramos una camisa de él recién lavada. Parecía limpia, por supuesto, pero los chicos del laboratorio encontraron restos de sangre, y resultó ser de la esposa. Creo que es muy acusador. He de concederos el mérito a vosotros, los chicos del IML. Apuntaos otra victoria por la justicia.

Una de las cosas que habían alimentado la amistad de Jack y Lou era que este tenía en muy alta estima la patología forense y lo que podía hacer por la defensa de la ley. Lou solía visitar el IML, así como observar las autopsias de casos criminales.

—¿Cómo está tu hijo? —preguntó Lou.

—Es una batalla —dijo Jack sin dar más detalles. No había comentado a Lou la enfermedad de J.J., ni deseaba hacerlo. Al mismo tiempo, no quería mentir. ¿Acaso vivir con un niño no era una batalla para todo el mundo?

—Sí, ¿verdad? —Lou rió—. Eso sí que es cambiar de estilo de vida. Recuerdo que, con los dos míos, no dormí durante meses.

—¿Cómo están tus hijos? —preguntó Jack.

—Ya no son unos críos —dijo Lou—. Mi niña tiene veintiocho años y mi niño, veintiséis. Te aviso, la cosa va rápida. Pero están bien. ¿Qué tal está Laur?

Lou llamaba Laur a Laurie.

—Bien —contestó Jack, y antes de que Lou pudiera continuar, añadió—: Lou, ¿te importa que te haga una pregunta personal?

—¡Joder, no! ¿Qué quieres saber?

—¿Utilizas la medicina alternativa?

—¿Te refieres a quiroprácticos, acupuntura y toda esa mierda?

—¡Exacto! Y también homeopatía, medicina herbal, o incluso terapias más exóticas, que utilizan palabras como campos de energía, ondas, magnetismo y resonancia.

—Voy a un quiropráctico de vez en cuando para que me ajuste, sobre todo cuando no duermo mucho. Probé la acupuntura para dejar de fumar. Alguien de jefatura me lo recomendó.

—¿Funcionó la acupuntura?

—Sí, durante un par de semanas.

—¿Y si te dijera que la medicina alternativa no está exenta de riesgos? De hecho, ¿y si te dijera que la manipulación cervical de los quiroprácticos mata a gente cada año? ¿Te influiría saberlo?

—¿De veras? —preguntó Lou—. ¿Muere gente?

—Me tocó un caso el lunes —dijo Jack—. Una mujer de veintisiete años que murió por rotura de las arterias del cuello. Era el primer caso que veía, pero he estado investigando durante los últimos días. Me ha sorprendido el número de casos que he encontrado. Ha influido en mi opinión sobre la medicina alternativa.

—No sabía que moría gente a causa del tratamiento quiropráctico —admitió Lou—. ¿Y la acupuntura? ¿Alguien ha muerto de eso?

—Sí. Laurie tuvo un caso de esos.

—¡Joder! —exclamó Lou.

—¿Y si te dijera que la medicina alternativa no ofrece la clase de salud que afirma? Además de aportar un efecto placebo, no hace gran cosa. Sabes lo que es el efecto placebo, ¿verdad?

—Sí, es cuando tomas un medicamento, como píldoras de azúcar, que no contiene ningún principio activo, pero te sientes mejor.

—Exacto. Bien, te lo diré de otra manera: ¿y si te dijera que la medicina alternativa no hace otra cosa que proporcionar un efecto placebo, pero de paso te pone en peligro?

Lou rió.

—Creo que iré a comprar un frasco de píldoras de azúcar.

—Lou, estoy hablando en serio. Quiero entender por qué no pones en duda la idea de ir a un supuesto proveedor de salud, pagar una buena pasta y tal vez ponerte en peligro de muerte, cuando te estoy diciendo que solo es un efecto placebo. Ayúdame a entenderlo.

—Tal vez porque puedo ir a ver a este quiropráctico.

—Sigo sin entenderlo. ¿Qué significa que puedes ver a ese tipo?

—Es complicado de la hostia ver a mi médico de cabecera. Su consulta es como un fuerte con un par de brujas que actúan como si necesitaran protegerle de mí, el ogro. Y cuando entro a verle, me dice que adelgace y que deje de fumar, como si fuera fácil, y todo va tan deprisa que la mitad de las veces me olvido de por qué he ido a verlo. Después, llamo al quiropráctico, descuelgan enseguida y son amables. Si quieres hablar con el quiropráctico, puedes. Si es una emergencia y quieres ir enseguida, puedes. Y cuando entras en la consulta, no tienes que esperar una hora; y cuando ves al terapeuta, no tienes la sensación de que te está metiendo a toda prisa en una cadena de montaje, como un pedazo de carne en un matadero.

Se hizo el silencio durante unos momentos. Como ventaja de controlar sus emociones hasta un punto razonable, Jack oyó la respiración de Lou. El hombre estaba algo irritado. Jack carraspeó.

—Gracias —dijo—. Me has enseñado algo que necesitaba saber.

—De nada —dijo Lou con escasa sinceridad.

—Te he dicho que estaba investigando la medicina alternativa, y me he quedado desconcertado por la buena disposición de la gente a aceptarla, pese al hecho de que, en mi opinión, es prácticamente ineficaz, y además les cuesta millones y millones de dólares al año. He descubierto que solo la medicina herbal recauda treinta mil millones de dólares, lo cual me recuerda, ¿tomas alguna medicina herbal?

—De vez en cuando. Cuando mi peso supera los ochenta kilos, sigo un programa de adelgazamiento rápido, que incluye un producto herbal llamado Lose It.

—Eso no está bien —dijo Jack—. Como amigo tuyo, te aconsejo que no lo uses. Muchos productos herbales de adelgazamiento, sobre todo los chinos, están contaminados de manera accidental con sales de plomo o sales de mercurio, o ambas. Para colmo, se sabe que, con frecuencia, el contenido de la planta natural ha sido contaminado a propósito con productos farmacéuticos peligrosos, con el fin de que obren algún efecto positivo, o sea, pérdida de peso. Mi consejo es que te mantengas lo más alejado posible de tales remedios.

—Hoy eres un maravilloso portador de buenas noticias. Me alegro mucho de haber llamado.

—Lo siento —dijo Jack—, pero yo me alegro de que hayas llamado. Me has enseñado algo que necesitaba saber, aunque es probable que no quisiera saberlo, o sea, por qué la gente está tan ansiosa por lanzarse a los brazos de la medicina alternativa y se muestra reticente a escuchar por qué no debería.

—Ahora me has picado la curiosidad —dijo Lou—. ¿Qué te he enseñado?

—Me has enseñado que la medicina convencional tiene mucho que aprender de la medicina alternativa. La forma en que has descrito tu experiencia con las dos es muy reveladora. La medicina alternativa mantiene buenas relaciones con los pacientes, los trata como personas, convierte la visita en una experiencia social positiva, aunque no exista auténtica curación. La medicina convencional, por su parte, demasiado a menudo es todo lo contrario, y actúa más como si te estuviera haciendo un favor. Peor todavía, si la medicina convencional piensa que no puede ayudarte, te ignora. Te deja tirado.

Jack no pudo evitar pensar que esa era la situación en la que Laurie y él se encontraban en esos momentos, mientras esperaban a que la alergia de J.J. a la proteína del ratón disminuyera, si es que iba a disminuir. Eso estaba por demostrar.

—¿Por qué dices que no querías saberlo? —preguntó Lou.

Jack tuvo que reflexionar un momento, porque la pregunta estaba relacionada con su cruzada, que a su vez estaba relacionada con la enfermedad de J.J. Jack no quería hablar de J.J.

—No quería saberlo porque descubrir que existen razones legítimas para que la gente quiera utilizar la medicina alternativa significa que mis esfuerzos por dejar al descubierto sus limitaciones, incluso sus peligros, caerán probablemente en oídos sordos.

—A veces creo que eres la persona más irritantemente misteriosa que conozco. Pero déjame añadir otra razón a por qué la gente se revolverá con uñas y dientes contra ti y a favor de la medicina alternativa. La medicina alternativa no da miedo. Si dices que un puñado de personas mueren cada año por culpa de ir a un terapeuta de medicina alternativa, ni siquiera pestañearán. Mueren miles y miles de personas más que acuden solo a médicos convencionales de las que mueren por ir al quiropráctico. De hecho, la gente que va al quiropráctico quiere creer en la quiropráctica porque no quiere ir a los médicos convencionales, que tal vez le den un diagnóstico que implique incomodidades, dolor y, quizá, la muerte. Con el quiropráctico, eso nunca sucede. Todo es optimista, todas las dolencias pueden tratarse, no hace daño, y si solo es efecto placebo, ¿qué más da?

Siguió otro instante de silencio.

—¡Tienes razón! —dijo Jack al fin.

—Gracias. Ahora, volvamos a nuestros trabajos respectivos, porque estamos empleando el tiempo de la ciudad. Y una última cosa, que no paren de llegar los informes forenses, porque este último sobre Sam Parkman dio en el blanco.

—¿No será un problema que la sangre del caso Parkman sea una prueba circunstancial? O sea, no hay forma de demostrar cuándo se manchó la camisa con la sangre de la mujer. La defensa argumentará que fue hace un mes o así.

—Eso no va a significar ningún problema. La amiguita animadora está cantando a pleno pulmón, por temor a que la consideren cómplice. El fiscal del distrito está muy contento y considera el caso cerrado.

Después de que Jack colgara el teléfono, permaneció un rato inmóvil. El escaso viento que quedaba en sus velas de la cruzada contra la medicina alternativa había amainado. Una vez más, se sintió descorazonado. Recogió todas sus notas y las volvió a meter en el sobre grande. Después, en lugar de devolverlo al cajón central, abrió el cajón del fondo, que contenía la foto enmarcada de Laurie y J.J., y lo tiró adentro. Cerró el cajón de una patada.

Preparado para reincorporarse al trabajo en serio, Jack miró en su bandeja de entrada con la intención de trasladar el material al vade de sobremesa y empezar a clasificarlo, pero su mano nunca llegó a efectuar el movimiento. El timbre del teléfono volvió a romper el silencio del despacho. Convencido de que sería Lou con otra idea acerca del problema de la medicina alternativa, Jack contestó al teléfono con el mismo desenfado de antes. Pero no era Lou. Era quizá la última persona del mundo de la que Jack esperaba tener noticias.

# 16

*11.30 h, viernes, 5 de diciembre de 2008,*
*Nueva York*

—¡El doctor Jack Stapleton, supongo!

La voz clara y meliflua llegó a través del receptor como una bocanada de aire fresco. Le sonó familiar a Jack, y su cerebro examinó desesperado su banco de memoria auditiva.

Jack guardó silencio un momento. Escuchó con más detenimiento y oyó un leve resuello. Alguien seguía al otro extremo de la línea, pero callaba de manera deliberada. Transcurrió casi medio minuto.

—Seguiremos así a menos que obtenga más información.

—Soy uno de tus más antiguos y queridos amigos.

La voz le sonó de nuevo familiar, pero Jack no conseguía identificarla.

—Como nunca he tenido un superávit de amigos, debería ser una tarea sencilla, pero no lo es. Tendrás que darme otra pista.

—¡Yo era el más guapo, el más alto, el más listo, el más atlético y el más popular de los Tres Mosqueteros!

—La vida nunca deja de asombrarme —dijo Jack, tranquilizado—. James O'Rourke. Si bien puedo reconocerte las otras cualidades menos significativas, no trago con lo de más alto.

James estalló en carcajadas, lo cual crispó los nervios de Jack igual que el tacto del papel de lija en las yemas de los dedos, como cuando se habían conocido en Amherst College en el otoño de 1973.

—En cuanto he oído tu voz, ¿sabes lo que he imaginado? —dijo James con otra risita.

—No tengo ni idea —respondió Jack.

—Te veo saliendo de la Laura Scales House, en Smith College, arrastrando el busto de Laura Scales,* con tu cara tan roja como se habría puesto la mía. Fue para partirse de risa.

—Eso fue porque Molly me retó —dijo Jack, presto a defenderse.

—Me acuerdo —dijo James—. Y lo hiciste a plena luz del día.

—Lo devolví al mes siguiente con gran fanfarria —añadió Jack—. Nadie salió perjudicado.

—Lo recuerdo. Yo estaba presente.

—Y tú no eres de los que tiran piedras —dijo Jack—. Recuerdo la noche que te llevaste la butaca del club de Dickinson House, en Mount Holyoke College, porque estabas cabreado con... ¿Cómo se llamaba?

—Virginia Sorenson. ¡La dulce y hermosa Virginia Sorenson! ¡Qué muñeca! —dijo James con una pizca de nostalgia.

—¿Has sabido algo de ella desde...?

—¿Desde que ingresé en el seminario?

—Sí.

—Pues no. Era dulce, pero poco comprensiva.

—No me extraña, teniendo en cuenta lo estrictos que erais. ¿Te arrepientes de tu elección?

James carraspeó.

—La dificultad de tener que tomar la decisión ha sido una fuente tanto de alegría como de tristeza, cosa que preferiría comentar con una copa de vino en la mano y un buen fuego al

---

* Educadora norteamericana y decana del Smith College. *(N. del T.)*

lado. Tengo una casa junto a un lago, en el norte de New Jersey, adonde me encantaría que tu mujer y tú vinierais a pasar un fin de semana.

—Podría ser —contestó Jack con cautela.

Se le antojaba una invitación sorprendente, después de no saber nada de James desde que se habían graduado en la universidad en 1977. También era culpa de Jack, por supuesto, ya que tampoco había intentado ponerse en contacto con James. Si bien habían sido buenos amigos en la universidad, después de graduarse sus intereses habían sido divergentes por completo. Con el último miembro de los Tres Mosqueteros había sido diferente. Jack se había sentido cautivado por la especialidad de Shawn Daughtry, arqueología de Oriente Próximo, y habían seguido en contacto más o menos hasta la muerte de la primera esposa y de las hijas de Jack. Después de eso, Jack no se había mantenido en contacto con nadie, ni siquiera con la familia.

—Debo disculparme por no haberme puesto en contacto contigo cuando te trasladaste a la ciudad —dijo James, como si leyera los pensamientos de Jack—. Me enteré de que estabas trabajando aquí, en el IML. Siempre he deseado llamarte para quedar y recordar los viejos tiempos. Nadie parece ser consciente de que ir a la universidad es una experiencia maravillosa. En su momento, siempre parece agotador, todo el tiempo con trabajos tremendos y exámenes encima. Y mientras estás en ella, cuando alguien intenta comentarte que la universidad es algo especial, solo se te ocurre decir para tus adentros: «¡Sí, claro! ¡Si esto es lo mejor que puede darme, me he metido en un buen lío!».

Ahora le tocó a Jack reír.

—Tienes toda la razón. Pasa lo mismo con la facultad de medicina. Recuerdo que el médico de cabecera de mi familia me decía que la facultad de medicina iba a significar el plato fuerte emocional de mi carrera profesional. En aquel tiempo pensaba que estaba loco, pero resulta que tenía razón.

Se hizo una breve pausa en la conversación, mientras los dos viejos amigos recordaban en silencio. Pero después, el tono y la actitud de James cambiaron con brusquedad cuando rompió el silencio.

—Supongo que te gustaría saber por qué me he descolgado así, de repente.

—Ha pasado por mi cabeza —admitió Jack, en tono desenfadado. La voz de James había adquirido un tinte sombrío, casi grave.

—Es que necesito con desesperación tu ayuda, y rezo para que seas tan amable de complacerme.

—Tienes toda mi atención —dijo Jack, precavido. En algunos momentos, escuchar los problemas de los demás despertaba los de él. Por más que quisiera evitarlo, la curiosidad le picaba. De todos modos, no podía creer que él, un agnóstico recalcitrante, pudiera ayudar al arzobispo de Nueva York, uno de los líderes más poderosos del mundo.

—Se trata de nuestro mutuo amigo, Shawn Daughtry —añadió James.

—¿Habéis vuelto a jugar a cartas? —preguntó Jack, en un intento de bromear. En la universidad, James y Shawn jugaban al póquer al menos una vez a la semana, y se enzarzaban en acaloradas discusiones sobre cuánto se debían mutuamente. En diversas ocasiones, Jack había tenido que intervenir para que volvieran a dirigirse la palabra.

—El tema es de extraordinaria importancia —dijo James—. Preferiría que no hablaras de ello con nadie.

—Perdón, padre —respondió Jack, al darse cuenta de que James hablaba muy en serio. De todos modos, intentó aligerar el tono de la conversación—. ¿Debo llamarle padre, padre?

—Mi título es Eminencia —dijo James, y se relajó un poco—. Pero puedes llamarme James. Lo prefiero muchísimo más.

—Me alegro —contestó Jack—. Como te conozco de la universidad, me costaría mucho llamarte Eminencia. Suena como una proclama anatómica grosera.

—No has cambiado, ¿verdad? —dijo James, todavía más animado.

—Por desgracia, sí, he cambiado. Me siento como si viviera una segunda vida, totalmente diferente de la primera. Pero preferiría no entrar en materia, al menos de momento. Tal vez cuando me llames dentro de otros treinta años estaré preparado para hablar de ello.

—¿Tanto tiempo ha pasado? —preguntó James, con una pizca de pesar.

—De hecho, son treinta y uno. Lo he redondeado. Pero no te culpo. Yo soy igual de responsable.

—Bien, es algo que deberíamos rectificar. Al fin y al cabo, vivimos y trabajamos en la misma ciudad.

—Eso parece —dijo Jack. Era una de esas personas que se abstenían de compromisos sociales surgidos sin pensar. Teniendo en cuenta el tiempo transcurrido y la diferencia abismal entre sus carreras, no sabía si quería reanudar una relación de lo que se le antojaba una vida anterior.

—Lo que me gustaría proponer es reunirnos lo antes posible —dijo James—. Sé que no he avisado con tiempo, pero ¿te importaría venir a la residencia para una comida rápida?

—¿Hoy? —preguntó Jack estupefacto.

—Sí, hoy —insistió James—. El problema acaba de caerme encima, y no tengo mucho tiempo para dedicarle. Por eso necesito tu ayuda.

—Bien —dijo Jack—. Estaba invitado a comer con la reina, pero puedo llamarla y decirle que tendremos que aplazarlo, porque la Iglesia católica necesita mi intervención.

—Siento no estar de acuerdo con el análisis que acabas de hacer de ti. No has cambiado un ápice. Pero gracias por acceder a venir. Y gracias por tu humor irreverente. Sería estupendo que me animara un poco, pero estoy muy preocupado.

—¿Está relacionado con la salud de Shawn? —preguntó Jack. Era lo que más le inquietaba: algún problema de salud, como el cáncer, se acercaría demasiado a sus problemas.

—No, no se trata de su salud, sino de su alma. Ya sabes lo cabezota que es.

Jack se rascó la cabeza. Al recordar las costumbres sexuales libertinas de Shawn en la universidad, Jack habría pensado que su alma estaba en peligro desde la pubertad, lo cual suscitó la pregunta de por qué había tantas prisas ese día.

—¿Puedes ser un poco más concreto? —preguntó.

—Prefiero no hacerlo —contestó James—. Me gustaría hablar del asunto *tête-à-tête*. ¿Cuándo vendrás?

Jack consultó su reloj. Faltaban diez minutos para las doce.

—Si me marcho ahora, cosa que puedo hacer, estaré ahí dentro de quince o veinte minutos.

—Maravilloso. A las dos tengo una recepción oficial con el alcalde a la que he de asistir. Tengo muchas ganas de verte, Jack.

—Yo también —dijo Jack mientras colgaba el teléfono. La solicitud de James transmitía una irrealidad extraña. Era como si el presidente llamara y dijera que fuera a Washington de inmediato: el país te necesita. Jack rió en voz alta, agarró su chaqueta de cuero y bajó al sótano.

Mientras estaba abriendo los candados de su bicicleta, se dio cuenta de que había alguien detrás de él. Se volvió y vio al jefe Bingham, con su cara de bulldog. Como de costumbre, su expresión era sombría y el sudor perlaba su frente.

—Jack —empezó Bingham—, quería decirte cuánto sentimos Calvin y yo lo de tu hijo. Como nosotros también tenemos hijos, no nos cuesta imaginar lo difícil que ha de ser. Recuerda que, si podemos hacer algo, solo tienes que decirlo.

—Gracias, jefe.

—¿Te marchas?

—No, solo me dejo caer por aquí de vez en cuando para comprobar los candados de la bicicleta.

—¡Siempre bromeando! —comentó Bingham. Como conocía bien a Jack, no se ofendió, como cuando Jack entró a trabajar en el IML—. Supongo que no irás a comer con un amigo quiropráctico.

—Estás en lo cierto —dijo Jack—. Ni voy a ver a un acupuntor, a un homeópata o a un herbolario. Voy a comer con un curandero. El arzobispo de Nueva York me acaba de llamar para invitarme a comer con él.

Bingham no pudo reprimir las carcajadas.

—Debo reconocerlo. Eres creativo y veloz en las réplicas. De todos modos, conduce con cuidado, y si quieres que te diga la verdad, preferiría que no fueras en esa bicicleta. Siempre me aterroriza que un día llegues aquí con los pies por delante.

Sin dejar de reír, Bingham dio media vuelta y se internó en las profundidades del IML.

Jack subió por Madison y el aire fresco le reanimó. Al cabo de un cuarto de hora había llegado a la esquina con la calle Cincuenta y uno.

La residencia del arzobispo se alzaba entre los modernos rascacielos de la vecindad, una modesta casa, bastante espartana, de tres pisos, techo de pizarra y piedra gris. Las ventanas de los pisos inferiores estaban protegidas por pesadas barras de hierro. La única señal de vida era un fragmento de encaje belga, que parecía fuera de lugar detrás de una de las ventanas con barrotes.

Con la bicicleta y el casco bien sujetos, Jack subió los peldaños de granito y llamó al reluciente timbre de latón. No esperó mucho. Cuando los cerrojos se abrieron, la pesada puerta se movió hacia dentro y apareció un sacerdote alto, delgado y pelirrojo, cuya facción más destacada era una nariz similar a un hacha. Iba vestido con un traje negro de paisano y un alzacuello anticuado y muy almidonado.

—¿Doctor Stapleton? —preguntó.

—Sí, soy yo —contestó Jack.

—Soy el padre Maloney —dijo el sacerdote, y se apartó a un lado.

Jack entró, algo intimidado por el entorno. El padre Maloney cerró la puerta a su espalda.

—Le acompañaré hasta el estudio privado de su Eminencia —dijo, y se alejó a grandes zancadas, lo cual obligó a Jack a correr unos pasos para alcanzarle.

Los sonidos de la bulliciosa Madison Avenue habían desaparecido detrás de la pesada puerta principal. Lo único que oía Jack, además del tictac del reloj de pie, eran sus pasos sobre el suelo de roble encerado.

El padre Maloney se detuvo ante una puerta cerrada. Cuando Jack llegó a su lado, el sacerdote abrió la puerta y se apartó para dejar pasar a Jack.

—Su Eminencia se reunirá con usted dentro de un momento —dijo, salió de la habitación y cerró en silencio la puerta.

Jack paseó la vista por la espartana habitación, que olía a líquido de limpieza y cera para suelos. La única decoración, aparte de un pequeño crucifijo que colgaba en la pared encima de un reclinatorio antiguo, eran varias fotos enmarcadas oficiales del Papa. Además del reclinatorio, los muebles se limitaban a un pequeño sofá y una butaca, ambos de cuero, una mesa auxiliar con una lámpara y, por fin, un escritorio con una silla de madera de respaldo alto.

Jack atravesó el suelo de madera reluciente, sobre el que sus suelas de piel resonaron. Se sentó en el sofá sin reclinarse, con la sensación de estar en un lugar que le resultaba extraño. Jack nunca había sido religioso, pues sus padres, maestros de escuela, nunca habían profesado ninguna fe. Cuando se hizo mayor y tuvo que pensar en el tema, decidió que era agnóstico, al menos hasta la tragedia que le había desposeído de su familia. A partir de aquel momento, Jack había abandonado la consoladora idea de que Dios existía. Pensaba que ningún dios que fuera amor permitiría que su amada esposa y sus queridos hijos perecieran de aquella manera.

De pronto, la puerta se abrió. Ya nervioso, Jack se puso en pie de un brinco. Entró su Eminencia el cardenal James O'Rourke en traje de gala. Los hombres se contemplaron durante un momento, y cada uno resucitó un destello de recuerdos agradables. Aunque Jack vislumbraba a su viejo amigo en la cara del cardenal, el resto de su apariencia le sorprendió. Jack no recordaba que fuera tan bajito como parecía ahora. Llevaba el pelo más corto y había perdido aquel rojo chillón. Pero era la indumentaria, por supuesto, lo que más había cambiado. A Jack, James le recordó a un príncipe del Renacimiento. Sobre los pantalones negros y el alzacuello blanco, James vestía una sotana adornada con ribetes y distintivos cardenalicios. Sobre la sotana llevaba una capa escarlata abierta. Se tocaba la cabeza con un solideo rojo de cardenal. Ceñía su cintura una ancha faja escarlata, y alrededor de su cuello colgaba una cruz de plata enjoyada.

Los dos hombres se fundieron en un abrazo durante un instante, y después se apartaron.

—Tienes un aspecto tremendo —dijo James—. Podrías correr un maratón en este mismo momento. Creo que yo no conseguiría correr el largo de una catedral.

—Eres muy amable —contestó Jack, y contempló la bondadosa cara de James, con sus fofas y relucientes mejillas coloradas sembradas de pecas, y las facciones redondas. Sus ojos azules, penetrantes y centelleantes, contaban una historia muy diferente, más coherente con lo que Jack sabía de su antiguo amigo, que ahora era un poderoso y ambicioso prelado. Los ojos transparentaban la inteligencia formidable y astuta de James, que Jack siempre había envidiado.

—De veras —continuó James—. Aparentas la mitad de la edad que tienes.

—Oh, basta —dijo Jack con una sonrisa.

De pronto, recordó la facilidad de James para los halagos, una característica que siempre había utilizado para sus fines. En Amherst, no había persona que no sintiera afecto por James, gracias a su capacidad de seducción.

—Y tú pareces un príncipe del Renacimiento —declaró Jack, con la intención de devolverle el cumplido.

—Un príncipe del Renacimiento regordete cuyo único ejercicio lo lleva a cabo en la mesa del refectorio.

—Piénsalo bien —repuso Jack, sin hacer caso del comentario de James—. Eres un cardenal, una de las personas más poderosas de la Iglesia.

—Paparruchas —comentó James, y agitó una mano como si Jack le estuviera tomando el pelo—. Solo soy un sencillo párroco que cuida de su rebaño. El Buen Dios me ha colocado en una posición que me supera. Me es imposible poner en duda los caminos del Señor, por supuesto. Hago lo que puedo. Pero basta de trivialidades. Nos permitiremos más durante la comida. Antes, quiero enseñarte algo.

James le guió por un largo pasillo y pasaron ante un comedor, donde había dos cubiertos en una mesa para doce comensales, hasta entrar en una enorme cocina con utensilios modernos, pero provista de encimeras y pilas anticuadas de saponita. Una mujer estaba lavando lechugas en la pila. Era una mujerona, unos diez centímetros más alta que James, con el pelo moreno recogido en un severo moño. James la presentó como la señora Steinbrenner, el ama de llaves y absoluta dueña y señora de la residencia. Su respuesta fue expulsar a James de lo que llamó «su» cocina y fingir ira cuando el cardenal robó una zanahoria de una bandeja de hortalizas adornada con mimo.

—Esa es su comida —le reprendió con fuerte acento alemán, al tiempo que daba una palmada a la mano de James. Fingiendo que estaba atemorizado, James indicó a Jack con un gesto que le siguiera, y bajaron la escalera de la bodega.

—Finge que es Brunilda —explicó James—, pero es un corderito. No podría pasar sin ella. Se ocupa de la cocina, salvo cuando vienen grupos grandes, mantiene el lugar limpio como una patena y pone a todo el mundo firmes, incluido yo. ¿Dónde está el interruptor de la luz?

Habían llegado a un sótano de hormigón, dividido en estancias mediante maderos toscos pintados de blanco. James apretó un interruptor, y la luz reveló un pasillo central flanqueado de puertas cerradas con candado.

—Agradezco muchísimo que hayas venido casi sin darte tiempo a pensarlo —dijo James, al tiempo que se detenía delante de una puerta. Sacó una llave y abrió la cerradura. Los goznes de la puerta chirriaron cuando se abrió hacia fuera. Buscó a tientas el interruptor de la luz, antes de entrar en la habitación e indicar a Jack que lo siguiera.

Era una habitación rectangular de unos seis metros de largo y tres de ancho, con un techo de casi tres metros y medio. La pared del fondo estaba hecha de toscos bloques de granito que también servían de cimientos del edificio. Las paredes estaban forradas de estanterías, sobre las que descansaban cajas de cartón etiquetadas con todo cuidado. Al final de la habitación se alzaba una caja de embalar de madera amarillenta, cuyas tiras metálicas estaban cortadas, aunque no se habían movido de su sitio. Indicó de nuevo a Jack que le siguiera, se acercó a la caja y apartó las tiras metálicas cortadas para dejar al descubierto la tapa, que habían abierto y devuelto a su sitio después.

—Esto es lo que provocó el dilema —dijo James, y luego suspiró—. Observa que va dirigida a mí. También fíjate en que soy, en teoría, el remitente, y además que afirma contener objetos personales.

—¿Te la envió Shawn?

—Ya lo creo, el muy listo. También me telefoneó para decirme que iba a llegar. Dijo que era una sorpresa, porque sabe que me gustan las sorpresas. De hecho, fui tan imbécil de creer que era algo para mi inminente cumpleaños, pero ahora sé que no es así, sino una sorpresa que ha resultado ser mucho más grande de lo que jamás habría imaginado.

—Ah, sí —dijo Jack, y su rostro se iluminó—. Tu cumpleaños se acerca. De hecho, es mañana, seis de diciembre, ¿verdad?

—No me ha hecho un regalo desde no sé cuándo —continuó James, sin hacer caso de la pregunta de Jack—. No sé por qué me dejé convencer de que iba a hacerme uno este año. Pero como Shawn es tanto un erudito de la Biblia como un arqueólogo, pensé que podía tratarse de una maravillosa reliquia de los primeros cristianos. Qué poco sabía yo.

—¿Lo es? —preguntó Jack.

—Déjame terminar —dijo James—. Quiero que entiendas por qué me encuentro en una situación tan difícil.

Jack asintió, cada vez más intrigado. La caja debía de contener alguna antigüedad. Algo poco habitual, a juzgar por la reacción de James.

—Enviarme esta caja desde el Vaticano, diciendo que contenía mis efectos personales, significaba que iba a pasar las aduanas sin problemas, tanto la de Italia como la de Nueva York. Llegó de noche en un vuelo de carga, y la enviaron directamente aquí desde JFK. Como pensé que era un regalo de cumpleaños, dije que la dejaran aquí con el resto de mis efectos personales. Tal como prometió, Shawn apareció ayer, recién llegado de JFK, poco después de que apareciera la caja. Se comportó de una forma muy extraña, como si estuviera tenso a causa de los nervios. Se mostró muy impaciente por abrir la caja, igual que yo, para ver si el contenido había llegado sano y salvo. Bajamos aquí, cortamos las tiras metálicas y desatornillamos la tapa. Al principio, solo vimos tableros de porexpán, pues habían empaquetado muy bien el objeto. Cuando sacamos el primer tablero, como voy a hacer ahora, esto fue lo que vi.

James deslizó los dedos entre la madera y el envoltorio, y levantó este último. Jack se inclinó hacia delante. La luz del sótano no era la mejor, pero vio con claridad una piedra rectangular y deslucida, con una superficie lisa sembrada de rayones. No le impresionó. Había esperado algo espectacular, como una copa dorada, una estatua, o quizá una pesada arca de oro.

—¿Qué es? —preguntó.

—Un osario. En la época de Cristo, siglo arriba siglo abajo, las prácticas funerarias judías en Palestina consistían en introducir los cadáveres en cuevas durante un año, o más, para permitir que el cuerpo se pudriera. Después, la familia regresaba, recogía los huesos y los depositaba en un recipiente de piedra caliza de diversos tamaños y adornos, en función de la riqueza de la familia. El recipiente se llama osario.

—¿No se produjo hace poco una controversia acerca de un osario que, en teoría, llevaba una inscripción que rezaba Santiago, hijo de José, hermano de Jesús?

—Desde luego. De hecho, se han descubierto en fecha reciente osarios con inscripciones que, al parecer, contenían los restos de Jesucristo y de sus familiares próximos. Por supuesto, todo el molesto incidente demostró ser una artimaña, obra de falsificadores sin escrúpulos. Se han descubierto miles de osarios del siglo I durante los últimos veinte años, como resultado del *boom* inmobiliario de Jerusalén. No es difícil encontrar osarios cuando excavas en esa ciudad. Espero que este osario sea una falsificación similar, si hay reliquias dentro.

—¿De quién se supone que son los restos? —preguntó Jack con curiosidad.

—De la Virgen María, Madre de Cristo, Madre de Dios, Madre de la Iglesia, segunda en importancia después de Jesús, la persona más santa que ha pisado esta tierra —dijo James, aunque le costó recitar la letanía.

Durante un minuto entero, Jack y James se miraron en silencio. La decepción de Jack en lo tocante al contenido del recipiente iba en aumento. No estaba interesado en un osario. Los tesoros le atraían más que los objetos históricos. James, por su parte, estaba abrumado. Hablar del supuesto contenido del osario conseguía que se sintiera más desesperado todavía por encontrar una solución.

—Vale —dijo Jack por fin. Dejó de mirar a James y sus ojos se desviaron hacia la tapa del osario. Había supuesto que James continuaría, pero el hombre estaba demasiado alterado para hablar.

—Debo de haberme perdido algo. Si hay montones de osarios y montones de falsificadores, ¿cuál es el problema?

James había apretado los labios, y una sola lágrima rodó sobre su mejilla derecha. Sin hablar, sus ojos se cerraron un momento, levantó las palmas hacia Jack y trazó con ellas un estrecho arco. Meneó la cabeza, como disculpándose por no haber sido capaz de explicar lo que sentía. Un momento después, le indicó con un gesto que lo siguiera.

Cuando atravesaron la cocina, la señora Steinbrenner echó un vistazo a su Eminencia y reparó al instante en su estado de ánimo. Aunque no dijo nada, fulminó con la mirada a Jack, como si sospechara que había sido el causante de las lágrimas de su jefe.

James se sentó a la cabecera de la mesa e indicó con un gesto a Jack que se sentara a su derecha. Entre ellos estaba la bandeja de hortalizas. En cuanto se sentaron a la mesa, la señora Steinbrenner apareció con una enorme sopera en las manos. Mientras la impresionante mujer servía la sopa, una excelente crema de berenjena, Jack mantuvo la vista clavada en el plato.

Cuando el ama de llaves terminó de servir y cerró la puerta batiente que daba a la cocina, James utilizó la servilleta para secarse los ojos, que se habían puesto muy rojos.

—Me disculpo de todo corazón por mi comportamiento sensiblero —dijo.

—No pasa nada —se apresuró a contestar Jack.

—Sí que pasa —replicó James—, porque eso no se hace delante de un invitado, sobre todo delante de un buen amigo al que debo pedir un favor muy grande.

—No estoy de acuerdo —dijo Jack—. Esto demuestra lo importante que es para ti lo que vas a pedirme.

—Eres muy amable —repuso James—. Permíteme que bendiga la mesa.

Después de que James pronunciara el amén final, miró a Jack.

—Empieza, por favor —dijo—. Siento no disponer de mucho tiempo, como ya he dicho antes, pero debo estar en Gracie Mansion* a las dos.

Jack levantó la cuchara de plata más pesada que nunca había utilizado y probó la sopa. Era sublime.

—Es una buena cocinera. No se trata de la personalidad más agradable, pero es una cocinera excelente.

Jack asintió, contento de que James se hubiera recuperado de su exabrupto emocional.

* Residencia del alcalde de Nueva York. *(N. del T.)*

—Como ya he dicho, creo que el osario resultará ser al final otra desafortunada falsificación. Digo «desafortunada» porque antes de demostrar que es una falsificación, puede causar mucho daño a la Iglesia, a sus seguidores, y a mí personalmente. El problema es que demostrar que es una falsificación no va a ser fácil, y al final puede que solo dependa de la fe.

Jack pensó en silencio que, en la ciencia, la prueba que se apoyaba sobre todo en la fe no era una prueba. De hecho, era un oxímoron.

—El mayor problema al que nos enfrentamos es que el osario ha sido descubierto por uno de los arqueólogos más prestigiosos del mundo.

—¿Te refieres a Shawn?

—Sí, me refiero a Shawn. Después de abrir la caja y echar un vistazo a la tapa del osario, Shawn señaló dos cosas. Entre todos esos rayones hay una fecha y un nombre. La fecha está en números romanos y es 815 AUC, que en el calendario gregoriano es 62 d. C.

—¿Qué coño es AUC? —preguntó Jack, y después se sonrojó—. Perdona mis tacos.

—Recuerdo que tus tacos, como tú los llamas, eran mucho más floridos en la universidad. No hace falta que te disculpes, pues soy tan inmune a ellos ahora como entonces. AUC es la abreviatura de *ab urbe condita*, que se refiere a la supuesta fecha de la fundación de Roma. En otras palabras, es una fecha muy apropiada para tal descubrimiento. Y cuando la fecha se combina con el nombre, da como resultado algo muy inquietante. El nombre es Maryam, escrito en caracteres arameos, que traducido al hebreo es Míriam, o María en español.

—¿Shawn está convencido de que el osario contiene los huesos de la Virgen María, la madre de Jesús?

—Exacto. Shawn es un testigo muy creíble y es capaz de demostrar que este osario no ha visto la luz del día desde la época en que fue enterrado, hace casi dos mil años. Lo encontró junto a la tumba de san Pedro. Además, el osario está sellado.

Por lo que yo sé, todos los demás osarios no estaban sellados.

—¿No era María un nombre muy vulgar en aquella época? ¿Por qué cree que es el de la María que fue la madre de Jesús?

—Porque Shawn ha descubierto una carta auténtica del siglo II, la cual afirma que el osario contiene los huesos de la madre de Jesús. Fue la carta la que condujo a Shawn hasta los huesos.

Jack enarcó las cejas.

—Entiendo a qué te refieres. Pero ¿qué me dices de la carta? ¿Podría ser una falsificación?

—Aunque es un poco redundante, encontrar el osario donde dice la carta demuestra la autenticidad de esta, y viceversa. Ambos son unos descubrimientos tan extraordinarios, que tan solo ese hecho convencerá a la gente de que los huesos del osario son los de la Virgen María.

Jack pensó en el problema, al tiempo que utilizaba unas tenacillas de plata para servirse algunas de las hortalizas que estaban esperando en la mesa. Comprendía lo que James decía, pero entonces se le ocurrió otra idea.

—¿Has visto la carta?

—Sí. La vi ayer.

—¿Quién la escribió?

—Un obispo de Antioquía llamado Saturnino.

—No he oído hablar de él.

—Es una figura conocida, no muy conocida, pero fue un personaje real.

—¿A quién la escribió?

—A otro obispo, un obispo de Alejandría llamado Basílides.

—Tampoco he oído hablar de él.

—¿Sabes algo del gnosticismo?

—No puedo decir que sí. Es un tema que no suele suscitarse en el depósito de cadáveres.

—Estoy seguro —dijo James con una carcajada—. Fue una grave herejía aparecida en la Iglesia cristiana primitiva, y Basílides fue uno de los primeros líderes.

—¿Saturnino tenía algún motivo para mentir a Basílides?

—Inteligente idea —dijo James—; pero, por desgracia, no.

—¿Saturnino se arroga la responsabilidad de haber enterrado el osario?

—Desde luego.

—¿Dice cómo recibió las reliquias, o quién se las dio?

—Sí, y tú eres lo bastante listo para identificar el que considero el punto más débil de la cadena de custodia, por decirlo de alguna manera. ¿Sabes quién era Simón el Mago?

—Me has pillado otra vez. No he oído hablar nunca de él.

—Es el archivillano del Nuevo Testamento, un verdadero sinvergüenza que intentó comprar los poderes curativos de san Pedro. De él se deriva la palabra «simonía».

Jack sonrió para sus adentros cuando se dio cuenta de que Jesucristo era el proveedor más famoso de medicina alternativa, seguido de san Pedro.

—Algunos consideran a Simón el Mago uno de los primeros gnósticos —continuó James—. Y Saturnino, que era mucho más joven, le ayudó en su magia. Por lo tanto, demostrar que los huesos del osario pertenecen a la Virgen María, cosa imposible, depende de Simón el Mago, tal vez el testigo menos fiable de la historia.

—Existe otra forma —dijo Jack—. La forma más sencilla.

—¿Cuál es? —preguntó James, ansioso.

—Pedir a un antropólogo que examine los huesos, si es que son huesos, y asegurarse de que son humanos. Si son humanos, asegurarse de que son femeninos, y si son femeninos, investigar si la mujer dio a luz o no. Sabemos que María tuvo un hijo, como mínimo.

—¿Un antropólogo puede demostrar esas cosas?

—Un sí categórico en las dos primeras cosas, si los huesos son humanos y si son femeninos. Cabe alguna duda en que sea capaz de discernir si la mujer parió o no. Si los cambios buscados se hallan presentes, la mujer tuvo hijos, y por regla general, cuanto más importante, más hijos. Sin embargo, si no aparecen, no puedes saber con certeza si la mujer tuvo un hijo, al menos.

—Fascinante —dijo James—. Sobre todo debido a la idea de que los huesos podrían ser de un hombre. Si lo son, la pesadilla habrá terminado.

—¿Has visto los huesos? —preguntó Jack.

—No. Shawn y su mujer solo estaban interesados en comprobar que el osario no se hubiera roto durante el viaje. No querían abrir el osario, puesto que está sellado con cera. Ambos están preocupados, como ya puedes imaginar, por el estado del contenido después de dos mil años, y no querían exponerlo al aire y la humedad sin contar con instalaciones de laboratorio. ¿Conoces a la mujer de Shawn?

—Es posible —dijo Jack—. La última vez que lo vi fue hace dos años, y teniendo en cuenta la velocidad con la que cambia de esposa, no sé si estoy al corriente. He visto solo dos veces a Shawn durante los catorce años que llevo en la ciudad. En ese tiempo, sé que se ha casado y divorciado dos veces, como mínimo.

—Un desvergonzado —comentó James—, pero muy propio de él. ¿Te acuerdas de cuántas novias tenía en la universidad?

—Siempre —contestó Jack—. Recuerdo un fin de semana en que aparecieron dos. Una se suponía que debía ser para el viernes por la noche, y la otra para el sábado, pero la del sábado creyó erróneamente que era para todo el fin de semana. Por suerte, pude ayudarle. Terminé saliendo con la del viernes noche, y ligamos.

—La actual esposa de Shawn se llama Sana.

—Ah, sí —dijo Jack al recordar—. La conozco. Era muy tímida y reservada. Lo único que hizo fue aferrarse a su brazo y mirarle con ojos de cordero degollado. Fue un poco embarazoso.

—Ha cambiado. Es bióloga molecular, con mucho prestigio en su campo. Ahora trabaja como científica en la facultad de medicina de la Universidad de Columbia. Creo que ha madurado desde que se conocieron. Me dio la impresión de que el matrimonio no durará mucho, teniendo en cuenta la debilidad de Shawn por las mujeres dóciles y cariñosas. Desde un punto de vista social, nunca estará satisfecho. No soy un experto, pero creo que es incapaz de ser fiel.

—Es posible —dijo Jack. Nunca había admirado el comportamiento de Shawn con las mujeres, pero jamás había hecho comentarios al respecto. Sin embargo, siempre había sido la manzana de la discordia entre James y Shawn.

—¿Cómo va tu relación con Shawn? —preguntó James.

Jack se encogió de hombros.

—Como ya he dicho, solo lo he visto dos veces desde que me trasladé a Nueva York. Fue tan amable de invitarme a cenar a su casa en esas dos ocasiones. Supongo que tendría que haberle devuelto el gesto, pero últimamente me he convertido en una especie de ermitaño.

—Algo dijiste al respecto por teléfono —dijo James—. ¿Te importa explicarte?

—No. Tal vez en otro momento —respondió Jack, que no deseaba pensar ni en su primera familia ni en la segunda—. ¿Por qué no me dices en qué puedo ayudarte? Supongo que está relacionado con la caja del sótano.

James respiró hondo para serenarse.

—Tienes razón, por supuesto —empezó James—. Está relacionado con la caja del sótano. ¿Qué crees que ocurriría si un porcentaje significativo de gente llegara a creer, aunque fuera por un momento, que el osario de abajo contiene los huesos de María, Madre de Dios?

—Supongo que mucha gente se llevaría una decepción —dijo Jack.

—Eso es mucho más diplomático de lo que yo esperaba.

—Y menos sarcástico de lo que acostumbro.

—¿Tiene que ver con el hecho de que yo sea cardenal?

—Es evidente —dijo Jack.

—Siento que pienses así. Los viejos amigos deberían comportarse tal como son.

—Tal vez si esos encuentros se convirtieran en una costumbre. De momento, ¿por qué no me cuentas qué crees que pasaría?

—Creo que sería un desastre para la Iglesia, en el momento en que menos puede permitírselo. Todavía estamos sufriendo las consecuencias del escándalo de los abusos sexuales perpetrados por sacerdotes. Ha sido una verdadera tragedia para la gente implicada, y también para la Iglesia. También lo sería para la creencia de que la Virgen María ascendió a los cielos en cuerpo y alma, tal como promulgó ex cátedra el papa Pío XII con su *Munificentissimus Deus* en 1950. Esta promulgación ha sido el único uso de la solemne declaración de la infalibilidad papal decretada por el Vaticano el 18 de julio de 1870. La afirmación de Shawn de que ha encontrado los huesos de la Madre de Dios amenazaría y minaría la autoridad de la Iglesia. Sería un desastre sin precedentes.

—Acepto tu palabra —dijo Jack, al ver que la cara de James se iba tiñendo de rojo cada vez más.

—Hablo muy en serio —afirmó James, temeroso de que Jack no estuviera captando el mensaje—. Como descendiente directo religioso del mismísimo san Pedro, cuando el Papa habla ex cátedra sobre fe o moral está haciendo una revelación divina, pues el Espíritu Santo actúa en el conjunto de la Iglesia como *sensus fidelium*.

—Vale, vale —concedió Jack—. Comprendo que si Shawn anuncia que María no ascendió a los cielos tal como la Iglesia afirmó, sería un duro golpe para la fe católica.

—Sería un golpe igual de desastroso para aquellos que veneran a María casi tanto como a Jesucristo. No tienes ni idea de la posición que ocupa entre los fieles católicos, que se iría al garete si Shawn se saliera con la suya.

—Eso también lo comprendo —dijo Jack, al intuir que James estaba un poco frenético.

—¡No puedo permitir que eso suceda! —gritó James, al tiempo que daba una palmada sobre la mesa, lo bastante fuerte para que los platos saltaran—. ¡No puedo permitir que eso suceda, por el bien de la Iglesia y por el mío!

Jack enarcó las cejas. De repente, vio a su amigo como había sido en la universidad, e intuyó que la bondad y preocupación de James por los huesos del sótano se basaba en algo más que el bienestar de la Iglesia. James también era un avezado político. Aunque Jack había dudado de sus posibilidades, James se presentó para presidente de la clase en la universidad. Jack había subestimado a James. Con su intuición de las necesidades, temores y sensibilidad de la gente, además de su habilidad para halagar, James era un político nato. También era manipulador, pragmático y astuto. Caía bien a todo el mundo, y ante el asombro de Jack y Shawn ganó la elección. Jack tenía todos los motivos para creer que estas mismas cualidades habían contribuido a que James llegara a ser cardenal.

—Un problema añadido —continuó James— es que Shawn me tiene cogido por las pelotas.

La cabeza de Jack se levantó como si le hubieran abofeteado. Tal lenguaje, en labios de un cardenal de la Iglesia católica, era de lo más inesperado. Por supuesto, lo había escuchado una y otra vez en la universidad.

Al ver la reacción de Jack, James se rió a carcajadas.

—¡Oh! ¡Lo siento! —dijo. Entonces, imitó la fórmula de Jack—. Perdona la expresión.

Jack rió, al darse cuenta de que era culpable de haber convertido a su amigo en un estereotipo. A pesar de las apariencias, era la misma persona de siempre.

—*Touché* —dijo, sin dejar de sonreír.

—Deja que lo exprese así —prosiguió James—. Al enviar el osario desde el Vaticano con mi nombre como remitente, esquivó las aduanas y se aprovechó de mi avaricia, pues enseguida imaginé que era un regalo de cumpleaños. Al aceptar la caja y firmar el recibo, me he convertido, si quieres, en su cómplice. Tendría que haber rechazado la caja, que habría terminado de vuelta en el Vaticano. Tal como están las cosas, y sea cual sea la magnitud del escándalo, yo estaré implicado, pues fue mi intervención lo que le permitió el acceso a la tumba de Pedro. Estoy atrapado.

—¿Por qué no llamas a los medios y confiesas que no tenías ni idea de lo que estabas aceptando?

—Porque el daño ya está hecho. Soy, como ya he dicho, cómplice. Además, Shawn acudiría a los medios y me acusaría a mí y a la Iglesia de intentar impedir que el objeto salga a la luz del día, diciendo que le habíamos negado el permiso para examinar el contenido. Eso sonaría a conspiración, y mucha gente se sentiría ansiosa por demostrar la autenticidad de la reliquia. ¡No, no puedo hacer eso! Tengo que permitir que Shawn haga lo que va a hacer, que, según él, tardará un mes, si no hay documentos, o hasta tres meses si hay documentos con los huesos, si es que hay huesos. Espero que no. Todo sería más fácil así.

—¿Suele haber documentos en los osarios? —preguntó Jack. Descubrió que su interés por el contenido del recipiente estaba aumentando.

—Por lo general, no; pero, según la carta de Saturnino a Basílides, este osario contiene la única copia conocida del Evangelio de Simón el Mago, además de los huesos.

—Debe de ser un manuscrito interesante, por lo que me has contado de ese individuo —dijo Jack—. Los malos siempre son más interesantes que los buenos.

—Me veré obligado a llevarte la contraria.

—Bien, ¿qué vas a hacer y cuál es mi papel?

—Shawn y Sana quieren mantener en secreto el osario hasta que finalicen su trabajo. He olvidado decirte que Sana alberga la intención de recoger algo de ADN.

—Supongo que es posible. Unos biólogos fueron capaces de extraer ADN del hombre de hielo, mucho más antiguo, encontrado en los Alpes en 1991. Se ha calculado que la momia contaba más de cinco mil años de antigüedad.

—Bien, con el fin de mantener a sus laboratorios en la inopia de lo que están haciendo, necesitan un lugar donde trabajar y hacerlo en secreto. Es una idea con la que estoy plenamente de acuerdo. Sugerí las nuevas instalaciones forenses de ADN del IML. Se me ocurrió porque fui a su grandiosa inauguración con el alcalde y otras autoridades de la ciudad. ¿Crees que es posible, y podrías arreglarlo?

Jack reflexionó unos instantes. El edificio había sido construido con más espacio del que se necesitaba, un raro ejemplo de previsión por parte de los planificadores municipales. Jack sabía que el jefe había apoyado otros proyectos de investigación de la Universidad de Nueva York y del hospital Bellevue, así que ¿por qué no aquel? También sería un buen ejercicio de relaciones públicas, cosa que complacería sobremanera a Bingham.

—Creo que es muy posible —dijo—. Hablaré con el jefe en cuanto vuelva al IML. ¿Es lo único que quieres que haga?

—No. Me gustaría que intentaras cambiar la opinión de Shawn y Sana sobre publicar su trabajo. Quiero que se den cuenta del daño que harían, apelando a su sensatez. Sé que Shawn es un buen hombre, aunque un poco presumido y demasiado indulgente consigo mismo.

Jack sacudió la cabeza.

—Si lo que recuerdo sobre el deseo de Shawn de fama y fortuna sigue siendo cierto, va a ser difícil. Hacerle cambiar de opinión será casi imposible. Es el tipo de historia que le sacará de las estériles revistas de arqueología y le catapultará a las páginas de *Newsweek*, *Time* y *People*.

—Sé que será difícil, pero debemos lograrlo. Tenemos que intentarlo.

Jack no era optimista sobre el cambio de opinión de Shawn, que imaginaba grabada en piedra, ni tampoco el de Sana.

—Hay otra cosa —añadió James—. Tanto si te prestas a colaborar como si no, debo pedirte que mantengas esto en el más absoluto secreto. No puedes decírselo a nadie, ni siquiera a tu esposa. De momento, las únicas personas que conocen la existencia del supuesto contenido del osario son los Daughtry, tú y yo. Y así ha de continuar. ¿Me das tu palabra?

—Por supuesto —respondió Jack, aunque sabía que sería difícil no contárselo a Laurie. Era una historia de lo más fascinante.

—Oh, santo Dios —dijo James tras consultar su reloj—. Debo irme al instante a Gracie Mansion.

Se levantaron, y James envolvió a Jack en un rápido abrazo. Cuando Jack le devolvió el gesto, se dio cuenta de lo rollizo que estaba su amigo. Jack juró leerle la cartilla en un momento más oportuno. Jack también percibió un leve resuello cuando James respiraba.

—¿Vas a ayudarme con este desafortunado episodio? —preguntó James, al tiempo que se encasquetaba el solideo que había dejado en la silla de la izquierda.

—Por supuesto —dijo Jack—, pero ¿me das permiso para decírselo a mi mujer? Es la discreción personificada.

James paró en seco.

—De ninguna manera —atajó, y miró a Jack a los ojos—. No conozco a tu mujer, aunque espero conocerla, pero estoy seguro de que tiene una amiga en la que confía tanto como tú en ella. Debo insistir en que no se sepa ni una palabra de esto. ¿Me lo prometes?

—Tienes mi palabra —se apresuró a contestar Jack. Se sentía traspasado por la mirada de su amigo.

—Bien —se limitó a responder James. Se volvió y salió de la habitación.

Como por arte de magia, el padre Maloney se materializó cerca del vestíbulo y entregó a su Eminencia el abrigo y una pila de mensajes telefónicos. Mientras James se ponía el abrigo, Jack dijo que su chaqueta de cuero se había quedado en el estudio. Sin decir palabra, el sacerdote desapareció con presteza.

—¿Tendré noticias tuyas pronto? —preguntó James.

—Hablaré con el jefe en cuanto llegue a la oficina del IML —le tranquilizó Jack.

—¡Excelente! Aquí tienes los números de mi móvil y de mi línea privada de la residencia —dijo James, y entregó a Jack su tarjeta—. Llámame o envíame un correo electrónico en cuanto tengas la respuesta del doctor Bingham. Si es necesario, tendré mucho gusto en hablar con él en persona.

Aferró el brazo de Jack y le dio un apretón que Jack consideró patético.

El padre Maloney regresó con la chaqueta de Jack, y se inclinó cuando este le dio las gracias.

Salieron por la puerta al cabo de un instante. Una reluciente limusina negra esperaba en la calle, y el chófer con librea tenía abierta la puerta trasera. El arzobispo subió y la puerta se cerró detrás de él. El coche se alejó hacia el tráfico de la ciudad.

Lo siguiente que oyó Jack sobre el ruido del tráfico fue el retumbar de la formidable puerta de la residencia al cerrarse, y el chasquido metálico final de sus cerrojos de latón. Jack miró hacia atrás. El padre Maloney había desaparecido. Jack devolvió la mirada a la limusina que se alejaba, y se preguntó cómo resultaría ser el arzobispo y contar con una recua de ayudantes prestos a satisfacer todas tus necesidades. Al principio se le antojó tentador, pues la vida sería más eficiente así, pero pronto se dio cuenta de que no querría sentirse responsable del bienestar emocional y espiritual de millones de personas, pues ya le costaba bastante con una.

# 17

Jack liberó su bicicleta y trató de adelantar a la lluvia mientras pedaleaba hacia el centro de la ciudad. Casi lo logró, pero justo antes de entrar en una de las zonas de carga y descarga del IML, los cielos se abrieron y lo empaparon.

Jack colgó su chaqueta mojada en el despacho y bajó al primer piso para plantarse como un penitente delante del escritorio de la señora Sanford. Cuando los empleados aparecían sin invitación, no les hacía caso, como si estuviera demasiado ocupada incluso para levantar la vista. Jack imaginaba que era su forma de exigir respeto, el cual creía que merecía, puesto que había estado custodiando a Bingham desde antes del diluvio universal. Era inútil intentar luchar contra ella. Ni siquiera dejaba que Bingham se enterara de que alguien había llegado hasta que ella lo consideraba oportuno.

Al cabo de varios minutos, levantó la vista por fin, como si no hubiera registrado su presencia hasta aquel momento.

—Tengo que ver al jefe —dijo Jack, al que no había engañado en lo más mínimo.

—¿Para qué?

—Es personal —respondió Jack, con una leve sonrisa de satisfacción. No iba a dejarse intimidar por sus fisgoneos—. ¿Está el jefe?

—Sí, pero está hablando por teléfono y hay otra llamada esperando —dijo la mujer, satisfecha. Inclinó la cabeza hacia el teléfono, donde una luz parpadeaba con insistencia—. Le avisaré de que estás aquí.

—Es lo máximo que puedo pedir —dijo Jack.

Jack tomó asiento en un banco situado justo enfrente del escritorio de la señora Sanford. Le recordó todas las veces que había tenido que esperar para ver a la directora del colegio. Lo habían etiquetado de impenitente charlatán.

Mientras aguardaba, Jack reflexionó sobre la inesperada conversación con James, y descubrió que sentía una inmensa curiosidad por saber qué contenía el osario, y si no había más que huesos y alguna especie de manuscrito, cómo acabaría todo. Aunque en principio no estaba seguro de que James pudiera convencer a Shawn de que no publicara sus hallazgos, Jack recordó que había juzgado mal a James en el pasado. Además, Shawn había sido educado en la religión católica por dos padres muy devotos, los cuales habían colaborado en sociedades laicas, y hasta habían intentado encaminar a Shawn hacia el sacerdocio. Aunque ya no era católico practicante, Shawn siempre mostraba respeto por la Iglesia católica, y tal vez fuera todavía más respetuoso con los problemas que podía provocar al denigrar la idea de la infalibilidad papal y, hasta cierto punto, la reputación de la Virgen María. Sabía mucho más que Jack, sin duda. Por lo tanto, Jack ya no estaba seguro de cuál iba a ser el desenlace.

—El doctor Bingham puede recibirte ahora —anunció la señora Sanford, interrumpiendo los pensamientos de Jack.

—¿Has cambiado de idea acerca de la excedencia? —preguntó Bingham en cuanto Jack entró en su despacho, y antes de que este gozara de la oportunidad de hablar. Miró a Jack por encima de sus gafas de montura metálica—. En tal caso, la respuesta es sí. ¡Cuida de ese hijo tuyo! Estoy muy preocupado desde que nos hablaste del problema.

—Gracias por tu preocupación, pero con Laurie a cargo está en buenas manos, te lo aseguro. Comparado con ella, soy un desastre.

—Me cuesta creerlo, pero aceptaré tu palabra.

«No sabes hasta qué punto te equivocas», pensó Jack.

—Sé que estás ocupado —dijo en voz alta—, pero el arzobispo solicita un favor.

Bingham se reclinó en la silla y miró a Jack estupefacto.

—¿De veras has ido a comer con el arzobispo?

—Sí, ¿por qué no? —preguntó Jack. Como conocía al hombre desde hacía tanto tiempo, no lo consideraba nada anormal.

—¿Por qué no? —repitió Bingham—. Es una de las personas más importantes y poderosas de la ciudad. ¿Por qué coño te ha invitado a comer? ¿Era algo relacionado con tu crío?

—¡Cielos, no!

—Entonces ¿qué?, si no te importa que lo pregunte. Supongo que no es asunto mío.

—En absoluto —respondió Jack—. Somos viejos amigos, más o menos. Fuimos juntos a la universidad, y estábamos muy unidos. Nos graduamos junto con otro sujeto que también vive en esta ciudad.

—Extraordinario —dijo Bingham. De repente, se sintió avergonzado por su exagerada reacción ante la fama, pero como se trataba de una persona dependiente de la política, ya estaba pensando en si existiría alguna forma de aprovecharse de la amistad de Jack con el arzobispo—. ¿Su Eminencia y tú os reunís a menudo?

Jack sonrió.

—Si llamas a menudo cada treinta años, pues sí, nos reunimos con frecuencia.

—Ah, es eso —dijo Bingham, algo decepcionado—. Todavía me sorprende pensar que los dos tenéis un pasado compartido. ¿Has dicho en serio que ha pedido un favor? Perdona el juego de palabras, pero ¿qué es, en el nombre del cielo?

—Solicita humildemente el uso del espacio de laboratorio del edificio de ADN del IML.

—Eso sí que es una solicitud inesperada del prelado más poderoso del país.

—De hecho, no es para él, sino para nuestro mutuo colega y amigo, aunque lo considerará como un favor personal si aceptas su solicitud.

—Bien, tenemos un exceso de espacio de laboratorio, y no considero perjudicial tender una mano al arzobispo, pero ¿quién es ese amigo? ¿Es un científico de laboratorio competente? No podemos permitir que cualquiera trabaje allí, tanto si conoce al arzobispo como si no.

—No estoy seguro de que sea científico de laboratorio —admitió Jack—, pero su esposa es una experta en ADN del Colegio de Médicos y Cirujanos de la Universidad de Columbia.

—Eso significa experiencia —dijo Bingham—. También me gustaría hacerme una idea de qué harán y cuánto tiempo necesitarán.

—El arzobispo calcula que serán unos dos meses.

—¿Y qué piensan hacer?

—El marido, que se llama Shawn Daughtry, es doctor en arqueología de Oriente Próximo y estudios bíblicos. Ha encontrado lo que llaman un osario. ¿Sabes lo que es?

—Pues claro que sé lo que es un osario —replicó Bingham, con su habitual estilo impaciente.

—Pues yo no lo sabía —admitió Jack—. Es bastante único en el sentido de que está sellado, y esperan aislar algo de ADN antiguo. La razón de que deseen utilizar nuestro laboratorio es mantener en secreto el proyecto hasta que terminen de analizar el contenido del osario, que en teoría incluirá uno o dos documentos, además de los huesos.

—Jamás había oído hablar de un osario con documentos.

—Bien —dijo Jack—, eso es lo que me han dicho.

—De acuerdo —repuso Bingham—. Teniendo en cuenta que lo hacemos como un favor al arzobispo, daré permiso, siempre que Naomi Grossman, la jefa del departamento de ADN, no ponga reparos.

—Me parece bien —respondió Jack—. Te doy las gracias en nombre de mis amigos.

Jack se volvió hacia la puerta, pero antes de poder salir, Bingham lo llamó.

—Por cierto, ¿cómo va el caso del médico que olvidó guardar las manos en una bolsa?

—Bien —contestó Jack—. Es imposible que la víctima disparara la bala. Fue un homicidio sin la menor duda. Las manos no habrían conservado residuos de pólvora.

—Estupendo —dijo Bingham—. ¡Lo quiero sobre mi mesa ipso facto! La familia se alegrará.

Jack estaba a punto de marcharse por segunda vez, cuando fue él quien se detuvo y miró a Bingham.

—Jefe —dijo—, ¿puedo hacerte una pregunta personal?

—Pero deprisa —contestó Bingham sin levantar la vista.

—¿Vas a un quiropráctico?

—Sí, y no quiero oír ninguna queja. Ya sé qué opinas.

—Comprendido —dijo Jack. Dio media vuelta y salió del despacho.

Pese a la última andanada de Bingham contra su cruzada para desprestigiar a la medicina alternativa, lo cual significaba que no podía esperar ningún apoyo de la jefatura, Jack se sintió complacido cuando subió a su despacho para recuperar la chaqueta. Ahora tenía otro proyecto a la vista que mantendría su mente ocupada. Con Bingham a favor de los Daughtry, no podía imaginar que Naomi Grossman rechazara la petición, sobre todo porque ya había concedido permiso para que otros tres grupos de investigadores utilizaran las dependencias.

Cogió su chaqueta y un paraguas, impaciente por ponerse en contacto con Naomi y obtener permiso para utilizar el laboratorio. Absorto en sus pensamientos, chocó con Chet cuando este salía del ascensor.

—Eh, ¿a qué vienen tantas prisas? —preguntó Chet, que estuvo a punto de dejar caer la bandeja con placas de microscopios que cargaba.

—Yo podría preguntarte lo mismo —contestó Jack.

—Estaba a punto de entrar a verte —dijo Chet—. Tengo algunos nombres y números de acceso de esos casos antiguos de DAV.

—Deja de buscar casos de DAV —dijo Jack—. Mi interés se ha enfriado.

—¿Por qué?

—Digamos que me he encontrado la misma reacción que tú cuando investigaste el problema. He llegado a la conclusión de que la reacción de la gente a la medicina alternativa es casi de tipo religioso. Tienen fe en la medicina alternativa porque quieren creer. Son capaces de desechar por irrelevante cualquier prueba de que no funciona o de que es peligrosa.

—De acuerdo —dijo Chet—. Como quieras. Si cambias de opinión, avísame.

—Gracias, colega —dijo Jack, y entró en el ascensor.

Jack salió al chaparrón que casi había esquivado después de su encuentro con James. Con tan solo un paraguas plegable, cuando llegó al edificio de ADN estaba empapado desde el muslo hasta abajo.

El despacho de Naomi Grossman estaba en la última planta. Cuando Jack se acercó a la secretaria de Naomi, pensó que tal vez habría debido llamar antes. Naomi era la directora del departamento más grande del IML. La ciencia del ADN había crecido gracias a las enormes contribuciones que aportaba a la defensa de la ley y la identificación.

—¿Está libre la doctora Grossman? —preguntó.

—Sí —dijo la secretaria—. ¿Quién es usted?

—El doctor Jack Stapleton —contestó Jack, aliviado al saber que Naomi estaba libre.

—Encantada de conocerle —dijo la secretaria, al tiempo que extendía la mano—. Soy Melanie Stack.

Era joven y cordial, sobre todo comparada con aquellas secretarias anticuadas de la oficina de Bingham. En lugar de presentar batalla, era receptiva y estaba ansiosa por ayudar. Iba vestida con un estilo juvenil y atractivo, con su radiante pelo rubio retirado de su rostro sonriente y saludable con un broche.

Para Jack, Melanie era la típica representante del edificio de ADN del IML. Casi toda la gente que trabajaba en él era joven y enérgica, y parecía contenta con su trabajo. El ADN era una nueva ciencia de inmenso potencial, y era adecuado que estuviera ubicada en un resplandeciente edificio nuevo. En muchos aspectos, Jack lamentaba no trabajar allí.

—Voy a avisar a la doctora Grossman —dijo Melanie, y se levantó de su silla.

Mientras Melanie desaparecía un momento, Jack estableció contacto visual con las demás secretarias. Cada una le devolvió la sonrisa. Para Jack, la oficina era un soplo de aire fresco y optimismo, pese a la lluvia que repiqueteaba sobre los cristales.

—La doctora Grossman lo recibirá ahora —dijo Melanie cuando reapareció al cabo de un segundo.

Jack entró en la oficina interior, que gozaba de una vista fabulosa sobre el East River. Naomi estaba sentada tras un gran escritorio de caoba, con una bandeja que recordó a Jack la suya. Como casi todos los ocupantes del edificio, Naomi era relativamente joven, tal vez unos treinta y cinco años. Tenía un rostro ovalado enmarcado por un nimbo de pelo muy rizado. Sus ojos oscuros eran brillantes y su expresión, risueña pero inquisitiva, como si su mente penetrante albergara siempre alguna duda acerca de lo que estaba escuchando.

—¡Qué agradable sorpresa! —exclamó Naomi cuando Jack se acercó a su mesa—. ¿A qué debo este honor?

—¿Honor? —preguntó Jack con una risita—. Ojalá contara con sus instalaciones para conseguir que la gente se sintiera bien.

—Pero es que se trata de un honor. Estamos aquí para ayudar a los médicos forenses. No somos más que un accesorio del proceso.

Jack rió de nuevo.

—No nos pasemos. Con los veloces avances en la ciencia del

ADN, creo que pronto trabajaremos para ustedes. Esta vez, no obstante, he venido a pedirle un favor.

—Pida, pida.

Jack repitió a toda prisa el rollo que había soltado a Bingham. Habló del arzobispo, el osario y su presunto contenido, pero no mencionó a la Virgen María.

—Eso es fascinante —dijo Naomi cuando Jack terminó—. ¿Cómo se llama la mujer?

—Sana Daughtry.

—He oído hablar de ella —respondió Naomi—. Se está haciendo un nombre en el campo del ADN mitocondrial. No me importaría que trabajara aquí un tiempo, y el proyecto parece intrigante, sobre todo si resulta que hay documentos capaces de demostrar la identidad del cadáver. Pero ¿por qué no trabajan en Columbia? Puede que sus instalaciones no sean tan nuevas como las nuestras, pero estoy convencida de que son excelentes.

—Por motivos de privacidad. Quieren tiempo, imagino, para terminar sus estudios antes de que nadie se entere del hallazgo. Ya sabe cómo es el mundo académico: todo el mundo sabe lo que hace todo el mundo.

—Ha dicho una gran verdad. Aquí no tendrán que preocuparse por filtraciones. ¿Ha hablado con el doctor Bingham?

—Acabo de salir de su despacho, y él está de acuerdo, siempre que usted no ponga reparos. Y aunque no lo ha dicho abiertamente, estoy seguro de que le gusta la idea de que la archidiócesis haya pensado en el IML.

Naomi rió de una forma tan contagiosa que Jack sonrió.

—No me extrañaría, puesto que es un animal político. Pero no quiero calumniarle. De no ser por él, yo no estaría sentada en este majestuoso edificio.

—¿Está de acuerdo con esto? —preguntó Jack.

—Por supuesto.

—¿Cuándo pueden empezar? —inquirió Jack—. Debo confesar que, desde el momento en que recibí la información, me muero de curiosidad por el contenido del osario.

—Es tentador —admitió Naomi—. Los Daughtry pueden empezar cuando quieran. Aún nos queda mucho espacio de laboratorio libre.

—¿Qué le parece mañana? ¿El laboratorio abre los fines de semana?

—Por supuesto, aunque con el mínimo personal. Sin embargo, tenemos numerosos proyectos que hay que seguir a diario, de modo que abrimos veinticuatro horas siete días a la semana.

—Los avisaré. Ni siquiera sé si quieren empezar tan deprisa, y quizá soy culpable de proyectar mi impaciencia sobre ellos. Pero si quieren empezar mañana, ¿cómo trasladamos el osario al edificio?

—Por la puerta principal, si lo desean. ¿Sabe si es muy grande?

—No estoy seguro, pero yo diría que medio metro de largo, y treinta centímetros de ancho y de fondo.

—Podría pasar por la puerta principal sin ningún problema, pero también hay una zona de carga y descarga en el lado de la calle Veintiséis, donde se llevan a cabo casi todas las entregas. Como mañana es sábado, tendremos que proceder a los trámites por adelantado.

—La puerta principal servirá —dijo Jack—. Todo depende de ellos. Entretanto, ¿le importaría enseñarme la zona del laboratorio que utilizarán? Puedo ayudarlos a instalarse.

Unos momentos después se encontraban en la octava planta, uno de los pisos dedicados a espacio de laboratorio.

—¿Cómo funciona el edificio? —preguntó Jack. Aunque no había visitado nunca aquellas instalaciones, sentía curiosidad por saber cómo manejaba el departamento el número de muestras que procesaban.

—Las muestras se reciben en la quinta planta —explicó Naomi—. Después, suben manteniendo una cadena de custodia. Primero, se limpian las muestras como preparación para extraer el ADN. Después, el ADN aislado sube a la sexta planta para la preamplificación. Una vez finalizada, sube a la séptima para la postamplificación y el secuenciado.

—Es un tipo de enfoque en plan cadena de montaje.

—En efecto —admitió Naomi—. De lo contrario, nunca podríamos procesar el número de muestras que recibimos.

—Ahora estamos en la planta octava —dijo Jack, al tiempo que echaba un vistazo al espacio de laboratorio a través de puertas de cristal cerradas, mientras caminaban hacia el este de la hilera de ascensores. A través de los ventanales de la izquierda se veía el hospital Bellevue—. ¿Qué ocurre aquí?

—La octava planta se encuentra fuera de la cadena de montaje —explicó Naomi—. Estos laboratorios están dedicados casi por completo a formación. Pero en dirección al río hay laboratorios dedicados en exclusiva a proyectos de investigación. El ritmo de los cambios en la ciencia del ADN es rápido, y es preciso mantenernos al día. Este es el laboratorio que podrán utilizar los Daughtry.

Naomi sacó una llave para abrir la puerta, y después la entregó a Jack.

La habitación estaba hecha de plástico laminado blanco, con luces fluorescentes empotradas, lo cual le daba un aspecto futurista. Había una gran mesa central del tamaño de una mesa de biblioteca. En la pared este había espacio para escritorios, con armarios encima y debajo. En la pared oeste había taquillas del suelo al techo con una llave en cada cerradura.

—¿Qué le parece? —preguntó Naomi.

—¡Es perfecto! —dijo Jack. Miró a través de una puerta acristalada de la pared sur y vio un biovestíbulo para cambiarse e impedir que el ADN se contaminara. A través de otra puerta se accedía al laboratorio en sí, con todos los instrumentos necesarios para extracción, amplificación y secuenciado de ADN. Estaba impresionado. Era un laboratorio autosuficiente por completo.

—Si son muy paranoicos, tienen taquillas a su disposición —bromeó Naomi, y señaló los armarios—. Dígales que la seguridad en este edificio es muy buena. Lo cual me recuerda que necesitarán fotos de carnet de identidad. Abajo, en Seguridad, las tendrán preparadas mañana, si los aviso hoy. También tendrán que firmar una renuncia a toda responsabilidad. Si quieren empezar mañana, dejaré una copia sobre la mesa, y le pediré a usted que se encargue de que la firmen.

—Será un placer —dijo Jack.

—Muy bien. Todo preparado —concluyó Naomi—. A menos que desee hacer más preguntas.

—No creo —dijo Jack—. Es un acuerdo perfecto. Shawn puede trabajar en esta habitación con los huesos, y quizá también los documentos, y Sana tiene el laboratorio. No podría ser mejor. Gracias. Si tiene un par de amigos a los que les apetecería practicar algunas autopsias, avíseme. Creo que debo corresponder a su amabilidad de alguna manera.

Naomi rió.

—Me han hablado de su sentido del humor.

Jack le dio las gracias de nuevo y salió del edificio, consciente de que la lluvia había parado por fin. Alzó los ojos e incluso vio un pedazo de cielo azul, lo cual le recordó la rapidez con que cambiaba el tiempo en Nueva York.

Jack volvió corriendo al IML. Con la aprobación de Bingham y de Naomi, el trabajo de los Daughtry podía empezar. Utilizó las escaleras para subir, impaciente por informar a James de que había tenido éxito. Jack se sentó a su mesa y consultó la hora, mientras sacaba la tarjeta que le había dado el arzobispo. Pasaban de las cuatro. Pensó que James ya habría salido de la recepción en Gracie Mansion, de modo que llamó a su línea directa en lugar de al móvil.

—Tengo buenas noticias —dijo Jack cuando oyó la voz de su amigo.

—Menudo alivio —contestó James—. ¿El doctor Bingham va a conceder permiso a Shawn y a Sana para que utilicen sus fastuosas dependencias?

—¡Sí! —informó Jack con orgullo—. La situación es perfecta. Es un laboratorio autosuficiente, con espacio para Shawn y Sana y todo el equipo que puedan necesitar. Es muy privado y seguro. Si quieren, pueden empezar mañana.

—Loado sea el Señor —exclamó James—. He hablado con Shawn hace menos de una hora. Le he dicho que habías accedido a intervenir en su nombre en lo tocante al laboratorio, y que llamarías más tarde para darle la noticia.

—¿Quieres que le llame yo?

—Sí. Considero que es más apropiado. Sé que quiere darte las gracias por tu ayuda, eso dijo, pero, entre tú y yo, creo que quiere asegurarse de que he hecho hincapié en el secretismo. Es tan paranoico como yo acerca de las filtraciones.

—No me importa decírselo, sobre todo porque son buenas noticias.

James dio a Jack el número del despacho de Shawn en el museo y el número de su casa.

—¡Infórmame en cuanto hayas hablado con Shawn! Estoy muy nervioso por todo esto, y prefiero disponer de la mayor cantidad de información posible, porque cuanto más lo pienso, más daño creo que podría causar a la Iglesia y a mi carrera.

—Te llamaré en cuanto haya acabado de hablar con él.

—Te lo agradecería —dijo James antes de colgar.

Jack probó el número del despacho de Shawn, pero comunicaba. Frustrado por el momento, se dedicó a recopilar todo el material sobre el adolescente asesinado a tiros en Central Park, cuyas manos el médico no había guardado en una bolsa. Jack quería congraciarse con Bingham, y una forma era liquidar aquel caso lo antes posible, tal como él le había pedido. En cuanto Jack contó con la información necesaria, pudo terminar el papeleo en menos de veinte minutos, cosa que comunicó por correo electrónico a Bingham.

Probó de nuevo el número de teléfono de Shawn. Esta vez no comunicaba, pero contestó la secretaria. Por lo visto, Shawn no estaba en la oficina, pero regresaría dentro de poco.

Jack decidió que no quería esperar.

—¿Puede decirme a qué hora cierra el museo? —preguntó a la secretaria—. Creo que me dejaré caer por ahí para esperarle.

—A las nueve de la noche, pero yo me iré a las cuatro y media.

—¿Quiere dejarle un mensaje? Haga el favor de decirle que el doctor Jack Stapleton va a ir a verle. No llegaré antes de que usted se vaya, pero estaré ahí antes de, digamos, las cinco menos cuarto.

Después de colgar, Jack dedicó unos minutos a ordenar su muy caótico despacho. Mientras lo hacía, localizó la documentación y las diapositivas sobre el suicidio del que Lou le había hablado. Sabía que el fiscal del distrito las estaría esperando. Cuando terminó, cogió su mojada chaqueta de detrás de la puerta y el casco de ciclista que descansaba sobre un archivador, y se fue.

# 18

*16.21 h, viernes, 5 de diciembre de 2008,*
*Nueva York*

El cielo estaba despejado y el sol avanzaba hacia el oeste cuando Jack salió del IML y se encaminó hacia el norte por la Primera Avenida. La temperatura se había desplomado, y las mejillas le ardían cuando seguía el tráfico hacia la parte alta de la ciudad.

En la calle Ochenta y uno giró al oeste, y no tardó en tener el Metropolitan Museum of Art frente a él.

Con su fachada neoclásica color canela, iluminada brillantemente en contraste con el negro carbón de Central Park, el enorme edificio dejó sin aliento a Jack un instante. Como había caído la noche, parecía una joya sobre un cuadrado de terciopelo negro.

Jack consultó su reloj. Eran las cinco menos cuarto en punto. Subió a toda prisa la escalinata y entró en el famoso museo, mientras se preguntaba por qué no aprovechaba sus tesoros. Se dio cuenta, con cierto sentimiento de culpa, de que no recordaba la última vez que había pisado el edificio.

El enorme vestíbulo de múltiples pisos estaba abarrotado de gente. Jack tuvo que esperar ante una gran cabina de información ovalada, situada en el centro de la sala, para hablar con uno de los empleados del museo. Cuando preguntó dónde se encontraba el despacho de Shawn Daughtry, le dieron un plano con la ruta dibujada con rotulador.

Cuando Jack se acercó al despacho, se alegró de ver la puerta entreabierta. Entró y se encontró en una oficina exterior con una mesa de secretaria. Al otro lado del escritorio había una segunda puerta, también entreabierta. Jack entró y, al llegar al umbral, llamó con los nudillos a la jamba.

—¡Ajá! —dijo Shawn, y se puso en pie de un salto—. Dichosos los ojos. ¿Qué tal estás?

Shawn avanzó hacia Jack con la mano extendida.

—He recibido tu nota —añadió con una gran sonrisa—. Me alegro mucho de que hayas venido. Caramba, estás tan en forma como la última vez que nos vimos. ¿Cómo te lo montas?

—Baloncesto, sobre todo —respondió Jack, un poco sorprendido por la exuberancia de Shawn.

—Debería seguir tu ejemplo, tío —dijo Shawn. Se inclinó hacia atrás y sacó su estómago, ya bastante prominente, y le dio una palmada como si se sintiera orgulloso de él—. ¿Cuánto tiempo ha pasado?

—No lo recuerdo con exactitud —admitió Jack.

Paseó la vista por la espaciosa oficina, cuyas ventanas daban a la Quinta Avenida. Cierto número de objetos de los primeros tiempos del cristianismo descansaban sobre una gran mesa rectangular que había en el centro. Toda una pared de librerías estaba ocupada por una impresionante colección de libros de arte. Un enorme sofá de piel verde oscuro abarcaba la pared del fondo.

—Bonito despacho —comentó Jack, pensando en su diminuto cubículo.

—Antes de que digas algo más —empezó Shawn—, quiero darte las gracias por prestarte a colaborar en este asunto. Significa muchísimo para mí, por diversos motivos, pero sobre todo porque creo que este extraordinario hallazgo va a definir mi carrera.

—Me alegro de hacerlo —dijo Jack, mientras se preguntaba qué pensaría Shawn si supiera que él lo estaba haciendo tanto por sí mismo como por Shawn. Implicarse en su proyecto era cien veces más absorbente que investigar la medicina alternativa, de cuyos resultados la gente no quería saber nada.

—¿Cómo ha ido? ¿Has podido hablar con tu jefe sobre lo de ocupar un espacio de laboratorio?

—Sí. Ningún problema. Tú y tu mujer tendréis que firmar una declaración de exención de responsabilidades, y nada más. Nadie ha hablado todavía de presentar acusaciones.

Shawn dio una palmada tan fuerte que Jack pegó un bote.

—¡Muy bien! —gritó, antes de juntar las palmas, cerrar los ojos y alzar la cabeza hacia el techo, en una parodia del acto de rezar. Un momento después, se inclinó hacia delante y asumió una expresión seria—. Jack, me alegro muchísimo de que hayas conseguido el permiso para utilizar el espacio de laboratorio del IML, pero hay otra cosa de la que quiero hablarte. Es un tema importante, que su Altísima Eminencia dijo que ya había mencionado. Solo deseo subrayar el hecho de que queremos que este proyecto se mantenga en secreto, sobre todo porque está relacionado con la Virgen María. ¿Te parece bien? Si el osario contiene lo que nosotros esperamos, pensamos dar la noticia solo después de haber finalizado por completo nuestros respectivos estudios. Quiero estar absolutamente seguro de los datos cuando hagamos el anuncio.

—James se mostró muy claro sobre la discreción. De hecho, parece estar más interesado en el secretismo que tú. No sé si lo sabes, pero piensa lanzar una seria campaña para convencerte de que jamás publiques nada sobre la relación de la Virgen María con los huesos. Creo que ya te ha comunicado su convencimiento de que es una falsificación muy elaborada: una falsificación del siglo I, pero falsificación al fin y al cabo. Está seguro de que al final lo descubrirás, como consecuencia de tus investigaciones.

Shawn golpeó la superficie del escritorio con las dos palmas, echó la cabeza hacia atrás y lanzó una carcajada. Cuando recuperó el control, sacudió la cabeza con incredulidad.

—¿No es típico de James? Pasé cuatro años discutiendo con él sobre los abusos de la religión organizada, incluida la infalibilidad papal, y ahora que estoy a punto de encontrar las pruebas necesarias para refutarla, quiere que renuncie a utilizarlas. Menuda broma.

—Le preocupa que pueda tener un tremendo efecto negativo en la Iglesia, que mine la autoridad clerical y la reputación de la Virgen —dijo Jack—. También le preocupa que sea considerado cómplice, porque le obligaste con engaños a firmar el recibo del osario, y porque es el responsable de que pudieras acceder a la tumba de Pedro. Creo que está convencido de que su carrera podría irse al garete.

—En lo tocante a que es el responsable de que haya podido acceder, tiene razón. Pero nadie le va a culpar de eso. Han pasado cinco años desde entonces, y de mi trabajo en la tumba de Pedro se derivó una obra consistente, porque para eso me dieron el permiso. Es culpa del Vaticano que el acceso haya permanecido vigente. En cuanto a firmar el recibo de la caja, lo hizo por voluntad propia. Yo no le engañé. Sospecho que debió de pensar que era un regalo, y tomó la decisión sin que nadie influyera en él. Yo no dije nada de que la caja contuviera un regalo.

—Bien, no voy a mediar entre vosotros, tíos —repuso Jack, que no deseaba tomar partido—. Tendréis que llegar a un acuerdo. Solo quería que supieras sus intenciones.

—Gracias por advertirme —dijo Shawn con un gruñido.

—Quiero hacerte una pregunta —prosiguió Jack, con ganas de pasar a otro tema.

—Dispara.

—¿Cuándo quieres empezar?

—Lo antes posible.

—¿Qué te parece mañana por la mañana a las ocho? Tendré que encontrarme contigo para ultimar algunos detalles.

—Por mí estupendo, pero deja que llame un momento a Sana, si no te importa esperar.

—En absoluto —contestó Jack, y lo dijo en serio. Como de

costumbre, le costaba volver a casa por temor a lo que iba a encontrar. No le gustaba aquella sensación, por supuesto, y no se gustaba por sentirla.

Shawn localizó a Sana en la facultad de medicina. Había ido aquel día para intentar rescatar algunos de los estudios que sus ayudantes de la escuela de graduados trataban de mantener a flote. Por lo visto, las cosas no habían ido bien durante su ausencia. Hasta Jack oyó su voz estridente cuando Shawn alejó el receptor del oído. Por fin, Shawn logró hablar y le contó a Sana el plan.

Escuchó con atención y no tardó en levantar el pulgar en dirección a Jack.

—¡De acuerdo! —dijo Shawn, y colgó—. A las ocho. ¿Dónde nos encontraremos contigo?

—En el vestíbulo del edificio de ADN —respondió Jack—. ¿Y el osario?

—Sana y yo nos pasaremos por la residencia para recogerlo.

—Debo admitir que siento una gran curiosidad por ver qué contiene el osario. ¿Crees que hay huesos y documentos?

—Estoy convencido —dijo Shawn—. Y si crees que sientes curiosidad, no puedes imaginar la que siento yo. Mi mujer tuvo que convencerme de que no lo abriera en cuanto volvimos al hotel de Roma.

—¿Qué hay de la carta? ¿La tienes aquí?

—Claro. ¿Quieres verla?

—Sí —contestó Jack.

Shawn sacó un grueso volumen de la librería y lo dejó sobre la mesa de biblioteca central.

—Utilicé este libro de fotografías de monumentos egipcios para sacar la carta de Egipto. Pediré que conserven las páginas de la carta, pero por ahora las mantengo alisadas.

Shawn mostró la primera página de la carta.

—Parece griego —dijo Jack, inclinado sobre el texto.

—Parece griego porque es griego —aseguró Shawn con una risita condescendiente.

—Pensaba que estaría en arameo o latín —dijo Jack.

—No está en lo que llamamos griego ático, o clásico, sino en griego coiné, que era el idioma del Mediterráneo occidental durante la época del Imperio romano.

—¿Sabes leerlo?

—Pues claro que sé leerlo —dijo Shawn, algo ofendido—. Pero está bastante mal redactado, lo cual dificulta la traducción. Es fácil deducir que el griego no era la lengua materna de Saturnino.

Jack se enderezó.

—¡Asombroso! Es como ir en busca de un tesoro.

—Yo pensé lo mismo —reconoció Shawn—, y ese es uno de los motivos de que me decantara por la arqueología. Me pareció que la especialidad era como la búsqueda de un gran tesoro. Por desgracia, eso es más romántico que realista, pero encontrar esta carta, y después el osario, me ha devuelto a la idea romántica. Por una ironía, me siento bendito.

—Pensaba que eras agnóstico.

—Todavía lo soy, casi del todo —admitió Shawn—. ¿Y tú?

—Supongo —dijo Jack, pensando en todas sus cuitas personales y en el daño que habían hecho a la religiosidad que pudiera poseer. Para cambiar de tema, señaló la carta y preguntó a Shawn cómo la había descubierto.

—¿Tienes tiempo para escuchar la historia? —preguntó Shawn.

—Ya lo creo —contestó Jack.

Shawn describió toda la aventura, empezando con una explicación del códice y continuando con su visita a Antica Abdul.

—Fue por pura suerte que paré en la tienda en aquel preciso momento —admitió Shawn—. Rahul estaba a punto de venderla. Tenía las direcciones de correo electrónico de los conservadores de los museos más famosos del mundo. Mantiene un contacto regular con la *crème de la crème* de los especialistas en antigüedades de Oriente Próximo.

—¿Y no es más que una modesta tienda de antigüedades en pleno zoco de El Cairo?

—Exacto —admitió Shawn—, y el noventa por ciento de su inventario consiste en falsificaciones modernas. Es más una tienda de recuerdos que una verdadera casa de antigüedades, pero es evidente que posee reliquias auténticas, como ya he demostrado en dos ocasiones.

—¿Ya habías estado?

—Sí —reconoció Shawn. Habló a Jack de su primera visita diez años antes, cuando topó con la pieza de cerámica del escaparate—. Ya imaginarás mi sorpresa —continuó—, cuando una colega del departamento de egiptología me convenció de que no era una falsificación. De hecho, se exhibe abajo en un lugar destacado, dentro de la colección de Egipto.

—¿Viste el códice en el escaparate, al igual que la vasija, y te diste cuenta de lo que era, o él te lo enseñó?

—No estaba expuesto en el escaparate —dijo Shawn con una sonrisa—, y no me lo enseñó. Hablamos un rato, y supongo que decidió que valía la pena arriesgarse. Es muy ilegal vender una reliquia semejante en Egipto.

—¿Supiste enseguida que era auténtica?

—Por supuesto.

—¿Te salió cara?

—Pagué más de la cuenta, desde luego, pero me moría de ganas de volver con el códice a la habitación del hotel para ver qué textos contenía.

—¿La carta era parte de un texto, o estaba integrada en el códice?

—Ni una cosa ni la otra. Estaba emparedada entre las tapas de piel para reforzarlas, junto con otros fragmentos de papel. Al principio me llevé una decepción, porque lo único que encontré en el códice fueron copias de textos que pertenecían a códices previos. Entonces, recordé mirar dentro de la cubierta, y bingo, encontré la carta de Saturnino.

—Entonces, la carta no solo explica que el osario contiene los huesos de María, sino también dónde localizarlos.

—En efecto. No sé si estás enterado de esto, pero mi última

publicación profesional se titulaba *El complejo funerario de san Pedro y aledaños*. ¿La leíste?

—No tuve la oportunidad de leerla —comentó Jack—. Decidí esperar a la película.

—¡Muy bien, tío listo! —Shawn rió—. No estaba destinada a ser un éxito de ventas, sino la obra definitiva sobre un edificio muy complicado que había sufrido casi constantes renovaciones durante dos milenios. En el momento actual, debo de ser la persona que conoce mejor las complejidades de la tumba de san Pedro. Gracias a la carta de Saturnino, me hice una buena idea de dónde estaría el osario con relación a uno de los túneles que se efectuaron durante las últimas excavaciones de la tumba.

—¿Es fácil acceder al túnel?

—Muy fácil. Sabía que el túnel no había sido tapado desde que yo había trabajado en el lugar. Mi única equivocación fue creer que el osario estaba en el techo, en lugar de en la pared.

—Una historia asombrosa —dijo Jack—. ¿Tu intención es abrir el osario mañana?

—¡Puedes tenerlo por seguro! Gracias a que me has facilitado el acceso a unas instalaciones de laboratorio modernas.

—¿Te importaría si me quedo a mirar después de que tu mujer y tú os hayáis instalado en el laboratorio?

—En absoluto. Me encantaría. De hecho, si encontramos lo que esperamos encontrar, mañana por la noche lo celebraremos en nuestra casa del West Village, y tú te contarás entre los invitados. Incluso insistiremos a su Eminencia para que se una a nosotros. Los Tres Mosqueteros unidos de nuevo.

—Si encuentras lo que quieres encontrar, no estoy seguro de que James esté de humor para celebraciones —dijo Jack, al tiempo que estrechaba la mano de Shawn antes de marchar.

—Creo que dará su brazo a torcer —respondió Shawn, mientras acompañaba a Jack hasta la puerta de la oficina—. Nos vemos mañana, en lo que tal vez sea un descubrimiento notable.

—Ardo en deseos —dijo Jack. Entonces, recordó que había pensado formular una pregunta—. Si hay huesos en el osario,

¿quieres que un antropólogo del IML les eche un vistazo? Es un experto en huesos antiguos, y tal vez pueda decirte cosas interesantes sobre ellos.

—Por qué no, siempre que no diga de quién son los huesos. Cuanta más información podamos obtener mejor, ese ha sido siempre mi lema.

# 19

Jack bajó en ascensor al primer piso del museo, muy impaciente y entusiasmado. Aunque el vestíbulo seguía tan abarrotado como antes, Jack apenas se fijó en la gente. Pensó en lo estupendo que había sido ver a dos de sus mejores amigos de una época de su vida en la que había disfrutado tanto, y sobre todo reunirse con ellos mientras aquella historia fascinante se desarrollaba. Jack no podía recordar otra ocasión en que hubiera deseado más que el tiempo pasara y las preguntas obtuvieran respuesta. El único elemento dudoso era la propensión de sus dos amigos a enfrentarse. Jack albergaba la inquietante sensación de que una vez más tendría que ser el árbitro que dirimiera un serio conflicto entre los dos hombres, tal como había hecho en la universidad, cada uno convencido de la validez incuestionable de su postura. Poco sabía Jack hasta qué punto demostraría ser su intuición profética y mortífera.

Jack rgresó a casa a toda prisa, espoleado por el aire frío. Procuró generar el máximo calor corporal posible y pedaleó con todas sus energías. Al cabo de un cuarto de hora había atravesado el parque y llegado a la calle Ciento seis, en dirección a su casa, un apartamento en el cuarto piso de un edificio sin ascensor que Laurie y él habían remozado hacía poco. Justo al otro lado de la calle había un parque que Jack había restaurado a sus expensas. Cuando se detuvo, echó un vistazo a la cancha de baloncesto a la que había dotado de iluminación. Estaba cubierta de brillantes charcos negros de agua de lluvia, lo cual significaba que aquella noche no habría partido.

Apoyó la bicicleta sobre su hombro, subió los ocho escalones del porche y entró. Echó un vistazo a la mesa consola y al espejo que había encima. No había ninguna nota esperándole, para informar de que Laurie y el niño estaban durmiendo.

Jack fue incapaz de decidir si prefería que hubiera nota o no. Cuando había nota, al instante se sentía solo. Cuando no, tenía que hacer acopio de valor para contener sus sentimientos al saber que el niño había pasado un mal día.

—Estamos aquí arriba —gritó Laurie desde la cocina.

Jack se sintió aliviado, pues la voz de Laurie sonaba menos tensa que de costumbre. Tal vez había sido un día bueno. Cuando el día había sido malo, Jack lo notaba en su tono.

Después de guardar la bicicleta en el armario hecho a medida del vestíbulo y colgar su chaqueta de cuero, se quitó los zapatos, se puso las zapatillas y subió. Tal como había esperado, Laurie y J.J. estaban en la cocina. En apariencia, parecía una escena doméstica normal. J.J. estaba tumbado de espaldas en la cuna, con las manos extendidas hacia el móvil colgado sobre él. Salvo por sus ojos algo saltones y las ojeras oscuras, parecía un bebé como cualquier otro. Laurie estaba en el fregadero, preparando alcachofas para la cena. Salvo por su piel pálida y las ojeras, que rivalizaban con las de J.J., tenía un aspecto estupendo. Su lustroso pelo castaño lanzaba destellos rojizos.

—¡J.J. me ha dejado tomar una ducha! —dijo, al advertir que Jack la estaba mirando—. Hoy ha sido el mejor día de toda la semana. Es como si hubiera estado de vacaciones.

—Fabuloso —dijo Jack.

Laurie se enjuagó las manos y las secó sobre el delantal, mientras se acercaba a Jack y lo estrechaba entre sus brazos. Durante todo un minuto, marido y mujer permanecieron abrazados, diciéndolo todo sin palabras. Laurie fue la primera en separarse, y dio un beso en los labios a Jack. Después, volvió al fregadero y a las alcachofas.

—¿Cómo te ha ido el día? —preguntó—. ¿Cómo va tu cruzada?

Jack pensó un momento en lo que iba a decir. El día había sido irritante y jubiloso al mismo tiempo. Había pasado de discutir con Lou y Vinnie a comer con el arzobispo, y después a encontrarse con Shawn en el Metropolitan Museum of Art.

—¿Se te ha comido la lengua el gato?

—Ha sido un día muy completo —dijo Jack, pero no supo continuar. Su promesa a James de no contar a Laurie lo del osario le ponía en un apuro, porque era lo único que deseaba decirle. No quería recordar su vergonzoso comportamiento con Lou y Vinnie, y si hablaba de Shawn y del museo, tendría que sacar a colación el osario.

—Bien, ¿completo para bien o completo para mal?

—Un poco de todo.

Laurie apoyó las manos sobre el borde del fregadero.

—Deduzco que no quieres hablar de tu día.

—Más o menos —dijo Jack, evasivo. Se sentía acorralado—. He renunciado a la idea de la cruzada.

—¿Por qué?

—Nadie quiere oír críticas contra la medicina alternativa, al menos la gente que la utiliza, y hay muchísima gente que la utiliza. La única manera de influir en su opinión sería acumulando montones y montones de casos, cosa que no voy a poder conseguir. Estoy seguro de que hay cientos de casos en los archivos del IML, pero no hay forma de acceder a ellos. Es perder el tiempo. El mayor problema es que la cruzada no consigue que deje de obsesionarme con ya sabes quién.

—Supongo que puedo entenderlo, pero parecía una buena idea cuando me hablaste de ella el lunes por la noche. Lo siento.

—No ha sido culpa tuya.

—Lo sé, pero de todos modos lo siento. Sé que necesitabas una distracción. A mí también me iría bien una.

Jack se encogió al oír el comentario de Laurie, el cual exacerbó su culpa omnipresente por no compartir la carga de la enfermedad de J.J.

—Ya me lo imagino —dijo—. ¿Quieres reconsiderar la idea de volver al trabajo, con una enfermera en casa, al menos a tiempo parcial?

—¡De ninguna manera! —exclamó Laurie con cierta irritación—. No he sacado a colación el tema para que nos enzarcemos en una discusión.

—Vale, vale —repitió Jack, con el fin de transmitir el mensaje sin ambigüedades.

—¿Alguien ha dicho algo sobre J.J. desde que hablaste ayer con Bingham y Calvin?

—Nadie, excepto Bingham.

—Estupendo. Tal vez mantendrán su palabra y respetarán nuestra privacidad.

Jack se acercó a la cuna y miró a su hijo. Ansiaba agacharse, levantarlo y apretarlo contra su pecho, para sentir los latidos de su corazón, para notar su calor y percibir su dulce olor, pero no se atrevió.

Existían motivos más prácticos de que se resistiera a levantarlo, porque sin duda empezaría a llorar. Jack creía que los tumores diseminados de J.J. le causaban dolores tremendos, que parecían agravarse cuando le levantaban.

—Hoy se ha portado como un machote —dijo Laurie, mientras miraba a Jack—. Espero que sea el principio de una nueva tendencia, porque la semana ha sido muy dura.

—¿Y si pruebo a levantarlo? —preguntó Jack, que se derritió cuando vio que J.J. le estaba sonriendo.

—Bien... —murmuró Laurie—. Tal vez sería mejor dejarle en paz, ahora que está tranquilo.

—Ya me lo temía —dijo Jack, aliviado.

Se alejó de J.J., con sentimiento de culpabilidad. Se puso detrás de Laurie y le masajeó los hombros. Ella cerró los ojos y se recostó contra las manos de Jack.

—Te concedo media hora hasta que pares —ronroneó.

—Te lo mereces. Siempre me asombra tu paciencia con J.J. Y también me siento agradecido. No quiero repetirme, pero creo que yo sería incapaz.

—Tu situación es diferente. Ya has perdido dos hijos.

Jack asintió. Laurie tenía razón, pero no quería pensar en eso.

—Es una pena que haya llovido tanto —dijo Laurie—. Supongo que te ha estropeado el partido de baloncesto de esta noche.

—Suele pasar —dijo Jack, que empezaba a sentirse deprimido. Siempre ansiaba la llegada del viernes por la noche para jugar a baloncesto. Para no obsesionarse con la desilusión, concentró sus pensamientos en la nueva distracción: el osario y la idea de que, a la mañana siguiente, él y los demás averiguarían qué había dentro. De pronto, recordó que había prometido llamar a James después de ver a Shawn.

Jack dio a Laurie un apretón final.

—Creo que voy a darme una ducha. ¿A qué hora cenaremos, siempre que no te interrumpan?

—No puedo hacer planes por anticipado —bromeó Laurie—. Disfruta de tu ducha y luego baja. Como de costumbre, dependerá del mequetrefe y de la duración de esta amnistía.

Jack subió la escalera, maravillado de la actitud de Laurie. Pese a todo lo que había padecido después del diagnóstico de J.J., y todo lo que debería aguantar todavía, aún era capaz de hacer de tripas corazón y fingir que todo era normal.

—Ojalá yo fuera tan generoso —murmuró para sí Jack.

Ya dentro del cuarto de baño, y debido a que se sentía un poco culpable, como si estuviera implicado en alguna especie de conspiración, Jack cogió el móvil para llamar a James. No quería hacerlo delante de Laurie, pues eso provocaría una lluvia de preguntas, a las que no podría contestar sin violar su promesa.

—¡Mi salvador! —bromeó James, cuando vio que el nombre de Jack aparecía en su pantalla de LCD.

—¿Es un buen momento para hablar? —preguntó Jack—. Lamento no haber llamado antes. Acabo de llegar a casa.

—He estado rezando, pero Él comprenderá si me tomo un descanso, puesto que tú eres una de mis oraciones. Cuéntame qué ha pasado. ¿Cuándo va a abrir el osario?

—Fui a verle al Metropolitan. Me interesaba ver la carta de Saturnino.

—¿Parecía auténtica?

—Mucho —dijo, Jack, y después hizo una pausa. De pronto, oyó los sollozos de J.J., cada vez más intensos. Presa del pánico, se dio cuenta de que Laurie se estaba acercando—. ¡Espera un momento, James!

Se alejó de la pica del lavabo, en la cual se había apoyado. Con una creciente sensación de culpabilidad, y sin soltar el móvil, abrió la puerta justo cuando Laurie llegaba con el niño lloriqueante. J.J. estaba chillando y tenía la cara congestionada.

La expresión de Laurie reflejaba su exasperación.

—Cambio de planes —dijo, mientras mecía al bebé con dulzura—. Creo que pediremos comida para llevar. Tendrás que ir corriendo a Columbus Avenue después de la ducha.

Jack asintió, y vio que ella miraba intrigada el móvil que sostenía en la mano. Jack lo levantó.

—Una llamada rápida a alguien sobre los planes de mañana.

—Ya veo —dijo Laurie—. ¿Por qué en el cuarto de baño?

—Cuando iba a ducharme, recordé que antes debía llamar a esta persona.

—Vale —dijo Laurie—. J.J. y yo nos acostaremos en el dormitorio.

Se alejó por el pasillo.

—Me iré en cuanto salga de la ducha —dijo Jack.

Cerró la puerta, mientras se preguntaba si tendría que dar más explicaciones. Volvió al teléfono y pidió disculpas a James.

—Lamento parecer tan impersonal. Te lo explicaré la próxima vez que te vea.

—Eso sonaba como un recién nacido.

—Cuatro meses.

—No me digas. ¡Felicidades!

—Gracias. Bien, volvamos a Shawn y a la carta. Como ya he dicho, parecía auténtica porque su aspecto era muy antiguo, con los bordes tan ennegrecidos como si se hubieran quemado. No he entendido nada, por supuesto, porque estaba escrita en griego.

—No esperaba que fueras capaz de entenderla —dijo James—. ¿Se ha sentido complacido por haber obtenido permiso del IML para utilizar el laboratorio de ADN?

—Estaba exultante.

—¿Cuándo empezarán?

—Mañana. De hecho, me sorprende que no se haya puesto en contacto contigo. Me ha dicho que iba a dejarse caer por la residencia para recoger el osario, y después nos encontraríamos delante del edificio de ADN antes de las ocho.

—Muy típico de Shawn —dijo James—. Pensar en los demás nunca ha sido su fuerte. Le llamaré en cuanto colguemos.

—Está muy emocionado por el descubrimiento. Lo considera su sendero hacia la gloria, y desea que la Iglesia se lleve su merecido. Creo que está convencido de que, si la Iglesia está equivocada con relación a la Virgen María, también lo puede estar respecto a otras materias.

—Estoy de acuerdo, pero también confío en su fuerte sentido de la ética, pese a su dudosa moralidad. Entre otros temas, él y yo hemos discutido arduamente sobre el sexo, que él considera un regalo para la humanidad a cambio del peso de tener que esperar la muerte. Cree que deberíamos disfrutar del sexo, y se rebela contra la Iglesia por su propensión a etiquetar como pecado cualquier aspecto del sexo más allá de la estrecha interpretación del papel procreador. Pero sabe distinguir el bien del mal en otras parcelas, por eso confío en que se dé cuenta de que no puede demostrar que los huesos del osario son los de la Virgen María. La carta de Saturnino es muy sugerente, pero, como ya hemos hablado, todo descansa sobre Simón el Mago. ¿Dijo la verdad Simón a Saturnino? Nadie lo sabe, y nadie lo sabrá.

—¿Qué sabes del Evangelio de Simón, que Shawn espera encontrar en el osario?

—¿Qué pasa con él? —preguntó James vacilante.

—¿Y si habla de ese tema en concreto?

—No he pensado en ello —reconoció James—. Supongo que es una posibilidad. Eso complicaría las cosas. —Siguió un momento de silencio—. Se supone que me estás ayudando, no al revés —añadió, con una carcajada nerviosa.

—Lo siento —dijo Jack—, pero piensa en esto: Saturnino dijo algo acerca de que Simón estaba decepcionado porque los huesos no le habían transmitido el poder de curar. Eso significa que Simón estaba convencido de la autenticidad de las reliquias.

—¡Vale, ya está bien! —suplicó James—. En este momento, consigues que me sienta cada vez más inseguro. Aunque lo que dices sea cierto, tal vez se trate de simples rumores.

—Cuando dices algo semejante, estás buscando un tecnicismo. El osario se abrirá mañana. Esperemos a ver qué contiene. Podrían ser huesos de vaca y un manuscrito más ficticio que otra cosa.

—Tienes razón —concedió James—. Mi angustia me hace imaginar lo peor.

—He preguntado a Shawn si le importaría que los acompañara como observador, y ha dicho que sería bienvenido. También le he preguntado si querría aprovechar el nuevo departamento de antropología del IML, y ha dicho que sí, siempre que nadie supiera la identidad del individuo.

—¿Significa eso que los huesos podrán ser identificados como humanos, y que se determinará el sexo al instante?

—Si un antropólogo los ve, sin problemas.

—Si estás con él, ¿me llamarás en cuanto puedas?

—¡Por supuesto! Confío en poder tranquilizarte.

—¡Oh, días de gloria! Rezaré para que sea tal el caso.

Después de despedirse, Jack colgó. Abrió la puerta del cuarto de baño. J.J. continuaba llorando, con más insistencia que antes. Una vez más, sería comida rápida, y una velada penosa.

# 20

7.15 h, sábado, 6 de diciembre de 2008,
Nueva York

Cuando el sol se alzó sobre los edificios, hacia el este, dio la impresión de que había un millón de diamantes diseminados sobre Sheep Meadow, en Central Park. Incluso con sus gafas de sol de ciclista, Jack entornó los ojos para protegerse del resplandor cegador.

Se había despertado una hora antes, pese al hecho de que Laurie y él habían estado levantados casi toda la noche con un bebé muy atormentado. Durante unos minutos había contemplado el juego de la luz sobre el techo del dormitorio, obsesionado por saber cómo se las iban a ingeniar para sobrevivir los siguientes meses, hasta que el tratamiento de J.J. pudiera reanudarse. Sin respuestas reales, huyó del calor de la cama, se vistió y desayunó cereales fríos. Dejó una nota para Laurie que decía tan solo: «Me voy al IML. Llámame al móvil cuando tengas tiempo», y pisó la calle justo cuando estaba amaneciendo.

El aire era gélido. Pese al agotamiento, Jack se sintió maravillosamente vivo mientras pedaleaba hacia el sur. El misterio del osario se disiparía en una nube de polvo, o bien saltaría a otro nivel más fascinante todavía. Y al contrario que su amigo el arzobispo, Jack confiaba en que fuera esto último.

Jack lamentaba que Laurie no conociera la tranquilidad. Su día iba a ser el mismo desastre emocional del día anterior y del anterior a este. Un buen día se definía por ser menos malo.

Veinte minutos después, Jack entró en una de las zonas de carga y descarga del IML, y dejó su bicicleta donde sabía que no le pasaría nada. No le causaba ningún inconveniente. Significaba recorrer a pie las cuatro últimas manzanas hasta el edificio de ADN, lo cual le resultó agradable en la mañana fresca y transparente.

Consultó su reloj. Eran las ocho menos cinco. Preguntó a un agente de seguridad para comprobar que Shawn y Sana aún no habían llegado. Shawn siempre llegaba tarde, como Jack sabía bien de sus tiempos de la universidad.

Jack se sentó en uno de los bancos tapizados sin respaldo del vestíbulo y contempló el escaso tráfico de la Primera Avenida, pensando en el osario, cada vez más nervioso.

A las ocho y veinte, Shawn bajó de un taxi que había parado en la calle Veintiséis. Detrás de él salió Sana. La pareja se dirigió al maletero, seguida del conductor.

Cuando Jack salió al aire invernal, Shawn y el taxista levantaron el osario del maletero. Jack se acercó corriendo y cogió el extremo que sujetaba el conductor.

—Es un placer verle de nuevo, doctor Stapleton —dijo Sana.

Jack levantó una rodilla para apoyar la esquina del osario y extendió una mano hacia Sana.

—Me alegro mucho de volver a verte —respondió—, pero me llamo Jack.

—Pues que sea Jack —dijo Sana, risueña—. Y antes de que añadas nada más, me gustaría darte las gracias por conseguir que podamos utilizar el laboratorio.

—Ha sido un placer —repuso Jack, mientras Shawn y él empezaban a caminar de costado, con el osario entre ellos. Tras haber visto la parte superior envuelta en tablas de porexpán, Jack podía admirar ahora el objeto en su conjunto. Parecía más grande fuera de la caja. También era más pesado de lo que esperaba.

—¿Te ha costado mucho sacarlo de la residencia? —preguntó.

—No, en absoluto —contestó Shawn—, pero creo que su Reverendísima Eminencia no albergaba el menor deseo de apartarse de él. Intentó insinuar que podíamos examinarlo en su polvoriento sótano. ¿Te imaginas? O sea, ese hombre no tiene ni idea de ciencia.

—¡Con cuidado! —advirtió Sana, mientras atravesaban la puerta de cristal del edificio. Una vez en el interior, depositaron con mucha delicadeza el osario sobre el mismo banco donde Jack se había sentado.

Jack se volvió hacia Sana, y se saludaron por segunda vez.

—No sé si te habría reconocido —dijo Jack—. Tu aspecto es diferente. Debe de ser el corte de pelo.

—Es curioso que lo digas —se lamentó Shawn—. Su peinado era uno de sus rasgos más atrayentes, en mi opinión. Si te acuerdas, debe de significar que a ti también te gustaba.

—Me gustaba —dijo Jack—, pero también me gusta el de ahora.

—Eso es lo que se dice ser diplomático —comentó Shawn con sorna.

—Así que este es el famoso osario —dijo Jack para cambiar de tema. La atmósfera estaba cargada, y lo último que deseaba era verse atrapado en mitad de una discusión matrimonial. Jack intuía que existía una palpable hostilidad mutua a causa del peinado de Sana.

—Aquí está —contestó Shawn, al tiempo que daba una palmada sobre el recipiente de piedra caliza, como un padre orgulloso—. Estoy nervioso. Creo que esto va a cambiar la visión del mundo y la religiosidad de mucha gente.

—Siempre que no esté vacío —añadió Jack. Inseguro acerca del poder de la oración, supuso que James estaría rezando con todas sus fuerzas.

—Siempre que no esté vacío, por supuesto —replicó Shawn—. Pero no estará vacío. ¿Alguien quiere apostar?

Ni Jack ni Sana respondieron. Ambos estaban un poco intimidados por el timbre de la voz del arqueólogo.

—¡Vamos, animaos! —dijo Shawn—. Creo que todos estamos un poco tensos.

—Creo que tienes razón —concedió Sana.

—De acuerdo, un último paso —dijo Jack—. Necesitamos vuestras identificaciones.

Mientras Shawn y Sana iban al departamento de seguridad para rellenar papeles y hacerse fotos, Jack se volvió hacia el osario. Ahora que estaba fuera de la caja, pudo examinarlo con facilidad, sobre todo gracias a la luz natural que entraba a chorro a través de las ventanas delanteras del edificio.

Los números romanos trazados sobre la parte superior se veían mucho mejor que en el sótano de James. El nombre de María, escrito en teoría en arameo, era todavía indescifrable para Jack. Los costados del recipiente de piedra caliza eran similares en apariencia a la parte superior, pero con menos rayones. En un extremo había un estrecho agujero de taladradora, cuyo color interior era mucho más claro que el resto de la superficie de la caja. También había cuatro pequeñas zonas melladas en el mismo extremo, de idéntico color.

—Muy bien, preparados para trabajar —gritó Shawn a Jack, cuando Sana y él aparecieron con sus nuevas tarjetas de identificación colgadas del cuello.

—¿Puedo preguntarte algo? —dijo Jack.

—Por supuesto.

—Me he fijado en este agujero de taladradora —señaló Jack—. Y en estas melladuras. Parecen nuevas. ¿Qué son?

—Son nuevas —admitió Shawn—. Utilicé una taladradora eléctrica para localizar el osario. Sé que está lejos de las técnicas habituales de los arqueólogos, pero el tiempo apremiaba. En cuanto a las zonas melladas, son del cincel que tuve que utilizar. Una vez encontramos el recipiente, tuve que sacar el maldito trasto del durisol lo antes posible, por culpa de Sana. Tendrías que haberla oído quejarse de lo mucho que tardaba.

—Creo que, teniendo en cuenta las circunstancias, me porté jodidamente bien —replicó Sana.

—Me alegro de que pienses así —replicó Shawn a su vez.

—¡Vale, vale! —dijo Jack—. Lamento haberlo preguntado.

Solo llevaba diez minutos con la pareja, y ya entendía la opinión de James sobre aquel matrimonio.

—No habrías podido hacerlo sin mi ayuda —continuó Sana—, y así me lo agradeces.

—¡Vamos, chicos! —gritó Jack—. ¡Tranquilos! Estamos aquí para que podáis disfrutar de los beneficios de vuestros esfuerzos. Vamos a ver qué hay en el osario.

Jack gimió para sus adentros. Ya estaba preocupado por tener que mediar entre Shawn y James, para ahora tener que hacer lo mismo entre Shawn y Sana.

Sana continuó traspasando con la mirada a Shawn cuando este desvió la vista un momento hacia la ventana.

—¡Tienes razón! —dijo Shawn de repente. Dio una palmada en el hombro a Jack—. ¡Vamos a trasladar esta cosa al laboratorio para proceder!

Subrayó la palabra «proceder» alzando la voz y pronunciándola como si fueran tres palabras en lugar de una. Después, se agachó y levantó un extremo del osario, mientras Jack hacía lo propio con el otro. Juntos lo cargaron hasta llegar al ascensor que había al otro lado.

En la octava planta recorrieron casi toda la longitud del edificio hasta llegar al laboratorio. Sana y Shawn se deshicieron en elogios por el magnífico edificio y la impresionante vista.

—Espero no acostumbrarme mal —dijo Sana—. Este edificio es como el paraíso de los laboratorios.

Jack se detuvo ante la puerta y pidió a Sana que sujetara su extremo del osario para introducir la llave en la cerradura.

—Me gusta el hecho de que podamos cerrarnos con llave —dijo Shawn.

—Dentro también hay taquillas que se pueden cerrar con llave —añadió Jack cuando entraron en la sala.

Shawn y él depositaron el osario sobre la gran mesa central.

—¡Santo Dios! —exclamó Sana. Miró a través de la puerta acristalada el vestuario, y después vio a través de la puerta del otro lado el laboratorio en sí—. Desde aquí veo un analizador genético Applied Biosystems 3100 Xl nuevecito. Es tremendo.

Todos se quitaron las chaquetas y otras prendas de abrigo, y las guardaron en las taquillas, salvo la mochila de Shawn. La dejó sobre la mesa contigua al osario.

—Ha llegado por fin el momento —anunció Shawn, y se frotó ansioso las manos mientras contemplaba el osario—. No puedo creer que haya sido capaz de mantener las manos alejadas de esto durante cuatro días. Todo por tu culpa, querida Sana.

—Me darás las gracias sin parar si podemos recuperar un poco de ADN mitocondrial —dijo Sana—. Añadirá una nueva dimensión a este descubrimiento.

Shawn abrió la cremallera de la mochila y sacó un alargador y un secador de pelo, y después un martillo y un cincel pequeños.

—Será mejor que nos pongamos los trajes, gorros y guantes de látex —sugirió Sana—. Voy a intentar por todos los medios que el ADN no se contamine.

—Por mí, ningún problema —dijo Shawn, y miró a Jack.

—Por supuesto —concedió Jack—, pero antes tenéis que firmar la renuncia a toda reclamación.

Después de que marido y mujer firmaran todos los documentos legales, que absolvían al IML de cualquier daño conocido por el hombre, los tres entraron en el vestuario, cada vez más impacientes.

—La primera vez que pensé en dedicarme a la arqueología, creí que este tipo de experiencia, aportar algo a la historia, sería un acontecimiento rutinario —dijo Shawn mientras se ponía el traje—. Por desgracia, no es así; de modo que ahora estoy disfrutando cada segundo del evento.

—En biología molecular, vivimos experiencias como esta sin parar —dijo Sana, al tiempo que se enfundaba los guantes.

—¿De veras? —preguntó Shawn.

—Es broma —dijo Sana—. ¡Venga ya, chicos! Los dos sabéis que la ciencia es un asunto lento y trabajoso, con muy pocos momentos de felicidad. Debo confesar que nunca me había sentido más nerviosa en toda mi carrera, ni de cerca.

Cuando los tres estuvieron vestidos, enguantados, encapuchados y enmascarados, Shawn volvió a la habitación exterior. Enchufó el secador y lo puso al máximo. Lo utilizó como una antorcha y dirigió el aire caliente a la ranura color caramelo, llena de cera, que separaba el costado del osario de la tapa. Al final, la cera se ablandó lo suficiente para que pudiera introducir el cincel. Después de unos cuantos golpecitos de martillo, el cincel tocó piedra.

—Tardaremos más de lo que esperaba. La tapa del osario está rebajada. ¡Lo siento, chicos!

—No tengas prisa —dijo Sana.

—A tu aire —añadió Jack.

Poco a poco, Shawn fue rodeando centímetro a centímetro toda la periferia del osario. Primero ablandó la cera con el secador, después la fue agujereando con el cincel, que golpeaba con el martillo, hasta que alcanzó el rebajo. Una vez dio toda la vuelta, aplicó el cincel e intentó girarlo. No tuvo suerte. Movió el cincel a lo largo de la ranura y probó de nuevo. Nada. Un nuevo punto, y nada de nuevo. Otro nuevo punto, y se oyó un leve crujido.

—Creo que he notado un pequeño movimiento —dijo Shawn. Estaba animado, pero le preocupaba la posibilidad de que, si aplicaba demasiada presión, pudiera romper un fragmento de la tapa del osario. La reliquia llevaba intacta dos milenios, y quería que continuara así.

—¿No puedes ir más deprisa? —preguntó Sana, muy nerviosa. Desde su punto de vista, creía que Shawn estaba alargando aquella parte de manera innecesaria.

Shawn hizo una pausa y miró a su mujer.

—No me estás ayudando en nada —replicó.

Volvió a trabajar con el cincel. Era imposible saber cuánto tardaría, ni si tendría éxito.

Justo cuando hacía una pausa y se disponía a pensar en otra forma de afrontar la situación, se oyó otro crujido y el corazón de Shawn se aceleró. Sacó el cincel a toda prisa con la esperanza de ver una grieta en la piedra caliza, pero no había ninguna. Pasó la mano a lo largo del borde por si palpaba una grieta que él no pudiera ver, pero no existía discontinuidad.

Volvió a colocar el cincel con cautela y empezó a girarlo. Aliviado, comprobó que toda la tapa se levantaba de la base. ¡Se había soltado! Miró a los demás y asintió.

—Ya está —dijo, y aferró ambos extremos de la tapa con las manos. La levantó con delicadeza para depositarla sobre la mesa. Entonces, todos se inclinaron hacia delante y contemplaron el osario que había estado sellado herméticamente durante dos mil años.

# 21

—Señor mío, te lo suplico —rezaba James—. Dime qué debo hacer con el osario.

Se encontraba en la exquisita capilla privada de San Juan Apóstol, situada en la tercera planta de la residencia del arzobispo, arrodillado en un antiguo reclinatorio francés debajo de una placa mural de ébano.

En la placa estaba reproducida una imagen de la Ascensión de la Virgen María. La Madre de Dios estaba erguida sobre nubes, con dos querubines a cada lado. Sujeta a la base de la placa, había una pila bautismal de plata. A James siempre le había gustado la pieza, y aquella mañana la imagen poseía un significado especial.

—Jamás cuestiono Tu voluntad, pero temo que mi capacidad en lo tocante a la tarea que has depositado en mis indignas manos tal vez no sea suficiente. Creo firmemente que los restos que tal vez se encuentren en el osario no son de Tu Virgen María. Es mi humilde deseo que no exista la menor posibilidad de que nadie crea que los restos encontrados pertenezcan a una mujer. Solo entonces puede que me sienta capaz de afrontar este problema. También rezo para que mi amigo Shawn Daughtry deseche cualquier relación entre el osario y Tu Santa Madre, con independencia de lo que opinara al principio.

Se persignó y terminó con un fervoroso «Hágase Tu voluntad, amén».

El tormento de James le había impedido dormir, y los ojos se le habían abierto antes de las cinco de la mañana. Abandonó el calor de su estrecha cama metálica y rezó una oración similar a la que había recitado en la capilla, utilizando otro reclinatorio más sencillo en su ascético y frío dormitorio.

A partir de aquel momento, la mañana había sido similar a las de los demás sábados. Había leído el breviario, celebrado misa con su personal y desayunado con sus dos secretarios. Se había producido una breve interrupción de diez minutos cuando Shawn y Sana habían llegado para recoger el osario. James había mirado con cierta preocupación mientras Shawn y el padre Maloney subían la caja desde el sótano y la depositaban en el maletero de un sucio taxi amarillo. Cuando cerraron con estrépito el maletero, James se había encogido. Aunque confiaba en que la reliquia no contuviera los huesos de la Virgen, el grosero trato dispensado a los restos se le antojó sacrílego.

Después de que los Daughtry se fueran, James había vuelto a sus aposentos para ponerse sus ropajes de gala, pues su jornada incluía una visita a la iglesia de Nuestra Señora del Santo Rosario. Después de cambiarse, había entrado en la diminuta capilla.

James se puso en pie con cierto esfuerzo. Después, mojó los dedos en agua bendita, hizo la señal de la cruz y bajó a su despacho. Echar un vistazo al correo electrónico formaba parte de su rutina cotidiana. Justo cuando despertaba el monitor del ordenador, sonó su teléfono, lo cual desvió sus ojos hacia el identificador de pantalla. Cuando vio que era Jack Stapleton, levantó el receptor. Por desgracia, no había sido lo bastante rápido. Oyó el tono de marcar en lugar de la voz de Jack, lo cual significaba que el padre Maloney o el padre Karlin se le habían adelantado. Impaciente, tamborileó con los dedos sobre su vade de sobremesa. El intercomunicador zumbó un momento después.

—Es el doctor Stapleton —dijo el padre Karlin—. ¿Está disponible?

—Sí, gracias —dijo James, pero no contestó de inmediato, pues sabía que la llamada de Jack significaba que habían abierto el osario. Recitó otra veloz oración y miró la luz parpadeante. De pronto se sintió menos seguro, como si supiera que el Buen Dios deseaba prolongar sus tormentos.

Respiró hondo y contestó en voz baja.

—¿Eres tú, James? —preguntó Jack.

—Sí, soy yo —dijo James, en tono deprimido. Oyó risas de fondo y una conversación nerviosa, lo cual borró cualquier duda que albergara sobre lo que estaba a punto de escuchar.

—No estoy seguro de que quieras saber esto —empezó Jack—, pero...

James adivinó que el entusiasmado Shawn había interrumpido a Jack, pues al parecer estaba intentando arrebatarle el teléfono. James oyó con claridad la voz de Shawn.

—¿Es su Excelentísima Eminencia, el que confía en llevar pronto el Anillo del Pescador? ¡Déjame hablar con ese vago gordinflón!

James se encogió y pensó en colgar, pero su curiosidad se impuso.

—¡Hola, hermano! —saludó Shawn—. ¡Nos ha tocado el gordo!

—Ah, ¿sí? —preguntó James con fingido desinterés—. ¿Qué habéis encontrado?

—No solo un manuscrito, sino tres, y en la primera página del más grande pone, en griego, EL EVANGELIO SEGÚN SIMÓN. Tenemos el Evangelio de Simón el Mago. ¿A que es estupendo?

—¿Era lo único que contenía el osario? —preguntó James, y un destello de esperanza alumbró en el lejano horizonte.

—No, no era todo, pero te devuelvo a Jack para que te lo cuente. Hablaremos pronto.

Un momento después, Jack volvió a la línea.

—Tenemos aquí a un arqueólogo muy feliz —explicó Jack—. Estoy seguro de que no quería faltarte al respeto, si has oído lo que he dicho antes de arrebatarme el teléfono.

—Dime una cosa, ¿había huesos en el osario? —preguntó James. De momento, los buenos modales no le interesaban.

—Sí —admitió Jack—. A mí me parece un esqueleto completo, incluido un cráneo en un estado razonablemente bueno. Podría haber más de un esqueleto, pero solo hay un cráneo.

—Santa María, Madre de Dios —murmuró James, más para sí que para Jack—. ¿Crees que los restos son humanos?

—Eso diría yo.

—¿Y el sexo?

—Eso es más difícil de precisar. La pelvis está fragmentada, y es esa parte la que nos lo puede revelar. Pero en cuanto he visto los huesos he llamado a Alex Jaszek, el jefe del departamento de antropología del IML; le he contado por encima lo que estábamos haciendo y le he pedido que viniera. Está de camino.

—No has hablado de la Virgen María, ¿verdad?

—Claro que no. Solo he dicho que habíamos abierto un osario del siglo I.

—Bien —dijo James, mientras intentaba pensar en lo que debería hacer. Estuvo tentado de personarse en el edificio de ADN para ver con sus propios ojos las reliquias, pero eso le exigiría cambiarse de nuevo, a menos que quisiera que su visita apareciera en la portada del *Times* del día siguiente. Como debía asistir a una comida a las doce con toda su parafernalia eclesiástica, decidió que no tenía bastante tiempo para cambiarse, y después repetir la jugada.

—James, Shawn quiere hablar contigo otra vez. ¿Le paso el teléfono?

—Sí, pásaselo —dijo James con cautela. Supuso que Shawn deseaba atormentarle un poco más.

—¡Hola! —exclamó Shawn—. ¡Acabo de recordar que es tu cumpleaños! Feliz cumpleaños, su Excelentísima Eminencia.

—Gracias —dijo James. Se quedó sorprendido. Preocupado

como estaba por el osario y sus posibles ramificaciones, había olvidado por completo su cumpleaños. También se preguntó por qué su personal no había dicho nada, aunque nunca había sido muy quisquilloso para esas cosas—. Mi título es su Eminencia o su Excelentísima —dijo como reprendiéndole—. Pero prefiero que tú me llames James.

—Tienes razón —dijo Shawn con indiferencia—. Quiero hacerte una propuesta. ¿Qué te parece si celebramos una fiesta esta noche, a menos que debas cenar con algún líder del país o algún otro payaso? Celebraremos al mismo tiempo tu cumpleaños y nuestro descubrimiento. ¿Qué me dices? La coincidencia es un poco irónica, por supuesto, pero la vida es así.

La primera reacción de James fue negarse de forma categórica. No quería escuchar las bravatas de Shawn acerca de que iba a escandalizar al mundo con su revelación. Pero cuanto más pensaba en la invitación, más creía que sería una buena idea soportar las afrentas que recayeran sobre él. Necesitaba participar en la investigación desde el principio, para poder inculcar cierto escepticismo en las mentes de todos los implicados, si deseaba albergar alguna esperanza de disuadir a Shawn de que publicara algo sobre la Virgen María. Tal vez las posibilidades eran remotas, pero de momento era la única estrategia que se le ocurría, aparte de rezar.

—Estoy pensando en comprar camino de casa unos filetes, algo para hacer una ensalada y un vino tinto estupendo —continuó Shawn cuando James no respondió—. Asaremos los filetes en el porche de atrás. ¿Qué me dices?

Lo que alimentaba todavía las dudas de James era la preocupación de que Shawn se mostrara insufrible y le tomara el pelo durante toda la noche. James dudaba de poder aguantar una velada así habiendo dormido tan poco.

—En lugar de ir a casa, podríamos cenar fuera —insistió Shawn ante el silencio de James—. Acabo de pensar que no te gusta salir.

—Solo contigo —replicó James—. Siempre dicutimos durante la cena. No te echo la culpa, soy tan culpable como tú, y aunque vaya de civil, alguien podría reconocerme. No necesito ese tipo de publicidad. Déjame hablar otra vez con Jack.

—Quiere hablar contigo —dijo Shawn frustrado.

—¿Qué pasa? —preguntó Jack con voz cansada. Había tenido una premonición de lo que se avecinaba, lo cual significaba que su papel de árbitro estaba a punto de empezar.

—Jack, Shawn planea una cena de celebración en su casa esta noche. Tienes que ir.

—No me han invitado oficialmente y, además, debo ir a casa para ayudar a Laurie con J.J., nuestro hijo.

—Jack, necesito tu ayuda, tal como te dejé claro ayer. Si vienes a esta cena improvisada, yo haré lo mismo, pero necesitaré un intermediario con Shawn, sobre todo con lo eufórico que está ahora. Tengo que saber más sobre lo que ha descubierto y cuáles son sus intenciones, pero tú sabes que será una tortura.

—O sea, que tendré que hacer de árbitro otra vez —gruñó Jack. Nunca le había gustado ese papel.

—¡Por favor, Jack!

—De acuerdo, si no va terminar tarde.

—No terminaremos tarde. Mañana debo dar una misa en la catedral a primera hora. Para colmo, he dormido muy mal esta noche. Créeme, no vamos a trasnochar. Escucha, traeré mi coche y te acompañaré a casa.

—Vale, iré —dijo Jack—, pero debo consultarlo con Laurie.

—Me parece bien —repuso James—. Pásame con Shawn.

James dijo a Shawn que había decidido ir y le preguntó a qué hora.

Shawn se encogió de hombros.

—Digamos a eso de las siete. Creo que hablo en nombre de Sana si digo que queremos ir muy temprano al laboratorio mañana. Tendremos que despertarnos pronto.

—No podría estar más de acuerdo.

# 22

*10.40 h, sábado, 6 de diciembre de 2008,*
*Nueva York*

Tan solo unos diez minutos después de que la conversación con James terminara, llegó Alex Jaszek, el antropólogo. Durante ese breve ínterin, Shawn y Sana continuaron lanzándose mutuamente epítetos. Pese a la alegría del descubrimiento, habían estado discutiendo por los planes nocturnos, hasta que Sana, disgustada, había desaparecido en el laboratorio para echar un vistazo al equipo.

Alex parecía joven para ser un experimentado doctor en antropología, con una barba rala en su rostro juvenil. Tenía la constitución del típico jugador de rugby de instituto, de espaldas anchas y cintura estrecha. Llevaba pantalones cortos caqui y una camisa de franela anticuada.

—¿Era este el aspecto de los huesos cuando habéis levantado la tapa? —preguntó Alex, mientras examinaba el osario.

—Casi —dijo Jack. Él también lo estaba mirando—. Los tres rollos de papiro estaban dentro también. Shawn los ha levantado con cuidado. Tal vez el hueso del muslo se ha movido un poco cuando lo ha hecho, pero hemos tomado muchas fotos.

—Parece un esqueleto completo.

—Eso creemos nosotros también —añadió Shawn.

—Podríais haber sacado los huesos —dijo Alex—. La posición no va a revelarnos nada, puesto que fue enterrado por segunda vez, como estoy seguro de que sabéis. Cuando los osarios se utilizaban, primero dejaban que el cuerpo se descompusiera, después se recogían los huesos y se guardaban en el osario sin seguir ningún orden. De modo que vamos a sacarlos de uno en uno y los dejaremos sobre la mesa, en su posición anatómica general.

Sana salió y se reunió con ellos. Jack se encargó de las presentaciones. Sana estrechó con entusiasmo la mano de Alex, al tiempo que le daba las gracias en tono meloso por haber sacrificado parte de su sábado con el fin de prestarles su extraordinaria experiencia.

Jack intuyó que la exagerada interpretación de Sana tenía como objetivo irritar a Shawn, cosa que sin duda logró. Mientras Sana ayudaba a Alex en el vestuario, Jack intentó sonsacar a Shawn.

—¿Lo de esta noche sigue en pie, o lo dejamos para otro día?

—Ya puedes apostar tu culo a que sigue adelante —replicó Shawn—. No sé qué le pasa a veces. Sea lo que sea, será mejor ponerle fin.

Jack se abstuvo de hacer más comentarios. Levantó un hueso del osario y trató de discernir qué era.

Después de volver del vestuario, Sana continuó cinco minutos más con Alex, quien sin duda estaba encantado por sus atenciones. Pero al ver que Jack y Shawn tenían problemas para decidir la posición anatómica de los huesos, Alex y ella acudieron en su ayuda. Al cabo de varios minutos, Alex se responsabilizó de la tarea por completo, ya que había empezado a hacer comentarios sobre cada hueso a medida que los iba sacando del osario y dando forma al nuevo esqueleto. Terminó al cabo de media hora.

Para Sana, lo más significativo era el cráneo y la mandíbula inferior, porque quedaban algunos dientes en los alveolos. Por su parte, Shawn estaba más interesado en los huesos de la pelvis.

Mientras manipulaba cada fragmento, Alex había comentado de pasada que la mujer había tenido hijos, varios en su opinión.

—Se trata de un esqueleto notablemente intacto —explicó Alex, mientras lo examinaba en su totalidad y ajustaba la posición de algunos huesos—. Observad que hasta los huesos de los meñiques de ambas manos están conservados. Esto es muy singular. En todos los casos de osarios que he tenido el placer de investigar, nunca había sucedido. Jamás he visto juntos los huesos de los dedos. Quien lo hizo demostró un gran respeto por el fallecido.

—Has dicho que era una mujer —señaló Shawn nervioso—. ¿Estás seguro de que es el esqueleto de una mujer?

—¡Por supuesto! Fíjate en los delicados arcos supraciliares —dijo, y señaló el cráneo—. Fíjate en los delicados huesos del brazo y los huesos largos de las piernas. Y si juntamos los huesos púbicos... —Alex levantó los huesos y los juntó como habrían estado en vida—, fíjate en la anchura del arco púbico. No cabe duda de que es una mujer. ¡Ninguna duda!

—Sobre todo porque has dicho que tuvo muchos hijos —dijo Shawn, con una risita satisfecha.

—Es un aspecto sobre el que todavía no puedo pronunciarme.

La sonrisa se desvaneció un poco.

—¿Por qué?

—Los surcos preauriculares son muy prominentes —explicó Jack, al tiempo que levantaba un ilion y lo enseñaba a Alex—. Nunca había visto uno tan grande.

—¿Qué son los surcos? —preguntó Shawn.

Jack señaló las zonas estriadas del borde del hueso.

—Los surcos aparecen después de dar a luz. Estos son los más profundos que he visto en mi vida. Yo diría que tuvo unos diez hijos.

Alex levantó un dedo y sacudió la cabeza para mostrar su desacuerdo.

—La profundidad de los surcos en el ilion y las depresiones en las sínfisis púbicas no son completamente proporcionales al número de hijos que una mujer ha dado a luz.

—Pero suelen serlo —insistió Jack.

—De acuerdo —dijo Alex—. Suelen serlo, lo admito.

—Por lo tanto, el ilion y las depresiones sugieren que tuvo numerosos hijos. No lo demuestra, pero lo sugiere. ¿Estás de acuerdo con eso?

—Sí, Jack, pero también diría que puedes equivocarte. ¿Tenéis alguna idea de la identidad de esta persona y cuántos hijos tuvo? ¿Hay un nombre o una fecha en el osario? ¿Los manuscritos hablan de hijos?

Por un segundo, nadie se movió. Se hizo el silencio, salvo por el zumbido del compresor de un refrigerador al fondo.

—¿He dicho algo que no debía? —preguntó Alex, al percibir la tensión de la atmósfera.

—En absoluto —se apresuró a decir Shawn—. No estamos seguros de la identidad del esqueleto, pero hay una fecha en la tapa del osario. Es 62 d.C., pero no sabemos si se trata de la fecha del fallecimiento o la fecha del segundo entierro. Confiamos en que los manuscritos arrojen alguna luz sobre su identidad, pero todavía no los hemos desenrollado y, por lo tanto, tampoco los hemos leído.

—¿Y la edad de la mujer? —preguntó Sana—. ¿Puedes concretarla?

—Sin demasiada precisión —dijo Alex—. Por desgracia, los huesos no son como los troncos de los árboles, en los que puedes contar los anillos. De hecho, durante toda la vida de un individuo el hueso cambia de manera constante, por eso podemos datarlos mediante la prueba del carbono 14. Tal vez queráis utilizar ese método para fechar los huesos del osario. El tamaño necesario de la muestra es mínimo con las nuevas técnicas.

—No lo olvidaremos —dijo Shawn.

—Si tuvieras que calcular su edad, ¿qué dirías? —preguntó Sana.

—Más de cincuenta para ir sobre seguro. Si quisiera arriesgarme, diría ochenta. Yo creo que es un individuo viejo, basándome en la artritis de los huesos de dedos y pies. ¿Qué dices tú, Jack?

—Creo que tienes toda la razón. Lo único que observo es una leve evidencia de tuberculosis en un par de vértebras, pero, por lo demás, gozaba de buena salud.

—Muy buena salud —admitió Alex.

—Estoy fascinada —dijo Sana—. El cierre hidráulico ha funcionado a la perfección. No era del todo optimista en lo tocante a encontrar ADN, pero ahora sí. Con esos dientes todavía en sus alveolos, y con lo secos que están los huesos, tiene que existir ADN mitocondrial intacto.

—No te hagas ilusiones —advirtió Shawn.

—¿Por qué quieres extraer ADN? ¿Tienes algún objetivo concreto? —preguntó Alex.

Sana se encogió de hombros.

—Creo que será interesante, además de un desafío. Podría ser divertido averiguar de dónde era, hablando desde un punto de vista genealógico. El osario fue encontrado en Roma, pero eso no significa que fuera de Roma, ni siquiera de Italia. En el primer siglo después de Cristo, hubo mucha inmigración debido a la Pax Romana. Y una mujer del siglo I será una interesante aportación a la base de datos mitocondrial internacional.

—¿Cómo vas a hacerlo? —preguntó Alex—. ¿Qué procedimiento vas a seguir?

—Primero, probaré con un hueso —explicó Sana—. Si eso no funciona, utilizaré médula ósea. En ambos casos, no se trata de un procedimiento complicado. Exigirá una limpieza completa de la parte exterior del diente para eliminar cualquier contaminación de ADN. Después, cortaré la corona del diente, extraeré la pulpa seca de la cavidad, la suspenderé con detergente para romper las células, la trataré con proteasas para eliminar las proteínas, y después extraeré el ADN. Una vez tenga el ADN en una solución, la amplificaré con PCR, la reacción en cadena de la polimerasa, la cuantificaré y la secuenciaré. Así de sencillo.

—¿Cuánto tardarás? —preguntó Alex—. Me interesaría seguir el procedimiento, si no te importa.

Sana miró a Shawn, quien asintió de manera casi imperceptible.

—Depende hasta cierto punto del primer paso, que determinará el ritmo. Si existe ADN mitocondrial disponible. En tal caso, tendría que haber terminado en unos días, una semana a lo sumo. Algunas fases funcionan mejor si dejamos que se prolonguen por la noche.

—Bien —dijo Alex, al tiempo que se levantaba y daba una palmada a Sana en la espalda—, quiero daros las gracias a todos por pensar en mí. Ha sido una mañana estupenda. —Sus ojos se posaron sobre los tres rollos, cuando se dirigía hacia el vestuario para quitarse el traje protector. Se detuvo y miró a Shawn—. Me he concentrado tanto en el esqueleto, que he olvidado preguntarte sobre los rollos. ¿Qué piensas hacer con ellos?

—Leerlos —dijo Shawn, algo celoso por la aparente familiaridad del joven con su mujer—. Pero primero tengo que desenrollarlos, que no será tarea fácil. Están, y perdona el juego de palabras, más secos que un hueso, y son muy frágiles.

—¿Están hechos de papiro? —preguntó Alex. Se inclinó y los examinó con detenimiento. No se atrevió a tocarlos.

—Son de papiro, sí —contestó Shawn.

—¿Será fácil desenrollarlos?

—Ojalá —dijo Shawn—. Será un procedimiento penoso, porque tendré que desenrollarlos milímetro a milímetro. Podrían desintegrarse en miles de fragmentos diminutos, y encima, debemos ser cautelosos.

Todo el mundo rió, incluido Shawn.

—Qué chico más agradable —dijo Sana después de que Alex se fuera, y continuó para sí—: Comparado con mi marido.

—Ah, te habías dado cuenta —se burló Shawn en voz alta, y después añadió—: Sé muy bien lo que te propones, y no pienso hacer caso. No voy a ponerme celoso. No vale la pena cabrearse, y no pienso concederte esa satisfacción.

—¡Vale, chicos! —interrumpió de repente Jack, al tiempo que daba una sonora palmada para llamar la atención de todo el mundo—. ¡A trabajar! Vamos a prepararlo todo para que podáis poner manos a la obra. Me muero de impaciencia por saber si vais a conseguir efectuar una identificación positiva de estos huesos. Pero os advierto que si continuáis peleando, me largo, y me borras de la lista de tu cena, y si yo no voy, creo que James tampoco irá, y ¡adiós fiesta!

Por un momento, Sana y Shawn se fulminaron con la mirada. Después de varios segundos, Sana echó la cabeza hacia atrás y rió.

—Dios, somos como un par de críos.

—¡Habla por ti! —replicó Shawn. No le gustaba la nueva Sana.

—Lo estoy haciendo. Creo que estamos empezando a parecernos demasiado, como un perro y su amo.

Ahora le tocó reír a Shawn.

—¿Y cuál es el perro?

—Eso es fácil saberlo, por la forma en que ladras últimamente —bromeó Sana, todavía sonriente. Se volvió hacia Jack—. Él sabe que, antes de invitar a alguien a cenar, lo debe consultar conmigo. Si no se lo he dicho una docena de veces, no se lo he dicho ninguna.

—Tú siempre has de decir la última palabra —replicó Shawn.

Jack se interpuso entre marido y mujer, y pidió tiempo con el gesto empleado en los partidos de baloncesto.

—¡Basta! —dijo—. Basta de haceros la puñeta mutuamente. ¡Sois patéticos! Calmaos y pongamos manos a la obra.

—Voy al Home Depot —dijo Shawn con brusquedad—. ¿Puedes echarme una mano, Jack?

—Puede que necesite unos alicates —dijo Sana—. Dejadme ver si alguno de los caninos sale con facilidad. —Levantó la calavera y tiró del canino derecho, que se encontraba en muy buen estado. El diente salió con facilidad, acompañado de un leve ruido seco—. Ha sido fácil. No, no necesito alicates.

—Un puñado de láminas de cristal cilindrado —dijo Shawn—. Y un pequeño humedecedor sónico que pueda emplear para lanzar una diminuta ráfaga de vapor de agua a donde yo quiera. Ya tengo en la mochila varios pares de tenacillas como las que utilizan los filatélicos. Desenrollar estos pergaminos no va a ser fácil. Los papiros se desmenuzarán, de modo que tendré que protegerlos de inmediato debajo de un cristal. Por lo que yo sé, como dije a Alex, los papiros pueden desintegrarse y convertirse en una especie de rompecabezas. No sé qué esperar, si queréis que sea sincero.

—Mientras vosotros vais al Home Depot, yo iré al laboratorio y empezaré mi parte del proyecto —dijo Sana, mientras blandía el canino—. Cuanto antes lo meta en un sonicator con el detergente, antes cortaré con la sierra la corona para llegar a la pulpa dentaria.

—¿Vais a portaros bien esta noche? —preguntó Jack—. ¿La fiesta sigue en pie, o qué?

—Pues claro que sigue en pie —dijo Sana—. Espero que nuestras discusiones no te incomoden. Prometemos ser buenos. Es que me molesta que Shawn no me consulte antes de invitar gente a casa. Me gusta cocinar y pocas veces tengo ocasiones, de modo que esta noche voy a disfrutar. De hecho, en cuanto extraiga la pulpa dentaria de la incubadora para que se seque esta noche, me iré de compras para preparar algún manjar delicioso, con la esperanza de que James y tú lo disfrutéis. Nos lo pasaremos bien, siempre que Shawn y James se comporten.

—De acuerdo. Me has tranquilizado —dijo Jack—, pero he de consultar con mi mujer para saber si le sabe mal que vaya. Tenemos un bebé recién nacido, y lo está cuidando a todas horas.

—Un recién nacido, qué bien —dijo Sana, sin la emoción que habrían expresado la mayoría de mujeres jóvenes. Tampoco invitó a la madre o al bebé—. No creo que vaya a negarte una noche con tus viejos amigos de la universidad.

—Es más complicado de lo que crees —explicó Jack, sin entrar en detalles.

—Bien, comprenderemos que no vengas —dijo Shawn—, pero espero que lo hagas. Lo que hemos descubierto en el osario es increíble, y me va a gustar atormentar a su Excelencia James.

—No te pases, por favor —rogó Jack—. Está muy preocupado por el asunto y sus posibles repercusiones.

—No me extraña —repuso Shawn.

—Yo no sería tan optimista —advirtió Jack—. James está casado con la Iglesia. Su fidelidad es tremenda.


Una vez cumplida su misión en el Home Depot, con lo que parecía una tonelada de placas de cristal en el maletero del taxi, Jack intentó convencer de nuevo a Shawn de que tratara bien a James aquella noche, y le recordó que le quedaba un largo trecho para demostrar que había descubierto los huesos de la Virgen María.

—No lo he demostrado —admitió Shawn—, pero estamos muy cerca, diría yo, ¿no?

—No —contestó Jack.

—Te lo explicaré de otra manera: si presentara esta historia tal como la conocemos hoy, combinando la carta de Saturnino con el hecho de que el osario se encontraba donde él lo había ubicado, incólume durante casi dos mil años... Si presentara esta historia, la carta y el osario en Las Vegas y preguntara a los corredores de apuestas si tenía en el bote a la Virgen María, ¿qué probabilidades crees que me concederían?

—¡Basta! —replicó Jack—. No son más que ridículas suposiciones.

—¡De modo que así están las cosas! —exclamó de repente Shawn—. Estás del lado de James, como en la universidad. Hay cosas que no cambian nunca.

—No estoy del lado de nadie. Estoy de mi lado, justo en el centro, siempre intentando mantener la paz entre dos testarudos sin remedio.

—James era el testarudo, no yo.

—Perdón. Tienes razón. Tú eras el cabeza de chorlito.

—Y tú el capullo. Me acuerdo bien —dijo Shawn—. Y como capullo, casi siempre te ponías de parte del testarudo, como sin duda sucederá esta noche. Te advierto que esta noche pienso desquitarme. Durante todas nuestras discusiones de estos años, siempre llegábamos a un punto en que James jugaba su mejor carta: ¡la fe! No me lo puedes discutir. Bien, esta noche revisaremos un par de aquellas discusiones, solo que esta vez los hechos me respaldarán. Será divertido, te lo prometo.

De pronto, los dos amigos sentados en la parte posterior del taxi se miraron e intercambiaron una sonrisa. Después, se pusieron a reír.

—¿Es esto posible? —preguntó Shawn.

Jack sacudió la cabeza.

—Nos estamos portando como adolescentes.

—Como críos, diría yo —rectificó Shawn—. Solo me estaba desfogando. No te preocupes, trataré bien a James esta noche.

El taxi frenó ante el edificio de ADN del IML, y Jack entró corriendo para pedir a los guardias que llevaran una carretilla a la zona de carga y descarga. Jack y Shawn llegaron al mismo tiempo, descargaron las placas y las depositaron en el carrito. Jack dio una palmada sobre la última pila.

—El cristal no parece gran cosa cuando miras a su través, pero te aseguro que pesa un huevo.

Shawn asintió, mientras se pasaba el dorso de la mano sobre la frente sudorosa.

—¿Puedo confiar en que conseguirás descargar esto arriba? —preguntó Jack, con la mano todavía apoyada sobre el cristal.

—Ningún problema —respondió Shawn con tono seguro—. La señorita Independencia Flirteante me echará una mano.

—Yo no me enfadaría con Alex —dijo Jack—. Es una persona muy abierta y cordial. Todo el mundo le cae bien, y cae bien a todo el mundo.

—No tengo ningún problema con Alex. Mi problema es que no sé lo que quiere Sana. ¿Sabes a qué me refiero? Su pelo, por ejemplo. Era largo y adorable, y le dije que no se lo cortara, pero va y se lo corta. Le digo que haga pequeñas tareas domésticas, como planchar mis camisas: me dice que trabaja tanto como yo. Le digo que yo quitaré la nieve con la pala y sacaré la basura. ¿Sabes lo que contesta?

—No tengo ni idea —contestó Jack, con la esperanza de que su tono transmitiera el mensaje de que ni lo sabía ni le importaba.

—Dice que quiere cambiar las tornas: yo me encargo de planchar, y ella de la basura y la nieve. ¿Te lo imaginas?

—Lo siento —dijo Jack, que no quería enzarzarse en una discusión sobre problemas matrimoniales—. Repíteme tu dirección —dijo para cambiar de tema.

—Calle Morton, cuarenta. ¿Sabes cómo llegar?

—Vagamente —admitió Jack. Sacó una libretita y anotó la dirección—. De acuerdo. A menos que mi mujer tenga otros planes, estaré allí a las siete. ¿Qué vais a hacer mañana? ¿Trabajaréis? Si lo hacéis y no os importa, me gustaría dejarme caer por aquí para ver cómo van las cosas.

—Ya te lo diré. Quizá Sana quiera dormir hasta tarde. En cuanto a mí, estoy demasiado nervioso, de modo que vendré a trabajar. Quiero saber lo antes posible qué dice Simón el Mago, a ver si podemos redimirle. Siempre me he preguntado si fue un chivo expiatorio. La Iglesia del siglo I estaba sumida en tal caos que necesitaba echar las culpas a alguien, y allí estaba el pobre Simón el Mago y su deseo de ser un curandero más eficaz, y, por supuesto, sus amiguetes gnósticos.

—¿Estás seguro de que te las podrás arreglar con los cristales? —preguntó Jack mientras se alejaba. Estaba ansioso por ir a casa y saber si podría asistir a la fiesta, con la esperanza incluso de convencer a Laurie de que se ausentara unas horas de casa. Sabía que sería difícil, pero de todos modos lo intentaría.

—Sana y yo nos las arreglaremos bien —dijo Shawn, al tiempo que desechaba las preocupaciones de Jack con un ademán—. Hasta la noche.

—Eso espero —dijo Jack, y levantó ambos pulgares. Cada vez más nervioso y con cierto sentimiento de culpa porque pasaba un poco de mediodía, Jack corrió hacia el edificio principal del IML de la calle Treinta con la Primera Avenida. Resistió la tentación de subir a su despacho, cogió la bicicleta, saludó con un gesto a los de seguridad y pedaleó hacia la parte alta de la ciudad.

Una vez encima de su bicicleta, se sintió mejor al saber que llegaría a casa al cabo de media hora, y que existía la leve posibilidad de aplacar su sentimiento de culpa si podía sacar de casa a Laurie. Si J.J. tenía un mal día, eso no sucedería, pues Laurie se resistiría a abandonar al pobre niño en las manos relativamente incapaces de Jack. Dejando aparte los problemas emocionales personales, Jack admitía que no se encontraba a gusto con niños enfermos, como habían demostrado de sobra sus turnos en pediatría durante el tercer año de carrera en la facultad de medicina.

El estado de ánimo de Jack fue mejorando, porque el tiempo era casi perfecto, con un cielo cristalino de color zafiro y una temperatura agradable para Nueva York a mediados de diciembre. Reinaba en el ambiente una atmósfera festiva, pues la ciudad estaba abarrotada de gente que iba a hacer sus compras de Navidad.

La ruta de Jack le permitió pasar por delante del zoo de Central Park, atestado de niños y padres. Jack notó de repente un nudo en la garganta, mientras se preguntaba si algún día podría ir con J.J. a ver a los animales. Un poco más adelante, a la altura de un bonito parque infantil con un tobogán de granito pulido, Jack paró un momento para ver a los niños chillar, aullar y reír. Su alegría era contagiosa, y casi asomó una sonrisa en el rostro de Jack cuando recordó su eufórica niñez. No obstante, un momento después, el neuroblastoma de J.J. invadió sus pensamientos, así como la angustiosa pregunta de quién iba a triunfar, si el poder místico del cuerpo de J.J. para curarse con la ayuda de la medicina moderna, en el caso de que pudiera reincorporarse a dicha medicina, o el poder igualmente misterioso de las células del neuroblastoma inducido por el ADN: un enfrentamiento clásico entre el bien y el mal.

Jack sintió que se le formaba otro nudo en la garganta, saltó sobre su bicicleta y pedaleó furiosamente para despejar su mente. Por suerte, gracias al tiempo más propio de la primavera, pronto se vio rodeado de una masa de ciclistas, corredores, patinadores en línea, patinadores sobre ruedas y simples transeúntes, de manera que pensar era difícil si no quería atropellar a alguien.

Jack salió del parque a la calle Ciento seis. Mientras pedaleaba, vio con claridad su casa, que se distinguía por ser la única de la manzana restaurada por completo. Entonces, vislumbró algo de lo que se arrepintió al instante: sus vecinos calentando en la cancha de baloncesto del parque. Incapaz de resistir la tentación, Jack saltó el bordillo y se detuvo ante la valla de tela metálica.

En cuanto Jack paró, uno de los jugadores corrió hacia él. Se llamaba Warren Wilson, y era el mejor jugador. Durante los años transcurridos desde la llegada de Jack a la ciudad, se habían hecho muy amigos.

—Hola, tío, ¿vienes a jugar? Aún hay sitio para uno.

—Me encantaría —dijo Jack—, pero Laurie ha estado encerrada en casa con J.J. y debo ir a relevarla. Me comprendes, ¿verdad?

—Sí, por supuesto. Nos vemos luego.

Jack vio a Warren reunirse de nuevo con el grupo. Dio la vuelta a la bicicleta de mala gana y se dirigió al otro lado de la calle. Cargó la bicicleta al hombro y subió los peldaños delanteros.

Después de abrir la puerta, Jack asomó la cabeza y escuchó. No oyó sollozos. Entró con la bicicleta, la dejó en su armario y subió las escaleras.

Mientras lo hacía, oyó ruidos reveladores en la cocina. Cuando entró, supuso que vería al bebé en su cuna y a Laurie delante del fregadero, como la noche anterior.

—¡Hola, querida! —llamó, y vio a Laurie con el rabillo del ojo cuando se acercó a dar un beso a J.J. en la cuna. En aquel momento tuvo que mirar dos veces, porque J.J. no estaba.

—¿Dónde está el niño? —preguntó con cierta preocupación, pues se trataba de una situación nueva.

—Está durmiendo —anunció Laurie complacida—. Y como esta noche he dormido bastante bien, he pensado adelantar la cena. Todo un lujo.

Todo un lujo, pensó Jack, pero no dijo nada. Se acercó a Laurie, rodeó su cintura con ambos brazos por detrás y la sacó de la cocina, recorrió el corto pasillo y entraron en la sala de estar. La obligó a sentarse en uno de los canapés, tapizado con una tela a cuadros amarillos y verde claro. Jack se sentó enfrente.

—Necesito hablar contigo —dijo con voz autoritaria.

—De acuerdo —respondió Laurie, mientras miraba a Jack de reojo. La situación se le antojaba poco habitual, y no sabía si debía preocuparse. No podía discernir las emociones de Jack, aunque intuía que no era del todo él—. ¿Todo bien en la oficina?

Jack vaciló un momento, sin saber por dónde empezar. No había pensado en lo que iba a decir. Por desgracia para Laurie, cada minuto de silencio aumentaba su preocupación por lo que intentaba expresar.

—Tengo que pedirte algo —dijo Jack—. Algo que me hace sentir muy culpable.

Laurie respiró hondo y notó que sus extremidades se paralizaban.

—¡Espera! —dijo con un toque de desesperación, y su mente revivió el curioso incidente del móvil en el cuarto de baño—. Si vas decirme que tienes un lío, no quiero saberlo. ¡No podría soportarlo! Ya tengo bastante con lo que estoy aguantando, y a veces no estoy segura de si estoy preparada para ello.

Le emoción espoleó aquellas palabras, y Laurie tuvo que reprimir las lágrimas. Jack saltó al instante para sentarse a su lado. La rodeó con un brazo.

—No tengo ningún lío —dijo Jack, asombrado por la insinuación—. Lo que quería pedirte es si te importa que vaya a cenar esta noche con dos amigos de la universidad. A uno ya lo conoces, Shawn Daughtry.

—¿El arqueólogo? —preguntó aliviada Laurie, mientras las lágrimas brillaban en sus ojos—. El arqueólogo de la mujer aduladora.

—Exacto —dijo Jack.

Sorprendido por la idea de que Laurie pudiera pensar que

tenía una amante, su mente derivó hacia la promesa hecha a James. Había jurado no hablar de la posibilidad de que hubieran descubierto los huesos de la Virgen María, pero no de la existencia del osario. Nadie se había preocupado por el hecho de que Alex Jaszek conociera la existencia de la reliquia. Jack quería compartir algo significativo con Laurie, con el fin de eliminar por completo su preocupación acerca de que tuviera un lío amoroso.

—Anoche te dije que iba a abandonar mi cruzada contra la medicina alternativa, aunque necesito una distracción. Bien, gracias a un golpe de suerte, la distracción me ha caído literalmente sobre el regazo.

—Maravilloso —dijo Laurie, que aún intentaba recuperar su compostura—. Me alegro. ¿Qué es?

Jack le contó la historia del osario desde el principio y, tal como había adivinado, fascinó y cautivó a Laurie, incluso sin mencionar la posible relación con la Virgen María.

—No tenía ni idea de que conocieras al arzobispo de Nueva York —dijo Laurie, muy sorprendida.

—Forma parte de la antigua vida que he intentado olvidar —explicó Jack—. De hecho, me sorprendió que Shawn no hablara de él cuando cenamos con él y su mujer.

—Me intriga —dijo Laurie—. Pero da igual. Lo considero asombroso, como toda la historia del osario y los manuscritos. Ardo en deseos de saber más.

—Yo pensé lo mismo. Como distracción, no habría podido pedir una mejor. Si creyera en un Dios misericordioso, pensaría que ha sido un regalo del cielo.

Jack sonrió para sí, al darse cuenta de la verdad de sus palabras.

—Te pido perdón por haber pensado que tenías una amante —murmuró Laurie—. No soy la misma de antes.

—No hace falta que te disculpes —contestó Jack—. Ninguno de los dos somos como antes, sobre todo yo.

—Claro que puedes ir a cenar esta noche —dijo Laurie—, con mi bendición.

—Gracias —dijo Jack—, pero eso me hace sentir todavía más culpable. ¿Lo entiendes?

—Sí.

—Y comprenderás que me gustaría que me acompañaras —añadió Jack, mientras reprimía el pensamiento de arrepentirse de haber tenido un hijo, sobre todo porque había sido necesaria la fertilización *in vitro*.

—Pues claro que lo comprendo, y en circunstancias diferentes me encantaría ir, aunque solo fuera para conocer al arzobispo.

—Conocerás al arzobispo —dijo Jack—. Sobre todo porque especificó que tenía muchas ganas de conocerte.

»Bien, ahora que está solucionado el problema de la cena, hay otra cosa que quiero pedirte. Hace un día precioso, y como J.J. está dormido, ¿por qué no sales a tomar un poco el aire?

Una amplia sonrisa iluminó el rostro de Laurie.

—Agradezco tu preocupación, pero estoy bien.

—Venga ya. Hace días que no sales. El sol está reluciente y las temperaturas han subido bastante.

—¿Adónde voy a ir? —preguntó Laurie con un encogimiento de hombros.

—Eso da igual —la animó Jack—. Ve a pasear al parque, a comprar regalos de Navidad, a ver a tu madre. Disfruta de un poco de libertad.

—J.J. sabrá que me he ido en cuanto salga por la puerta. Me moriré de preocupación.

—No confías mucho en mí.

—¿Como pediatra? Pues no. Escucha, me siento afortunada por poder estar en casa todo el día con J.J. Sería mucho más duro si tuviera que volver a trabajar y confiar sus cuidados a otra persona. Piénsalo desde ese punto de vista. Tú estás posibilitando que yo haga lo que más deseo, que no es quedarme encerrada.

—¿Lo dices en serio?

—Sí. No es fácil en estos momentos, pero podremos reiniciar el tratamiento pronto. Y cuantos más esfuerzos hago, más confianza tengo en el resultado final.

—De acuerdo —repuso Jack.

Ojalá pudiera compartir su optimismo. Le dio un apretón en el brazo, se puso en pie y caminó hacia la ventana. Warren y los demás estaban jugando su primer partido, corriendo de un lado a otro de la cancha de baloncesto.

—Creo que iré a jugar a baloncesto un rato —dijo Jack.

—Buena idea, siempre que no te lesiones —bromeó Laurie—. No me gustaría tener otro paciente en casa.

—Procuraré no olvidarlo —dijo Jack antes de subir a cambiarse.

# 23

*18.30 h, sábado, 6 de diciembre de 2008,*
*Nueva York*

James pidió al padre Maloney que sacara del garaje su querido
Range Rover y lo aparcara un momento en el lado de la calle
Cincuenta y uno de la residencia. Era un modelo de 1995, y no
podía decirse que fuera un coche nuevo, pero para James representaba la libertad. Durante los meses de otoño e invierno, utilizaba el coche para ir a Morris County, New Jersey, a un pequeño lago llamado Green Pond, con el fin de pasar solitarios fines
de semana en su casa. Era un refugio celestial del vértigo sema-
nal de sus interminables responsabilidades oficiales.

James subió al asiento del conductor y se dirigió hacia el oeste, para luego desviarse hacia el sur en paralelo al río Hudson,
por la autopista del West Side.

El recorrido era pintoresco, lo cual le permitió relajarse y
pensar en la inminente velada, con la esperanza de que no fuera
tan horrible como había temido al principio, sobre todo porque
Jack estaría presente. Su mente también derivó hacia el principal
problema: cómo convencer a Shawn de que no publicara nada
sobre la posibilidad de que los huesos del osario pertenecieran a
la Virgen María. Se estremeció de nuevo al pensar en las consecuencias si no tenía éxito. Con la Iglesia todavía tambaleante de-

bido a la pérdida de autoridad del clero causada por la crisis de los sacerdotes pederastas, la noticia sería devastadora para la Iglesia. Para él sería aplastante, pues creía que la Santa Sede se vería obligada a sacrificarlo como chivo expiatorio, gracias a las maquinaciones de Shawn. Con una profunda sensación de tristeza, James recordó cómo había llegado a ocupar su actual cargo y sus esperanzas de ascender.

James suspiró al recordar con nostalgia los giros y vueltas de su carrera, y su posible final ahora a manos de un amigo. Se le antojaba la traición definitiva, un pensamiento que le inspiró de repente una idea. Se dio cuenta de que sería el ángulo personal el que tal vez pudiera influir en la decisión de Shawn de publicar. James conocía muy bien la actitud negativa de este hacia la religión organizada, de modo que cualquier súplica en ese sentido caería en oídos sordos. Shawn no hacía gala de una moral extrema, pero era un amigo entregado. Con una leve dosis de optimismo, James decidió que el enfoque que iba a emplear con Shawn tendería a subrayar que sus actos iban a perjudicarlo, y restaría importancia al daño que podría hacer a la Iglesia y a los fieles.

James salió de la autopista al West Village y se dirigió a Morton Street, donde aparcó en el primer hueco que encontró. Como aparcar no era lo suyo, tardó diez minutos en meter el Range Rover, y aun así acabó a unos sesenta centímetros del bordillo, cosa que para él significaba haber aparcado bien.

Cinco minutos después, James se desviaba por el pasaje que conducía a la casa de madera de los Daughtry y se detenía. Ya había estado antes, pero había olvidado lo encantadora que era. Ningún elemento de sus cuatro plantas era cuadrado o vertical. Todos los marcos de las ventanas, y hasta el marco de la puerta principal, estaban algo inclinados a la derecha, como sugiriendo que, si la puerta se cerraba de golpe sin querer, todo el edificio se derrumbaría a la derecha contra su vecina de ladrillo y de aspecto más sólido. El revestimiento exterior de chilla estaba pintado de un gris claro, mientras que el reborde era de un amarillo pálido. El tejado, aunque solo se veían las esquinas de los dormitorios de la cuarta planta, era de tejas grises. La puerta principal, con varias ventanitas de vidrio de color verde oscuro, era casi del mismo color que el Range Rover de James. En mitad de la puerta había una aldaba de latón en forma de mano humana que sostenía una bola. A la izquierda de la puerta había un letrero que rezaba CASA DEL CAPITÁN HORATIO FROBER, 1784.

James sonrió para sus adentros. Era el tipo de residencia excéntrica tan querida por Shawn. No cabía duda de que a su amigo le gustaba destacar entre el resto del mundo, un pensamiento que inspiró a James otra idea. Tal vez podría conseguir que Shawn recibiera una especie de recompensa especial si prometía no publicar nada sobre las reliquias de la Virgen María, algo así como ser nombrado Caballero de la Orden de Malta.

Con la consoladora sensación de haber trazado un plan, aunque de dudosa eficacia, James utilizó la aldaba para anunciarse con unos fuertes golpes contra su base de latón. Después de hacerlo se encogió, al recordar que la casa estaba escorada de forma precaria a la derecha.

Al cabo de unos segundos, un eufórico Shawn abrió la puerta, con un whisky con hielo en una mano y una sonrisa deslumbrante en la cara.

—¡El invitado de honor ha llegado! —gritó en dirección al interior de la casa, de la que emanaba un delicioso aroma a carne asada. Un concierto de piano de Beethoven sonaba como música de fondo. Sana y Jack se materializaron del fondo humeante iluminado por velas a cada lado de Shawn. Hubo un murmullo de voces, abrazos y palmaditas en la espalda, mientras conducían a James a la sala de estar. Un pequeño fuego chisporroteaba en la chimenea de piedra, detrás de una pantalla de tamaño apropiado.

—Caramba —dijo James, al tiempo que apoyaba la mano sobre su pecho como si se sintiera abrumado—. Había olvidado lo acogedora que era esta casa. Mi mayor cumplido es que supera a mi refugio junto al lago de Jersey.

—¡Bien, siéntate y disfruta en el día de tu cumpleaños! —dijo

Shawn, mientras guiaba a James por el codo hacia una butaca con escabel situada al lado del fuego. La luz de la chimenea y de las velas consiguió que sus mejillas siempre coloradas parecieran casi amoratadas—. ¿Qué prefieres? Tenemos un estupendo Pétrus añejo que ha estado respirando durante varias horas, o tu favorito de siempre, whisky de malta.

—¡Caramba! —repitió James, sorprendido. Tal extravagancia provocó que se preocupara de inmediato por un posible descubrimiento relacionado con el osario—. ¡Pétrus! ¡Menuda celebración!

—¡Ya puedes apostar tu vida por ello! —confirmó Shawn—. ¿Qué te apetece?

—El Pétrus es un placer poco frecuente, y como no podré llevarme los restos de la cena, me encantaría tomar una copa.

—Ningún problema, viejo amigo —dijo Shawn, al tiempo que seguía a Sana hacia la cocina.

Calmado de repente después del maremoto de la bienvenida, James intercambió una mirada con Jack.

—Gracias por venir —dijo James en voz baja—. Aunque debo estar aquí para lanzar mi campaña, no estoy seguro de que me hubiera atrevido sin encontrarte tú presente.

—Estoy muy contento de haber venido —contestó Jack también en voz baja, aunque con la música que estaba sonando existían escasas posibilidades de que los oyeran desde la cocina—. Pero me siento en la obligación de advertirte que Shawn parece emperrado en publicar esta historia de la Virgen María. He intentado ayudarte tal como me pediste, pero cada vez me siento menos optimista de que rechace publicarlo, y por una razón bastante aterradora. Bien, dos razones aterradoras, una más que la otra.

—¿Cuáles son? —preguntó James, con un nudo en el estómago.

—Creo que está empezando a creer que existe un componente religioso implicado. Ha aludido varias veces a la posibilidad de que haya sido elegido por los poderes superiores para entregar al mundo lo que él considera la información más importante de la historia.

Los ojos de James se abrieron de par en par.

—¿Estás diciendo que empieza a creer que está actuando como una especie de mensajero del Señor? —James expulsó el aire a través de los labios entreabiertos. Para él, tal idea lindaba con la blasfemia, cuando no con la enfermedad mental. Lo había visto otras veces en ciertos fanáticos, pero nunca había considerado a Shawn un fanático. En cualquier caso, James no lo consideraba una señal positiva, ni siquiera saludable—. ¿Cuál es la otra razón?

—La que ya hemos mencionado antes, que considera todo este asunto su contribución definitiva a la arqueología, y cree firmemente que le granjeará la fama. Ese siempre ha sido su objetivo número uno, y hasta ahora se había resignado al hecho de que, como arqueólogo, había nacido cien años demasiado tarde para alcanzar dicha posición.

—Néctar de los dioses —anunció Shawn en voz alta, al tiempo que salía de la cocina con una copa de cristal casi llena de un clarete rojo rubí—. Su Eminencia —dijo con una reverencia, y entregó a James el vino.

—Qué galante —comentó James mientras cogía la copa. Después de levantarla en un brindis dedicado a sus dos amigos, dio vueltas a la copa, olió el aroma intenso del vino y lo probó—. Un verdadero néctar de los dioses —admitió.

En aquel momento, los tres hombres tomaron asiento en las puntas de un triángulo equilátero, con James y Shawn en lados opuestos de la chimenea, y Jack en el sofá, enfrente.

—¿Sana se reunirá con nosotros? —preguntó James.

—Creo que lo hará después de dar los últimos toques a la cena. O quizá lanzará un grito cuando todo esté preparado.

—James —dijo Jack—, me alegra verte de paisano. Me gustas más con tejanos, camisa y jersey, que con esos ropajes de príncipe del Renacimiento. Son demasiado amedrentadores.

—¡Toma ya! —espetó Shawn en señal de aprobación, mientras movía la copa como si hiciera un brindis.

—Si de mí dependiera, así me vestiría casi todos los días —respondió James, al tiempo que se reclinaba en su butaca y apoyaba los pies en el escabel, fingiendo que estaba relajado—. Informadme sobre el contenido del osario.

—Todo está saliendo a pedir de boca —dijo Shawn, mientras paseaba la vista entre sus invitados—. Aún no te lo he dicho, Jack, pero he conseguido desenrollar con grandes dificultades dos páginas del primer manuscrito del Evangelio de Simón, y es fantástico. Por desgracia, a este paso tardaré más de un mes en desentrañar los tres.

—¿En qué sentido es fantástico? —preguntó James, mientras examinaba sus cutículas como si no estuviera interesado en lo más mínimo.

Shawn se inclinó hacia delante, y la luz del fuego se reflejó en sus ojos.

—Es como ser transportado místicamente al siglo primero y convertirse en testigo de las dificultades de la Iglesia primitiva.

—Podrías hacerlo con mucha más eficacia si leyeras *La Iglesia cristiana*, de Henry Chadwick, y con bastante más seguridad en la precisión del material.

—Ni por asomo —replicó Shawn—. Me lo ha contado un hombre que vivió entonces y se consideraba implicado íntimamente.

—¿Cómo? ¿Intentando comprar los poderes que el Espíritu Santo había conferido a Pedro? —bromeó James.

—James, ya conozco tu opinión sobre el osario y su contenido —le reprendió Shawn con dulzura—, pero creo que deberías seguir escuchándome. No vas a conseguir que cambie de opinión burlándote de lo que hemos descubierto hasta el momento sin detenerte a escucharlo.

—Creo que mi papel consiste en conseguir que plantes los pies en el suelo —replicó James—. Yo diría que eres tú el que está decidido a sacar conclusiones precipitadas.

—Es posible que necesite una revisión de la realidad en algún momento, pero no antes de que comprendas lo que ya hemos averiguado y lo que averiguaremos gracias a los manuscritos y los huesos.

—Tienes razón —admitió James—. Escuchemos lo que, en teoría, has averiguado hasta el momento.

—El evangelio empieza con lo que yo llamaría un puntazo —dijo Shawn—. Simón se describe como Simón de Samaria, con el fin de que el lector lo distinga de otra figura relativamente contemporánea, Jesús de Nazaret.

Pese a que momentos antes se había resignado a ser educado mientras Shawn hablara, James estalló en carcajadas.

—¿Quieres decirme que Simón, en cierto sentido, en su evangelio, se pone al mismo nivel o más arriba que Jesús de Nazaret?

—En efecto —dijo Shawn—. Simón, con evidente respeto, concede a Jesús de Nazaret todo el mérito de ser el logos, la palabra, y de ser aquel que ha redimido el pecado, sobre todo el pecado original, pero también dice que él es la gnosis, el conocimiento, el gran poder, que ha venido para aportar el conocimiento de la verdad de una forma que desbanca a Jesús, del mismo modo que creía que Jesús había desbancado al Templo y las leyes de Moisés.

—¿Simón escribe que es divino? —preguntó James, con una sonrisa irónica y burlona de incredulidad en la cara.

—No en el mismo sentido que Jesús de Nazaret —continuó Shawn—. Tendré que dejarte echar un largo vistazo al texto, para que lo veas con tus propios ojos, cuando esté desenrollado por completo y protegido debajo de un cristal. Simón creía, como los demás gnósticos, que poseía una chispa divina, porque había sido bendecido con la gnosis, o conocimiento especial.

—Eso es el gnosticismo de los primeros cristianos —dijo James para informar a Jack.

—Por supuesto —afirmó Shawn, sonriente—. Por lo visto, Simón fue quizá el primer cristiano gnóstico, por eso Basílides estaba tan ansioso por interrogar a Saturnino acerca de su amo. Simón sigue diciendo que el violento dios judío que creó el mundo no era el mismo dios que el Padre de Jesús de Nazaret, quien es el verdadero Dios, el Dios perfecto que no tiene nada que ver con el mundo físico, imperfecto y peligroso.

—Por lo tanto, Simón era un platonista primitivo que renunciaba a sus raíces judías.

—Exacto —confirmó Shawn, sin dejar de sonreír—. Simón era más Pablo que Pedro. Algunos creen que tenía más en común con Pedro durante los primeros años de su vida, por lo que sabemos, porque creció en Samaria, mientras que Pedro lo hizo en la vecina Galilea. En cualquier caso, me parece todo fascinante, y solo he desenrollado dos páginas. Lo que me parece más fascinante es la idea de Simón de sumarse a la misión de Jesús de Nazaret, concediendo a Jesús el mérito de la redención de los pecados, mientras él, Simón, se dedicaba al tema del conocimiento. Lo que me pregunto es si Simón, en su evangelio, cuando lo haya desenrollado y traducido por completo, consigue redimirse de haber sido el chivo expiatorio conveniente durante milenios.

—Lo dudo con toda sinceridad —dijo James. Lo último que deseaba en aquel momento era que Simón el Mago se redimiera—. Su perfidia es canónica e inmutable, sobre todo por obra de algo que haya escrito él.

—Todo el mundo a cenar —anunció Sana, que salió de la cocina mientras bebía una copa de vino.

Los hombres se pusieron en pie, y mientras Shawn tiraba un par de troncos al fuego, James y Jack siguieron a Sana hasta la parte posterior de la casa, donde había una mesa dispuesta en una estructura anexa similar a un invernadero.

—Este desastre del osario va de mal en peor —murmuró James a Jack cuando estuvieron sentados, y tras asegurarse de que ni Shawn ni Sana podían oírlos.

Jack asintió, pero desde su punto de vista era justo lo contrario, aunque no se lo dijo a James, que estaba más nervioso ahora que cuando había llegado.

Pocos minutos después estaban todos sentados, y Shawn pidió a James que bendijera la mesa, a lo cual accedió complacido.

El ambiente era agradable, y tanto Jack como James comentaron que nadie habría podido decir que se encontraban en pleno West Village de Nueva York, tal era el silencio que reinaba. No se oía ni una sola sirena a lo lejos. Shawn había encendido un grupo de luces que iluminaban su encantador y sereno jardín japonés, bordeado por una tosca valla de cedro. La enormidad de Nueva York ni siquiera se insinuaba.

—¡Un brindis por nuestra anfitriona! —dijo Jack, al tiempo que levantaba la copa y cabeceaba en dirección a Sana, sentada en el extremo derecho de la mesa. Shawn ocupaba el extremo izquierdo, y James estaba enfrente. Delante de cada persona había un plato de carne asada con una salsa de color naranja y olor acre, cuscús con láminas de almendra y una alcachofa en salsa vinagreta.

—Vamos a comer lomo de cordero aderezado con especias indias —anunció Sana—. Por desgracia, el cordero ha estado marinando algo menos de dos horas, mientras que el tiempo mínimo debe ser de dos horas, pero he hecho lo que he podido después de introducir mis muestras en la incubadora para que se secaran durante la noche.

—Imagino que intentas obtener ADN de los huesos del osario —dijo James. Con la idea de que los huesos pudieran ser de la Virgen María, por mínima que fuera la posibilidad, la idea de aislar ADN inquietaba a James, sin saber bien por qué. Imaginaba que era un asunto privado de alguien a quien tenía en gran estima.

—Exacto —respondió Sana—. Pero lo hemos intentado a partir de un diente, no de un hueso.

—¿El proceso es largo? —preguntó James.

—Si tenemos suerte, no —contestó Sana—. Deberíamos tardar unos días, aunque podría prolongarse una semana. Prefiero ser cautelosa antes que precipitarme. Hay muchas posibilidades de que el ADN se contamine, cosa que intento evitar.

—¿Qué os dijo el antropólogo de los huesos? —inquirió James—. ¿Son humanos? ¿Son de mujer? ¿Hay más de una persona?

—Sí, sí y no —respondió Shawn—. Son humanos sin la menor duda, incuestionablemente de mujer, y solo hay un individuo.

—Y da la impresión de que este individuo dio a luz varias veces —añadió Jack—. De hecho, hasta más de cinco, y tal vez tuvo una docena de hijos.

James sintió que el pulso martilleaba en sus sienes y pensó que hacía demasiado calor, de modo que estuvo a punto de quitarse el jersey. Tomó un sorbo de vino para calmar su garganta repentinamente seca.

—¿Y la edad del individuo? —preguntó.

—Es difícil concretarlo, pero el antropólogo calculó más de cincuenta años, probablemente más de ochenta y dos.

—Entiendo —dijo James. Efectuó un veloz cálculo mental y se dio cuenta con otro sobresalto de que tal edad habría sido muy apropiada para la Virgen María, teniendo en cuenta que Jesús había nacido alrededor del año 4 a. C. y ella había muerto en 62 d. C. Habría contado unos ochenta y pico años.

James se dio cuenta de que su angustia se intensificaba. Aunque sabía que todo cuanto estaba oyendo era circunstancial, temía que tales pruebas contribuyeran a reforzar la opinión de Shawn, de forma que dificultaría mucho más su propio cometido. También le sugería que no podía esperar más. Tenía que defender su postura. De lo contrario, tendría que recurrir al plan B. El gran problema del plan B era que dicho plan B no existía, por supuesto.

Con un temblor en la mano que intentó disimular, James tomó un buen sorbo de vino, lo saboreó y comprobó que era celestial. Bebió poco a poco, gota a gota. Después, se sentó más tieso en la silla y empezó dando las gracias a la anfitriona.

—No recuerdo la última vez que cené mejor —dijo James a Sana—. La carne contiene los aromas y condimentos más exquisitos, y está preparada a la perfección. Brindo por usted, jovencita. —James levantó la copa, y Shawn y Jack lo imitaron. Después, se volvió hacia Shawn y volvió a levantar la copa—.

Complemento perfecto de la cena ha sido este vino soberbio, que rezo para que no haya exigido hipotecar la casa.

Shawn osciló hacia delante y rió.

—Ha valido la pena hasta el último céntimo para celebrar tu cumpleaños, que cuando íbamos a la universidad siempre parecía llegar en el momento más oportuno como excusa para ir de parranda en lugar de estudiar, y en homenaje a nuestro osario favorito y la promesa que conlleva. ¡Salud!

Todo el mundo tomó un sorbo de aquel vino extraordinario.

—Pero ahora debo desviar la conversación hacia un tema más serio —dijo James, mirando sin pestañear a Shawn—. Me doy cuenta de que te sientes emocionado por el presunto contenido del osario, pero temo que debo rebajar tu entusiasmo en grado significativo, pues a la larga te darás cuenta, como ya te dije en la residencia, de que todo este asunto es una elaborada falsificación, impulsada al parecer por este misterioso Saturnino. Después de dedicar a este asunto considerable meditación y oraciones, cada vez estoy más seguro de que tal es el caso. No tengo ni idea de por qué este individuo hizo lo que hizo, pero tampoco quiero saberlo, porque es obra de Satanás. Tal vez albergaba algún resentimiento personal contra la Iglesia primitiva, lo más probable contra la justa condena de la Iglesia de la herejía gnóstica, que según tengo entendido esta carta apoya. Al mismo tiempo, quizá presintió el futuro papel de María como símbolo más importante de la espiritualidad y fe católicas, y el hecho de que un enorme número de católicos actuales consideren que rezarle constituye una ayuda extraordinaria a la hora de buscar la santidad personal. Los papas siempre han destacado la estrecha relación entre María y el reconocimiento absoluto de Jesús de Nazaret como Hijo de Dios. La Iglesia es el pueblo de Dios, y ella es el Cuerpo de Cristo. Para las mujeres, en general, es la gran redentora de los pecados de Eva. Aunque Eva dio la espalda a Dios, María aceptó Sus deseos sin vacilar, dio a luz a Su hijo en virginidad perpetua.

—¡¿Cómo es posible que tildes de fraude este asunto en una

fase tan temprana de la investigación?! —gritó Shawn, después de dar un puñetazo sobre la mesa que hizo saltar platos y cubiertos.

—Por la fe, hijo mío —respondió James con tono autoritario, al tiempo que levantaba una mano como un policía que detuviera el tráfico—. Por el Espíritu Santo, que actúa en el conjunto de la Iglesia como *sensus fidelium* y en la jerarquía, sobre todo el Papa, por mediación del sagrado magisterio.

Shawn alzó las manos sobre la cabeza y miró a Jack mientras ponía los ojos en blanco.

—¿Puedes creer lo que dice este tipo? Ahora intenta utilizar latinajos para confundirme e impresionarme como forma de abrir una discusión. Hemos vuelto a la universidad otra vez. ¿Y sabes adónde quiere ir a parar con esto? A la discusión sobre la infalibilidad, la misma que sostuvimos en la universidad. ¡Algunas cosas nunca cambian!

Shawn volvió a centrar su atención en James, quien seguía con la mano levantada como un guardia de tráfico.

—¿Tengo razón, gordinflón? ¿No se trata de volver a nuestra vieja discusión sobre la infalibilidad del Papa cuando habla ex cáthedra, lo cual significa que, debido a su cargo oficial de obispo de Roma y jefe de la Iglesia, es infalible en temas de fe o moral? ¿No es ahí adonde quieres que vaya a parar esta discusión?

—Déjame terminar mi razonamiento principal antes de irnos por las ramas —dijo James, mientras conservaba la calma con un gran esfuerzo debido a la impertinencia de Shawn—. La cuestión es esta: cualquier publicación sobre el contenido del osario y la Virgen María, Madre de la Iglesia, Madre de Dios, según el patriarca Cirilo de Alejandría y fundador de la mariología, y Mediatrix Extraordinaire, según Bernardo de Claraval, infligirá un daño irreparable a la Iglesia en esta lamentable era de escasa autoridad clerical, provocada por la crisis de los abusos sexuales a menores. Cientos de miles de personas vacilarán en su fe de manera irrazonable. El problema del celibato, que ya está siendo desafiado, se excerbará más todavía. El número de sacerdotes descenderá por debajo del punto crítico. Tengo diez parroquias bajo mi autoridad en la archidiócesis de Nueva York sin pastor. ¡En este momento, no cuento con suficientes sacerdotes!

—Ese no es mi problema —replicó Shawn—. Es culpa de la Iglesia. Debe salir de la Edad Media y dejar de verse acorralada por depender de ese problema de la infalibilidad, en lugar de afrontar los hechos. Es el caso de Galileo redivivo.

—Ese asunto no giraba en torno a la infalibilidad papal.

—Bien, no me engañes. Galileo fue juzgado por herejía porque su telescopio demostró que la teoría heliocéntrica de Copérnico era correcta, mientras el dogma de la Iglesia decía que la Tierra estaba en el centro.

—Era un problema de magisterio sagrado y *sensus fidelium*, pero no de infalibilidad papal —se emperró James.

—Como quieras —replicó Shawn—. Fue un desprecio imperdonable a la verdad y los hechos.

—Esa es tu opinión.

—¡Pues claro que es mi opinión!

—Episodios como el asunto de Galileo deben ser contemplados en el contexto de la época en que ocurrieron.

—No creo que la verdad y los hechos dependan de la época —interrumpió Shawn. Cada vez arrastraba más las palabras debido al whisky y al vino, pues ya había empezado a beber antes de que James y Jack llegaran—. Aparte de James, ¿hay alguien más aquí que crea algo semejante?

Shawn miró a Sana y a Jack, mientras oscilaba levemente, pero ninguno de los dos respondió. Ninguno quería tomar partido en una discusión que todavía no había terminado, porque si participaban quizá acabarían heridos los sentimientos de alguien.

—¿Quieres hacer el favor de dejarme terminar? —pidió James a Shawn.

Este extendió las manos con gran ampulosidad, y concedió a James rienda suelta para decir lo que le apeteciera.

—Publicar un artículo afirmando que los huesos del osario son de la Virgen María, cosa que contradiría la *Munificentissimus Deus*, la declaración infalible del papa Pío XII con relación a la Ascensión de María, no solo tendría un efecto devastador sobre la Iglesia, porque minaría tanto la reputación de la Virgen como la autoridad clerical, sino que creo que obraría un efecto idéntico en mi carrera. Cuando el asunto sea investigado, como sin duda lo será, pronto saldrá a la luz que mi intercesión ante la Comisión Pontificia para la Arqueología Sagrada te facilitó a ti, Shawn, acceso a la necrópolis, lo cual te permitió robar el osario, cosa que has hecho.

—Prefiero pensar que lo tomé prestado —dijo Shawn con una sonrisa sarcástica.

—En el caso de alguien aficionado a codearse con la verdad y los hechos, «robar» es una expresión mucho más acertada que «tomar prestado». Dentro de nada, la verdad y los hechos del asunto se concretarán en que el arzobispo de Nueva York posibilitó que el ladrón se llevara el osario sin el conocimiento de la Comisión Pontificia para la Arqueología Sagrada, ni de sus arqueólogos, y después coronó el robo sacando ilegalmente el objeto del Vaticano y de Italia, para luego transportarlo a Nueva York, donde fue violado sin conocimiento de su legítimo dueño. Cuando tal complicidad salga a la luz, le concedo una semana al Santo Padre para que me convoque a Roma y luego me traslade a algún monasterio, tal vez en las selvas de Perú o en los desiertos de Mongolia Exterior.

Una vez terminó James, el grupo guardó silencio, de modo que solo se oyó el ruido del gato de Shawn rascando en su lecho de arena higiénica. Nadie habló. Ni siquiera se intercambiaron miradas. Una incómoda sensación de traición pendía en el aire como un miasma.

De repente, Sana empujó hacia atrás su silla y se levantó.

—Idos a la sala de estar, donde os serviré el postre. Shawn, tú ocúpate del coñac.

Sana llevó su plato y el de James a la cocina, mientras los

hombres se levantaban. De todos modos, ninguno habló. Todos llevaron sus platos y cubiertos a la cocina.

—Será más fácil si os vais a la sala de estar, como yo he sugerido —insistió Sana, mientras los hombres se liberaban de su carga. Intentaron en vano depositarla en el fregadero, y solo consiguieron tropezar entre ellos.

—¿Quién quiere coñac, y quién sigue con vino? —preguntó risueño Shawn. Asió la segunda botella casi llena de Pétrus y se encaminó hacia la sala de estar haciendo eses—. Si queréis vino, traed vuestra copa —añadió, mientras se apoderaba de la suya.

En la sala de estar, volvieron a ocupar sus asientos anteriores. Antes de acomodarse, Shawn dejó la botella de vino y la copa sobre la mesita auxiliar, y después añadió varios troncos más a las brasas relucientes, ya casi apagadas. Después, sirvió a James el coñac que había pedido, llenó la copa de Jack y, finalmente, la de él.

—Qué placer —dijo Shawn, después de sentarse por fin.

Clavó la vista en el fuego chisporroteante. Estaba satisfecho, aunque sabía que le tocaba mover ficha y contestar a los comentarios de James. Gracias a que Jack le había avisado anoche en su despacho, Shawn había reflexionado sobre el problema y decidido que el asunto del osario era demasiado importante para posponerlo, aunque existiera la remota posibilidad de que la Iglesia fuera lo bastante estúpida como para dispararse en el pie, castigando a uno de sus miembros mejores y más brillantes por algo que no era culpa de él. Shawn había decidido no permitir que James le persuadiera con sus súplicas.

—James —dijo Shawn, al tiempo que tomaba un pequeño sorbo de vino—, ¿de veras crees que el Papa te castigaría por algo que de lo que no eres culpable? Yo asumo toda la responsabilidad de lo que he hecho y de lo que haré.

—Creo que existe una clara posibilidad de que me castiguen.

—Ah —suspiró Shawn, satisfecho de oír que el supuesto castigo de Shawn había pasado en cinco minutos de ser un hecho incontrovertible a una posibilidad, un veloz cambio de probabilidades—. Creo que la Iglesia toma extrañas decisiones, como no permitir el uso del condón en el África subsahariana para impedir muertes masivas y sufrimientos a causa del sida, pero no creo que sea tan estúpida como para dar por terminada tu carrera debido a mis transgresiones.

—Creo que conozco el funcionamiento interno de la Iglesia mejor que tú.

—Es posible, pero esa es mi opinión. Lo más significativo es que no vas convencerme con súplicas de que abandone un proyecto que considero de una importancia capital. Desde mi punto de vista, presentar un desafío a la infalibilidad papal es algo positivo, no negativo, sobre todo porque su infalibilidad invade la parcela de la moralidad. Dejando aparte la intervención mística del Espíritu Santo, se me antoja demencial permitir que un célibe declarado dicte la moral en relación con el sexo y el matrimonio, y encima se declare infalible. Es contrario a la intuición y el conocimiento humanos, y además, si piensas en el *sensus fidelium*, que tú has sacado a colación, la Iglesia, por mediación del Papa, y los laicos católicos se han enfrentado a cuenta del sexo durante años, incuso durante varias generaciones.

—Supongo que tú serías un mejor árbitro de costumbres sexuales —comentó James con desdén. Sabía que su viejo amigo estaba ebrio.

—Sería más popular que los árbitros actuales —dijo Shawn—. ¿Por qué la Iglesia católica, sobre todo la Iglesia católica norteamericana, está tan obsesionada con el sexo?

—Desde los tiempos primitivos, la Iglesia cristiana siempre ha considerado que el matrimonio y el sexo impiden una verdadera unión con Jesucristo, por eso se exige el celibato a los sacerdotes. El sacrificio me ha acercado mucho más a Dios, sin la menor duda.

—Me alegro de que opines así, pero no me sorprende porque estás loco. Al fin y al cabo, tenías a Virginia Sorenson en el bolsillo y la dejaste escapar. ¿Te la follaste o no?

—Era muy atractiva —intervino Jack, también consciente del estado de ebriedad de Shawn—. Y una persona inteligente y encantadora, además.

—Nunca has confesado todo acerca de Virginia —continuó Shawn, arrastrando cada vez más las palabras—. ¿Te la cepillaste el fin de semana que volvió a casa, James? Aquí tienes la oportunidad de informar por fin a tus amigos. Al fin y al cabo, te dimos ánimos y desaparecimos para que gozaras de espacio y privacidad.

—Rehúso a dejarme arrastrar a una conversación que pueda ser irrespetuosa con Virginia —dijo James con determinación—. Volvamos a nuestra discusión. ¿Cómo es posible que hayamos empezado hablando de la infalibilidad papal y nos hayamos quedado empantanados en el sexo?

—Porque están relacionados —contestó Shawn, al tiempo que miraba a Jack, cuyo silencio se le antojaba extraño.

—¿Cómo pueden estar relacionados? —preguntó James—. En los tiempos modernos, el poder de la infalibilidad papal ha sido utilizado solo en dos ocasiones, y ninguna giraba en torno a la moral o el sexo. De hecho, por una ironía, las dos veces que ha sido utilizado, primero en 1854 y después en 1950, ha girado en torno a dogmas relacionados con la Virgen María. En 1854, el papa Pío IX proclamó el dogma ex cáthedra de la Inmaculada Concepción, el cual, al contrario de lo que mucha gente cree, no gira en torno a la concepción de Jesucristo, hijo de María, sino de la propia María, que, al igual que su hijo, estaba libre del pecado original. Por supuesto, la segunda vez fue la *Munificentissimus Deus* de Pío XII, como ya he mencionado, relativa a la ascensión de María en cuerpo y alma a los cielos. ¿Dónde demonios ves el sexo?

—No son esos dos episodios de infalibilidad los que han causado el actual problema. A lo largo de los siglos, la mayoría de los papas han afirmado que el sexo es malo. Supongo que el papa Gregorio Magno fue el peor, pues dijo que todo deseo sexual era pecaminoso en sí y per se. Ahora, debido a la declaración moderna de infalibilidad papal, estas viejas creencias han recibido nueva legitimidad, al menos desde la perspectiva del Papa. Un papa moderno no puede invalidar a un papa anterior sin minar su legitimidad. Y en la parcela de las actitudes hacia el sexo, se trata de un problema concreto, porque una buena parte de los seglares albergan una visión mucho más moderna del sexo, no como pecado, sino como prueba de la divinidad. El sacramento del matrimonio, siempre que exista una unión sexual amorosa, es ahora más sagrado a los ojos de mucha gente. Y lejos de ser malo, es tanto una afirmación como un don de Dios. Creo que la Iglesia debe abjurar de su antigua reacción beata contra el sexo como pecado, y afirmar en su lugar que el placer es divino y que la sensualidad compartida es algo deseable. Es lógico. ¿Por qué un Dios todopoderoso crearía el placer del sexo, para después insistir en que sus hijos no lo utilizaran?

—Creo que estás justificando una teología muy interesada.

—Es posible —admitió Shawn—, pero te diré una cosa: como individuo, para mí es más lógica que la postura de la Iglesia, y sería mejor que la Iglesia reconociera que la mayoría de sus ovejas están de acuerdo conmigo.

—Temo que no puedo aceptar esa conclusión.

—Allá tú, y tu Iglesia. Un buen ejemplo es el problema del celibato. Al convertir el celibato en una decisión individual antes que de la Iglesia, resolveríais el problema de la pederastia y de la escasez de sacerdotes. Convertidlo en una decisión personal, para que puedan coexistir curas locos como tú y curas normales, que se encontrarán en mucha mejor situación para informar a su rebaño sobre el matrimonio y la paternidad, los temas centrales de la vida de casi todo el mundo.

—¡Shawn! —exclamó James—. Estás borracho, o casi, de modo que no pienso ofenderme, me llames lo que sea y digas lo que digas. Pero deja que te hable con claridad: si publicas algo acerca de que los huesos de la Virgen María se encuentran en el osario que has robado del Vaticano, no solo me harás daño a mí, tu amigo, sino a cientos de miles de personas, sobre todo pobres, como las del interior de Sudamérica, cuya posesión más querida es la fe, centrada a menudo en la Virgen María, a quien toman como modelo absoluto de fe y espiritualidad. No hagas esto, Shawn, sobre todo porque se basa en objetivos personales vanos.

—¡Objetivos vanos! —gritó Shawn—. ¿Crees que eres el único que tiene una misión? Bien, que te den por el culo. Este osario cayó en mis manos como por arte de magia. ¿Y si el propio Señor ha intervenido, sabiendo que alguien como yo se daría cuenta al instante del poder de su verdad, y podría utilizarlo de forma constructiva?

—Tú no sabes lo que es la verdad —replicó James—. ¡Esa no es la cuestión!

—Por eso estoy investigando —dijo Shawn—. Cuando termine con los manuscritos...

—¿En qué idioma están escritos?

—En arameo —soltó Shawn.

El corazón le dio un vuelco a James. Había confiado en que los rollos de Simón estuvieran en un idioma inapropiado, porque eso le ayudaría a desacreditarlos, pero el arameo tenía que ser la lengua materna de Simón.

—Cuando termine con los manuscritos y Sana termine con su trabajo...

—¿Cómo va a ayudarte el trabajo de Sana a afirmar o negar la autenticidad de los huesos? —interrumpió James, irritado.

—No tengo ni idea —dijo Shawn—. No entiendo muy bien lo que hace, pero es indicativo de nuestro deseo de estudiar el contenido del osario hasta el límite de nuestras posibilidades.

—¿A pesar de las personas a las que podáis perjudicar de paso?

—Yo lo veo más bien en términos de a quién podrán ayudar, incluida la propia Iglesia.

—¿De veras crees que es posible que Jesucristo te haya elegido para guiar a la Iglesia? ¿Estás diciéndome eso?

Shawn extendió las manos como aceptando la responsabilidad.

—Es posible —dijo, pero se oyó «osible», pues fue incapaz de pronunciar la «p».

James dejó caer la cabeza hasta que la barbilla se apoyó en su pecho.

—Esto es peor de lo que había imaginado.

—¿Por qué? —preguntó Shawn. No estaba tan borracho como para no percibir un verdadero cambio en el comportamiento de su amigo.

—Empiezo a temer por tu alma inmortal —dijo James—. O eso, o por tu salud mental.

—Oye, no te pases —advirtió Shawn—. Me encuentro bien. Perfectamente bien. Nunca me he sentido mejor. Este osario y su contenido constituyen el caso más fascinante de mi carrera.

Sana reapareció de repente de la cocina con una tarta de chocolate cubierta de velas, mientras cantaba «Cumpleaños Feliz». Shawn y Jack la corearon, mientras Sana dejaba la tarta en la mesita auxiliar contigua a la silla de James. Cuando terminaron la canción, todos aplaudieron.

James se deslizó adelante en su silla, lo cual provocó que el color casi amoratado de sus mejillas se intensificara. Tomó una gran bocanada de aire y sopló todas las velas de una sola vez entre aplausos.

Como de costumbre, no dijo en voz alta cuál era su deseo, si es que albergaba alguno. Pero en tal caso, Jack se había hecho una idea bastante aproximada de cuál era.

# 24

*21.23 h, sábado, 6 de diciembre de 2008,*
*Nueva York*

—¿A esto lo llamas aparcar? —preguntó Jack, parado en el bordillo con los brazos en jarras, con la vista clavada en el más de medio metro que separaba el Range Rover de James del punto donde él se encontraba.

—Ha sido lo mejor que he conseguido —dijo James—. ¡No me lo pongas más difícil! Sube. Te aseguro que llegarás a casa sano y salvo.

Los dos hombres subieron a los asientos delanteros del 4 × 4. Jack se abrochó el cinturón de seguridad con grandes aspavientos. Si James solo sabía aparcar así, Jack estaba algo preocupado.

—No habrás bebido demasiado vino, ¿verdad?

—Con lo cabreado que estoy, tengo la sensación de no haber bebido nada.

—Yo puedo conducir —se ofreció Jack—. He bebido muy poco.

—Estoy bien —insistió James, mientras maniobraba para salir del apretado espacio.

Atravesaron en silencio el West Village, mientras cada uno asimilaba la tensa conversación de la cena.

—Shawn es imposible —dijo James de repente, mientras esperaba a que cambiara el semáforo para entrar en la autopista del West Side—. Siempre ha sido imposible, por supuesto.

—Siempre ha sido muy suyo —añadió Jack.

James miró a Jack y vio el pronunciado perfil de su amigo recortado contra las luces de las farolas.

—Menudo apoyo me prestas.

Jack miró a James, y sus ojos se encontraron un momento antes de que el semáforo cambiara, y James tuvo que avanzar.

—Lo siento —dijo Jack—. No debería decir nada, probablemente, por temor a empeorar las cosas. Sé cómo te sientes, pero, desde mi humilde punto de vista, parece que tiene razón.

—¿Estás de su lado? —preguntó James, con una mezcla de sorpresa y consternación.

—No, no estoy de parte de nadie —respondió Jack—, pero la última vez que me invitó a cenar, de la cual ya te he hablado, y mientras estábamos solos lavando los platos, charlamos un momento sobre ti y tu impresionante éxito en la jerarquía de la Iglesia. Eso le estimuló a contarme algunas cosas que yo ignoraba. En la universidad, cuando nos conocimos, él ya era un católico no practicante, pero nunca supe por qué.

James lanzó otra veloz mirada en dirección a Jack antes de devolver su atención a la autopista.

—¡No me digas! No abusaron de él, ¿verdad?

—No, nada tan dramático, pero casi.

—Esto es nuevo para mí —dijo James—. ¿Qué quiere decir «casi»?

—Como yo no tenía ninguna experiencia en la religión, puesto que mis padres eran ateos, me siento en desventaja al contarte esta historia, pero lo intentaré. Por lo visto, cuando era adolescente, le encantaba la Iglesia, al igual que a sus padres.

—Lo sé —dijo James.

—Por lo tanto, sabes que sus padres eran muy activos en su parroquia.

—También lo sé.

—En cualquier caso —dijo Jack—, llegó a la pubertad sin demasiada preparación, tal vez ninguna. Tal como lo cuenta él, resulta bastante humorístico. Por lo visto, la primera vez se masturbó por accidente y se quedó muy sorprendido. Estaba en la ducha, lavándose las partes pudendas, y cuanto más las lavaba más placer sentía, hasta que tuvo un orgasmo, que describió como un placer divino. Por motivos evidentes, el incidente azuzó una tendencia a ducharse hasta tres veces al día, lo cual consiguió que se sintiera más cerca de Dios y de todos los santos que nunca.

James se descubrió riendo pese a su incomodidad general. Imaginaba sin problemas a Shawn refiriendo la historia, pues sabía contar anécdotas muy bien. Un momento después calló, porque temía la continuación de la historia.

—Al parecer —prosiguió Jack—, fue varias dichosas semanas después cuando entró en contacto con las enseñanzas del Papa que has mencionado esta noche.

—¿Te refieres a Gregorio Magno? —preguntó James.

—Creo que es ese —dijo Jack—. ¿Era tan negativo en lo tocante al sexo como Shawn ha insinuado?

—Sí —admitió James.

—En cualquier caso —continuó Jack—, Shawn describió la colisión entre el presunto dogma antimasturbación de la Iglesia y su sensación de experimentar la divinidad como algo cataclísmico, sobre todo tras descubrir que para recibir la eucaristía tenía que confesar todos los episodios de autogratificación y todos los pensamientos impuros, como sus fantasías sobre el culo de Elaine Smith.

—¿Era bonito el culo de Elaine Smith?

—Por lo visto, según Shawn y el número de veces que tuvo que confesar sus fantasías.

—Sé que esta divertida anécdota va a terminar mal, de modo que vamos al grano.

—Shawn llevaba librando esta épica batalla durante seis meses, intentando volver a su vida de castidad para vivir de acuerdo con el dogma de la Iglesia. A tal fin, debía confesar sus transgresiones semana tras semana, y para recordar todo lo que había hecho cuando llegaba al confesionario empezó a llevar un diario muy preciso de sus episodios de masturbación, que ya no tenían lugar en la ducha porque, tal como dijo, la piel se le estaba resecando. En cuanto a sus pensamientos impuros, habían accedido a otras partes de la anatomía supuestamente encantadora de Elaine Smith.

—Te estás alargando en exceso —se quejó James.

—De acuerdo —admitió Jack—. Lo siento. Como ya he dicho, esta batalla se prolongó durante meses, y Shawn se esforzaba al máximo por recordar todo lo que hacía y confesarse cada viernes con todo lujo de detalles.

—¿Y? —preguntó James, quien ya comenzaba a sentir cierta impaciencia.

—Shawn empezó a darse cuenta de que los dos sacerdotes que solían encargarse de las confesiones empezaban a demostrar cada día mayor interés.

—¡Santo Dios, no! —exclamó James.

—No te alteres —advirtió Jack—. No pasó nada, al menos abiertamente.

—¡Gracias a Dios!

—Por más detalles que Shawn aportaba en las confesiones, nunca eran suficientes, y cada fin de semana le hacían más y más preguntas, como por ejemplo si, como adolescente, sabía que estaba haciendo algo malo. El momento supremo llegó cuando uno de los sacerdotes, en el confesionario, sugirió a James que se encontraran a solas para ayudarle a superar aquel hábito dañino para el alma.

—¿Llegaron a reunirse?

—Según Shawn, no. Fue en aquel momento, ante la consternación de sus padres, cuando Shawn decidió cortar toda relación con la Iglesia, en teoría durante un tiempo, pero así ha continuado hasta hoy.

—Un incidente desgraciado —admitió James—. Es una pena

que no hubiera sacerdotes más informados para ayudarle en un momento tan difícil.

—Pero ¿no es esa una de las argumentaciones de Shawn? No parece que los curas célibes sean los mejores guías para los críos durante las tensiones de la pubertad, ni para adultos jóvenes que vayan a iniciar una familia. Tener hijos es mucho más problemático de lo que la gente imagina, incluso en las mejores circunstancias.

Jack no puedo evitar pensar en su situación.

—No puedo rebatir eso, y es un problema por el cual rezaré. Pero ahora debemos concentrarnos en el problema inmediato.

—¿Te refieres a la esperanza de disuadir a Shawn de que publique sus descubrimientos? —preguntó Jack.

—Exacto.

—Yo pienso lo siguiente: estás librando una batalla casi perdida. A menos que Shawn y su mujer obtengan pruebas definitivas de que los huesos no pueden ser de la Virgen María, publicará que sí lo son, aunque no pueda demostrarlo. No vas a disuadirlo. Tu cambio de táctica, dejar de hablar del daño que podría ocasionar a la Iglesia y concentrarte en los perjuicios que te podría causar a ti, fue inteligente, pero ni siquiera eso le influyó, sobre todo después de conseguir que admitieras que no considerabas inevitable ser castigado por tus errores.

—Por desgracia, creo que tienes razón —dijo James resignado—. Soy la última persona del mundo que debería intentar disuadirle de algo que desea hacer con todas sus fuerzas, convencido como está de que es una misión divina. Cuando dijo eso, caí en la cuenta de que había equivocado la táctica. Gracias a Dios que no se cree un mesías.

—¿Por qué crees que eres la última persona del mundo que debería intentar influir en él? —preguntó Jack—. Creo que eres la persona perfecta. Te conoce, confía en ti y eres el eclesiástico con más credibilidad de todo el país.

—Somos demasiado buenos amigos —explicó James, mientras salía de la autopista del West Side a la calle Noventa y seis—.

Sé que estaba bastante bebido, pero aún se siente cómodo llamándome gordinflón, como me llamaba en la universidad cuando se enfadaba, cosa que él sabe que detesto, probablemente porque es bastante acertada. Pero esa familiaridad me pone en clara desventaja.

—Si no eres tú, ¿quién? —preguntó Jack—. Espero que no estés pensando en mí, porque no he tenido más éxito que tú. De hecho, ningún éxito. Sobre todo comparado con vosotros dos, no sé nada de la Iglesia católica.

—¿Dónde has dicho que vivías? —preguntó James, después de asegurar a Jack que no era su intención cargarle con el problema de Shawn y Sana. Jack le dijo la calle y el número.

—Y si no soy yo, ¿quién? —insistió Jack.

—Ese es el problema —dijo James cuando se acercaron a casa de Jack—. No tengo ni la más remota idea, aunque sí estoy empezando a hacerme una idea de las cualidades que debería poseer esa persona.

—¿Por ejemplo?

—Alguien persuasivo, por supuesto, pero, lo más importante, devoto en cuerpo y alma de la Virgen María. Una persona joven que haya dedicado su vida al estudio y la veneración de la Virgen María.

—Buena idea —dijo Jack, al tiempo que se incorporaba—. ¡Una mujer joven y atractiva! Quizá podríamos intentar localizar a su vieja amiga Elaine Smith, sobre todo si ha conservado la figura y se ha especializado en mariología.

—Sé que estás intentando animarme con tu sentido del humor, pero estoy hablando muy en serio, amigo mío. Debo encontrar cuanto antes a un fanático increíblemente persuasivo, contarle la historia y obligar a Shawn a aguantarle durante unos días. Es mi última esperanza. No había pensado en un plan semejante, porque esperaba no tener que contar a nadie más la historia, aparte de nosotros cuatro. Es un riesgo que he decidido aceptar.

James frenó justo enfrente del portal de casa de Jack.

—Gracias por venir esta noche. Te lo agradezco de veras. Y gracias a tu mujer por dejar que vinieras. Dile que tengo muchas ganas de conocerla.

Después de estrecharse las manos, Jack apoyó la suya sobre el abridor de la puerta y miró a James.

—¿Cómo vas encontrar a tiempo a la persona que has descrito? Creo que jamás he conocido a nadie que cumpla esos requisitos tan específicos.

—De hecho, no creo que sea demasiado difícil. El cristianismo siempre ha contado con su buena cuota de fanáticos. Por suerte, los obispos primitivos reconocieron el potencial de estas personas y les prestaron su apoyo, creando así el concepto de monasticismo, mediante el cual la gente podía entregarse por completo a Dios o, más adelante, a la Virgen María. El monasticismo floreció, y todavía sigue ahí. Tan solo en mi archidiócesis habrá un centenar o más de comunidades, algunas de las cuales desconocidas para la cancillería diocesana, y otras, si las conociéramos, tendríamos que clausurarlas. Voy a iniciar una rápida investigación de estas instituciones para descubrir a la persona perfecta.

—¡Buena suerte! —dijo Jack, al tiempo que bajaba de la cabina del Range Rover y cerraba la puerta a su espalda. Se quedó unos minutos en la calle, mientras saludaba con la mano y seguía con la mirada los pilotos traseros de James hasta que llegó a Columbus Avenue y giró a la izquierda. Subió los peldaños de dos en dos y se sintió revitalizado. Experimentaba la sensación de estar participando en una especie de novela de misterio real, cuyo desenlace ponía a prueba su creatividad a la hora de imaginar cuál podría ser. Lo único que intuía era que Shawn no iba a ceder con tanta facilidad.


James se sentía mejor que en todo el día, y mejor que en toda la velada. El plan B había surgido de la nada, y se reprendió por no haberlo pensado antes. Al igual que los monjes primitivos habían contribuido a la estabilización de la Iglesia primitiva, sobre todo después de que Constantino legalizara el cristianismo y permitiera las misas, los monjes de hoy acudirían en ayuda de la Iglesia. James estaba seguro de eso, y seguro de que encontraría al individuo capaz de conseguirlo.

Reprimió sus ansias de conducir más deprisa para llegar a la residencia, donde planeaba lanzar el plan B aquella misma noche, y bajó por Central Park West hasta Columbus Circle. Desde allí, utilizó Central Park South para llegar al East Side y dejar el vehículo en el garaje. Después, caminó a buen paso hasta la residencia, y procuró ser ruidoso cuando entró por la puerta principal.

Pronto se dio cuenta de que no había sido lo bastante ruidoso, pues ni el padre Maloney ni el padre Karlin aparecieron. Supuso que ya se habrían retirado a sus habitaciones con tejado a dos aguas del cuarto piso, de modo que se metió en el pequeño ascensor de la residencia, que muy pocas veces utilizaba, y subió al último piso. Salió al diminuto pasillo y llamó sin piedad a las dos puertas, gritando que quería ver a los dos secretarios en su despacho ipso facto.

Una vez efectuado el sorprendente anuncio, y sin esperar respuesta, James volvió al ascensor y bajó dos pisos. Ya en su despacho, encendió las luces y se acomodó detrás de su escritorio para esperar a los sorprendidos secretarios. Nunca los había molestado cuando ya se habían retirado.

El padre Maloney fue el primero en llegar. Se había puesto una bata sobre el pijama, y a James se le antojó un espantapájaros debido a su altura, la delgadez del cuerpo y lo demacrado de su rostro. El pelo pincho rojo muy corto aumentaba dicha impresión, pues parecía de paja.

—¿Dónde se ha metido el padre Karlin? —preguntó James, sin dar explicaciones de aquella reunión nocturna sin precedentes.

—Me ha dicho a través de la puerta cerrada que bajaría lo antes posible... —contestó el padre Maloney. Su voz enmudeció, pues esperaba una explicación de las intenciones del arzobispo, que nunca llegó.

James tamborileó impaciente con los dedos sobre el escritorio. Justo cuando estaba a punto de levantar el teléfono para llamar a la habitación del padre Karlin, el sacerdote entró en el despacho. En contraste con el padre Maloney, había asumido lo peor (sobre todo que estaría levantado durante horas) y se había vestido de pies a cabeza, con alzacuello y todo.

—Siento interrumpir sus oraciones —empezó James. Indicó a sus dos secretarios que se sentaran. Juntó las yemas de los dedos—. Se ha producido lo que yo considero una emergencia. No voy a decir exactamente por qué, pero ustedes dos han de localizarme de inmediato a una persona que sea carismática, persuasiva y atractiva en general. Pero sobre todo, tiene que ser fanáticamente devota de la Virgen María, cuanto más mejor, comprometida con la Iglesia hasta el final, como si fuera portadora de una misión.

Los dos sacerdotes intercambiaron una mirada, cada uno de ellos con la esperanza de que el otro comprendiera el encargo y supiera proceder mejor. Como secretario más antiguo, el padre Maloney habló.

—¿Dónde vamos a encontrar a dicha persona?

Nervioso, James recibió con escasa paciencia lo que se le antojó una postura negativa por parte de sus secretarios. Puso los ojos en blanco al escuchar la ridícula pregunta del padre Maloney.

—He preguntado —dijo James con frustración indisimulada—, ¿dónde podemos encontrar seguidores fanáticos de María, Madre de Dios?

—Supongo que entre los miembros de movimientos y sociedades marianas católicas.

—Muy bien, padre Maloney —dijo James con un toque de sarcasmo, actuando como si estuviera dando una clase dominical de catecismo a niños de primaria—. En cuanto amanezca, quiero que empiecen a llamar a esas instituciones y hablar con sus abades, madres superioras u obispos, para informarles de que he decretado esta emergencia con el fin de encontrar a la persona adecuada. Infórmenles de que se trata de un asunto muy grave, y que esta persona trabajará bajo mis órdenes durante una semana aproximadamente en una misión de gran importancia, relacionada con la Virgen María y la Iglesia en general. Dejen claro que no se trata de una recompensa por labores pasadas. Es para algo que está sucediendo en este momento. No estoy buscando a un anciano y distinguido erudito mariano. De hecho, estoy buscando a una persona joven impregnada de fanatismo, capaz de manifestar su celo a los demás. ¿Me he expresado con claridad?

Tanto el padre Maloney como el padre Karlin se apresuraron a asentir. Nunca habían visto a su jefe, por lo general controlado, tan enfático.

—Me gustaría participar en persona, pero por la mañana debo decir una misa con sermón, que aún tengo que redactar. Confío en que ustedes dos no me fallarán. Cuando vuelva a la residencia a eso del mediodía, quiero que tengan un candidato para que pueda entrevistarle, y mejor si son varios. Me da igual cómo los traigan, ni los gastos ni los problemas. Como se supone que hará buen tiempo, podría ser necesario un helicóptero. Les pregunto de nuevo, ¿han entendido lo que quiero?

—No nos ha dicho qué va a hacer esa persona —dijo el padre Maloney—, y además ha especificado que no iba a hacerlo. Pero sin duda los abades, madres superioras y obispos lo preguntarán. ¿Qué debemos contestar?

—Que tan solo el individuo elegido se enterará del problema al que se enfrenta la archidiócesis.

—Muy bien —dijo el padre Maloney, al tiempo que se levantaba y ceñía la bata alrededor de su cuerpo huesudo. El padre Karlin se puso en pie también.

—Eso es todo —concluyó James—. Rezaré por su éxito.

—Gracias, Eminencia —dijo el padre Maloney, mientras hacía una reverencia y seguía al padre Karlin andando hacia atrás.

Cuando los dos sacerdotes subieron el tramo de escaleras del segundo piso al tercero, el padre Karlin, que iba el primero, llamó al padre Maloney, que acababa de empezar a subir.

—Tal vez sea la tarea más extraña que me han encargado desde que llegué aquí hace cinco años.

—Creo que tendré que darte la razón —convino el padre Maloney.

Al llegar a la base de las escaleras que ascendían a la cuarta planta, el padre Karlin vaciló y esperó a su colega.

—¿Cómo vamos a conseguir el número de teléfono de todas estas asociaciones marianas?

—Hay muchas formas —dijo el padre Maloney—, sobre todo ahora, con internet. Además, está claro que el cardenal quiere un individuo muy extremista. Buscaremos en la organización más radical. Tal vez, si tenemos suerte, con una llamada bastará.

—¿Sabes cuál es la organización más fanática?

—Creo que sí —dijo el padre Maloney—. Un amigo de mi familia se puso en contacto conmigo hace varios años para intentar rescatar a su hijo de una organización llamada la Hermandad de los Esclavos de María. Yo nunca había oído hablar de ella, y no está muy lejos, en las Catskills, aunque podríamos decir que se halla en otro planeta, de una forma figurada. Por lo visto, es un resurgimiento moderno de una sociedad mariana europea muy fanática del siglo XVII, a la cual el papa Clemente X se sintió obligado a desautorizar algunas prácticas.

—¡Dios mío! —exclamó el padre Karlin—. ¿Qué tipo de prácticas?

—Utilizar cadenas y otros instrumentos de tortura para hacer penitencia por los pecados de la humanidad.

—¡Santo Dios! —añadió el padre Karlin—. ¿Conseguiste rescatar al niño?

—No. Múltiples llamadas telefónicas y hasta una visita en persona no sirvieron de nada. Por lo visto, al crío le encantaba el lugar, o necesitaba algo por el estilo. No sé si continúa allí o no.

No he seguido en contacto con la familia, pues mis esfuerzos les decepcionaron.

—¿Aún guardas los números de contacto?

—Sí. Será la primera a la que llamaré. Si el cardenal supiera que la sociedad existe y fuera a visitarla, la clausuraría, por supuesto.

—Menuda ironía, sobre todo si encontramos a alguien que satisfaga las necesidades del cardenal.

# 25

*12.04 h, domingo, 7 de diciembre de 2008,*
*Nueva York*

James estaba experimentando una sensación embriagadora cuando abandonó la catedral impregnada de incienso para volver a la residencia. La catedral se había llenado para la misa, con gente de pie en los pasillos y ni un solo asiento libre en toda la nave. El coro había hecho un excelente trabajo, sin el menor error, su sermón había ido bien y había tenido una buena acogida. La noche anterior, después de que los secretarios volvieran a sus habitaciones, James había decidido que predicaría aquella mañana sobre el papel de María en la Iglesia moderna, tanto porque le parecía apropiado para la festividad del día siguiente, como porque obsesionaba su mente desde hacía varios días.

Ahora, eliminada la tensión de la misa, James estaba ansioso por volver al problema de Shawn, Sana y el osario. Sabía que la semana siguiente sería decisiva, y rezó para que sus secretarios hubieran efectuado algunos progresos. Cuando subió las escaleras, lo primero que vio fue el banco de madera que había frente a su despacho ocupado por un muchacho rubio que aparentaba unos quince o dieciséis años, con un rostro hermoso, una sonrisa beatífica y lustroso pelo rubio largo hasta los hombros. James tuvo que mirar dos veces, convencido de que había presenciado una visión del ángel Gabriel. El muchacho iba vestido con un hábito negro provisto de capucha, ceñido con un cordón azul.

James se serenó con cierta dificultad, interrumpió el contacto visual con el joven y entró en su despacho. Se acomodó enseguida detrás del enorme escritorio de caoba para recuperar el aliento, sabiendo que el padre Maloney se materializaría de un momento a otro. La gran pregunta en la mente de James era si se trataba o no del chico elegido. En ese caso, el impacto en James había sido enorme, algo que esperaba. Pero por positivo que fuera, existía un problema. El individuo era demasiado joven, un crío, y James se preguntó si podría confiar una tarea tan importante a alguien tan inmaduro.

Mientras James esperaba, la puerta se abrió después de un enérgico golpe y entró el secretario. Cargado con una carpeta, el padre Maloney se acercó al escritorio y se la entregó a James.

—Se llama Luke Hester, y sí, le pusieron ese nombre por Lucas el Evangelista.

—Es impresionante —dijo James—. Debo felicitarle, pero ¿no es demasiado joven para una emergencia teológica? Necesitará una psicología innata.

—Si examina la rápida biografía que le he preparado, descubrirá que es mayor de lo que aparenta y, por lo tanto, más sabio de lo que sugiere su aspecto angelical y juvenil. Tiene veinticinco años, y cumplirá veintiséis dentro de pocos meses.

—¡Caramba! —exclamó James. Dejó la carpeta sobre la mesa, abrió la cubierta y echó un vistazo a la fecha de nacimiento—. Nunca lo habría adivinado.

—Padeció una especie de problema hormonal que nunca fue investigado —explicó el padre Maloney—. Pero han tratado el problema y sus hormonas se encuentran ahora dentro de la normalidad. Los hermanos con los que vive se encargaron de que lo examinaran y trataran hace unos años, aquí en la ciudad.

—Entiendo —dijo James, y echó un rápido vistazo a la biografía. Averiguó que Luke era hijo único de una devota madre católica y un padre católico no practicante. El muchacho había huido de casa para unirse a una sociedad mariana llamada la Hermandad de los Esclavos de María al cumplir dieciocho años.

—¿Ha hablado con él?

—Sí. Creo que es lo más parecido al individuo que describió usted anoche. «Carismático» no es una palabra lo bastante fuerte. Su inteligencia es apabullante.

—¿Está entregado a la Virgen María?

—Por completo, en cuerpo y alma. Es una homilía andante y dialogante sobre la Virgen.

—Gracias, padre Maloney. Dígale que entre.


Media hora después, James estaba tan convencido como el padre Maloney. Desde su punto de vista, Luke no habría podido estar mejor cualificado si lo hubieran elegido en un casting. Su vida, relativamente corta, no había sido fácil, atrapado entre un padre alcohólico y maltratador, y una madre demasiado indulgente que había elegido el papel de víctima, además de un par de curas rurales que le habían fallado. A James le supo mal saber lo de los curas, sobre todo después de haber oído una historia similar la noche anterior de labios de Jack, relacionada con Shawn. Pero le gustó escuchar que Luke había encontrado a la Virgen María y que ella lo había salvado, además de devolverle la confianza en la Iglesia.

Una vez convencido de que Luke era un buen candidato para convertirse en el salvador que necesitaban, James desvió la conversación hacia el problema planteado por Shawn y el osario, pero no antes de arrancar de Luke el solemne juramento de guardar secreto, basado en su amor a la Virgen.

—De forma muy apropiada, el problema está relacionado con la Madre de Dios —dijo James, en cuanto Luke le dio su palabra. El arzobispo continuó contándole la historia del osario, su convicción de que era una falsificación, su traslado ilegal a Estados Unidos y su reciente apertura. Después, describió la intención de Shawn de mancillar la reputación de la Virgen al insinuar que los huesos del osario eran de ella, y de paso desacreditar la infalibilidad del Papa—. Será una bofetada devastadora contra María y la Iglesia —afirmó James—. Y solo tú te interpondrás entre el doctor Daughtry y tal abominación.

—¿Soy digno? —preguntó Luke, con una voz más profunda de lo que cabía esperar en alguien de su apariencia juvenil.

—Como arzobispo, creo que eres digno y estás muy cualificado por tu veneración a la Virgen María. Aunque no será una tarea fácil, pues creo que tu contrincante cuenta con la ayuda y las atenciones de Satanás, es fundamental que triunfes.

—¿Cómo desea que lleve a cabo esta tarea? —preguntó Luke, con un tono que desmentía su apariencia juvenil.

James volvió a sentarse y meditó un momento. Lo cierto era que, aparte de encontrar a la persona perfecta, no había pensado en la estrategia a seguir, pero ahora se esforzó por encajar los detalles. Lo primero era conseguir que Luke y Shawn convivieran durante un período de tiempo dilatado. Solo entonces gozaría Luke de la oportunidad de transmitir a Shawn la devastación que padecería él en persona si se emperraba en seguir adelante con sus planes.

—Lo que haré es conseguir que te inviten a casa de Daughtry, en el Village. Eso te concederá acceso y tiempo. Te han dicho que estarías en la ciudad una semana o así, ¿no es cierto?

—Correcto, pero me preocupa una estancia tan larga, su Eminencia. No me he permitido encontrarme en ocasión de pecado desde que me fui a vivir con los hermanos.

—Estarás demasiado ocupado para preocuparte por estar en ocasión de pecado —lo tranquilizó James—. Como ya he dicho, no se trata de una misión fácil. De hecho, puede que salga mal, pero es fundamental que te esfuerces al máximo. Yo lo he intentado, pero he fracasado. No obstante, estoy totalmente convencido de que, en el fondo de su corazón, el doctor Daughtry es un devoto católico. Solo necesita volver a establecer contacto con esa faceta de su ser.

—¿Y si el doctor Daughtry y su esposa me rechazan?

—Es un riesgo que debemos correr —dijo James—. Aún ejerzo cierta influencia sobre mi amigo, que intentaré utilizar para evitar que te rechacen. Además, seré sincero con él y le explicaré con todo lujo de detalles para qué has venido, a fin de que no haya sorpresas. Dios te ha elegido para ser el salvador de la reputación de la Virgen María y de su condición de estar libre de pecado, y, por lo tanto, merecedora de ascender a los cielos en cuerpo y alma.

—¿Cuándo empezaré esta misión? —preguntó Luke, ansioso por poner manos a la obra.

—Creo que a última hora de hoy —dijo James—. Este es el plan: uno de mis secretarios te acompañará a la catedral, donde me gustaría que rezaras para que el Señor te guíe en esta misión que estás a punto de llevar a cabo, por el bien de María y de la Iglesia. Mientras tanto, yo iré a preparar tu recepción. Podría hacerlo por teléfono, pero creo que será mejor en.persona. Si no consigo que te inviten a pasar la noche y, con suerte, una buena parte de la semana en casa de los Daughtry, te quedarás aquí con nosotros en nuestro cuarto de invitados. ¿De acuerdo?

—Agradezco que me conceda esta oportunidad, Eminencia.

—Soy yo quien te está agradecido.—dijo James, al tiempo que descolgaba el teléfono y pedía al padre Maloney que se personara.

Aunque aún no sabía si el plan B iba a funcionar, James se sentía mejor que nunca desde la llegada del osario. Al menos, tenía un plan y estaba haciendo algo. Volvió a sus aposentos privados y se vistió con la misma ropa de paisano que la noche anterior. Hasta percibió un recordatorio olfativo del fuego de la chimenea en el jersey. Era un aroma agradable, que le recordó su refugio de Green Pond.

Sin dar explicaciones al padre Karlin, quien estaba sentado fuera, James salió de su despacho, bajó al primer piso y utilizó la puerta que comunicaba la residencia con la catedral por tercera vez aquel día. Cuando hacía frío, como aquel día, era un lujo bienvenido. A mitad de camino se encontró con el padre Maloney, quien le explicó que había dejado a Luke en la nave central.

—Ha hecho un buen trabajo al encontrar a Luke —comentó James—. Si mi plan se ve coronado con el éxito, todos estaremos en deuda con usted. Ese chico es justo lo que yo deseaba.

—Me alegro de haber sido útil, Eminencia —dijo el padre Maloney. Levantó la cabeza para parecer más alto y se alejó hacia la residencia.

Cuando James atravesó la catedral, echó un breve vistazo a su nuevo monje guerrero. Tal como le había ordenado, estaba arrodillado rezando, con los ojos azules cerrados, pero con la misma sonrisa beatífica en la cara. Como moscas atraídas hacia la miel, un grupo de feligreses se habían congregado cerca del joven, y James se preguntó si se habían sentido atraídos hacia él o viceversa.

Salió de incógnito por la parte delantera de la catedral a la Quinta Avenida y paró un taxi. Subió y pidió que lo llevara a la calle Veintiséis con la Primera Avenida. Le complació que no lo reconocieran al salir de su iglesia.

Como apenas había tráfico, llegaron enseguida. Durante el trayecto, sacó el móvil y telefoneó a Jack. Como si se hubiera abalanzado sobre su aparato, Jack respondió antes siquiera de que empezara a comunicar.

—Qué rápido —comentó James—. ¿Estabas esperando mi llamada?

—Pensé que sería mi mujer, Laurie —dijo Jack.

—Siento haberte decepcionado.

—En absoluto. De hecho, me siento aliviado. Cuando me he ido de casa, nuestro hijo se encontraba mal. Me preocupaba que hubiera empeorado. ¿Qué pasa?

—¿Dónde estás?

—Con Sana y Shawn en el edificio de ADN del IML.

—Confiaba en que fuera así.

—¿Por qué?

—Solo porque voy de camino mientras estamos hablando. Pregúntale a Shawn si seré bienvenido.

Jack se apartó del teléfono. James oyó que hablaba con Shawn, y también la entusiasta aprobación de este.

—¿Le has oído? —preguntó Jack.

—Sí.

—¿Cuándo llegarás? Tengo que bajar para que los guardias de seguridad te dejen pasar.

—Dentro de muy poco —dijo James—. En este momento, el taxi está en el cruce de Park Avenue con la calle Treinta y seis.

—Ya bajo —dijo Jack.

Al cabo de cinco minutos, el taxi de James descendía por la calle Veintiséis. James indicó al taxista que cruzara la Primera Avenida y lo dejara delante del edificio de ADN. Jack estaba esperando en el vestíbulo, frente a las puertas giratorias.

—Gracias de nuevo por acompañarme a casa anoche —dijo Jack.

—Fue un placer —contestó James.

Después de atravesar sin problemas el control de seguridad con la ayuda de Jack, los dos subieron en el ascensor.

—He encontrado al fanático que se encargará de Shawn —anunció James cuando bajaron en la octava planta.

—¡Vaya! —exclamó Jack. Estaba sorprendido—. Qué rápido. Cuando describiste el tipo de persona que andabas buscando, solo pude pensar: «Buena suerte». Creí que tardarías meses.

—Cuento con secretarios muy eficientes.

—Por fuerza.

Llegaron a la puerta del laboratorio que habían prestado a Sana y a Shawn, y Jack llamó con los nudillos. Shawn, sentado a la mesa central de espaldas a la puerta, se levantó de un salto y la abrió.

James entró con cierto nerviosismo por lo que podía encontrar, y sus temores se confirmaron al instante. Delante de él estaban los huesos del osario extendidos sobre la mesa en su posición anatómica original. Aunque confiaba de todo corazón que no fueran los huesos de la Virgen, verlos expuestos de una forma original tan irreverente se le antojó un sacrilegio similar al que habían cometido Sana y Shawn cuando arrojaron el osario al maletero sucio del taxi. James se percató de que estaba temblando.

—¿Qué demonios ocurre? —preguntó Shawn al intuir la incomodidad de James.

—Esos huesos... —logró articular James—. Me parece una falta de respeto. Es como mirar a alguien desnudo.

—¿Debo cubrirlos con alguna prenda de vestir mientras estés aquí? —preguntó Shawn.

—No es necesario —dijo James—. Solo ha sido la sorpresa inicial.

En lugar de mirar los huesos, James dirigió su atención a la zona de trabajo de Shawn, al final de la mesa, donde tenía inmovilizado el primero de los tres rollos, y su humidificador Rube Goldberg, dispuesto junto con una pila de placas de cristal. Era evidente que iba desenrollando el manuscrito a paso de tortuga.

—¿Te da problemas? —preguntó James, mientras se inclinaba para mirar la escritura de las diversas páginas que habían desenrollado.

—Es una labor muy concienzuda.

—Una escritura aramea muy hermosa —comentó James—. ¿Has averiguado algo más?

—Después de las dos primeras páginas, muy esclarecedoras, el texto se ha convertido en una autobiografía de la infancia de Simón y sus primeros intentos de llegar a ser mago. Por lo visto, tuvo éxito muy pronto.

—¿Cómo le va a Sana con la investigación sobre el ADN mitocondrial? —preguntó James.

Por la puerta acristalada vio el vestuario, y por una segunda puerta acristalada, el laboratorio en sí. James vio que Sana iba de un lado a otro con una expresión concentrada en el rostro.

—Si quieres entrar, tendrás que ponerte traje, guantes y capucha. Ella es muy puntillosa con la contaminación. En cuanto a sus progresos, no tengo ni la menor idea. Cuando llegamos esta mañana, entró directamente ahí después de cambiarse. Yo diría que le va bien. De lo contrario, estoy seguro de que estaría aquí quejándose. Gracias a Jack, cuenta con un laboratorio acojonante, equipado con todo lo último.

James llamó con los nudillos a la puerta acristalada del vestuario con la esperanza de atraer la atención de Sana. Comprobó de inmediato que había tenido éxito, porque la mujer dejó de moverse y levantó la cabeza como si escuchara. James volvió a golpear el cristal y agitó la mano. Ella lo saludó a su vez. James le indicó por señas que saliera a la otra sala, y ella obedeció.

—Buenos días, James —dijo Sana, mientras asomaba la cabeza encapuchada en la sala de Shawn—. ¿O debería decir buenas tardes?

—Buenas tardes —contestó James—. ¿Te importa hacernos compañía unos momentos? Quiero haceros una propuesta.

Sana vaciló, pues se dio cuenta de que debería cambiarse si traspasaba el vestuario. Como consideró que eso sería un inconveniente, pasó la puerta que sostenía entreabierta y dejó que se cerrara a su espalda.

—¿Qué clase de propuesta? —preguntó Shawn con cautela.

—Sí, ¿en qué estás pensando? —preguntó Sana, al tiempo que se quitaba la capucha.

—En primer lugar, permíteme que te pregunte cómo te va —dijo James—. Veo que Shawn va haciendo progresos, aunque no a la velocidad que él desearía.

—Me va muy bien —dijo Sana—. El laboratorio es digno del siglo XXI y está diseñado para maximizar la productividad. Esta tarde llegaré a la fase de extracción con las centrifugadoras. En este momento, mi muestra de pulpa dentaria está en los disolventes con el detergente para abrir las células, y con las proteinasas para desnaturalizar las proteínas. A este paso, podría alcanzar la reacción en cadena de la polimerasa, o PCR, mañana.

—No hace falta que entres en detalles —dijo James—. Es como si me hablaras en chino.

Todo el mundo rió, incluido James.

—En segundo lugar, me gustaría darte las gracias por la maravillosa velada de anoche, y decirte que la comida fue sobrenatural.

—Gracias, padre —dijo Sana, al tiempo que se ruborizaba un poco.

—Ojalá pudiera decir lo mismo de la compañía —añadió James, y con una risita indicó que no hablaba en serio—. Es broma, por supuesto, pero me llevé una decepción al saber que no se me iba a conceder el deseo de dejar a la Virgen al margen de este asunto. En este momento no, al menos. ¿Estoy en lo cierto, Shawn?

—Por completo. No sé cómo expresarlo con mayor claridad. Debo confesar que anoche estaba un poco cocido, y no podría recordar todo lo que dije aunque me fuera la vida en ello. Pido disculpas por eso, pero creo que dejé muy claras mis intenciones con relación al osario y su contenido.

—Muy claras, en efecto —dijo James—. Lo bastante claras para que dedicara una buena cantidad de tiempo a pensar y rezar para recibir consejo, después de que me fuera de tu casa anoche, sobre lo que debía hacer para intentar que cambiaras de opinión. En primer lugar, he desistido de hacerlo yo. Nos conocemos demasiado, tal como demostró el hecho de que me llamaras gordinflón.

—¡Santo Dios! —exclamó Shawn, al tiempo que se daba una palmada en la frente—. No me digas que te llamé gordinflón. Qué falta de respeto. Lo siento muchísimo, amigo mío.

—Temo que sí —dijo James—, pero estás perdonado, pues muy poco he hecho para no merecer ese triste epíteto. Por lo demás, he decidido permitir que continuéis vuestro estudio del osario, con una condición.

Una leve sonrisa burlona apareció en el rostro de Shawn.

—¿Qué te hace pensar que nos estás permitiendo hacer nuestro trabajo? Desde mi punto de vista, tus deseos son relativamente irrelevantes, si bien, siendo realista, una llamada tuya al jefe de Jack sería suficiente para ponernos de patitas en la calle. Pero si eso sucede, iremos a otro sitio.

—A veces me sorprende tu ingenuidad —dijo James—. En primer lugar, da la impresión de que todavía no te das cuenta de que, en última instancia, la prueba de que estos huesos pertenecen a la Virgen depende de lo que Simón el Mago dijo a Saturnino, su ayudante. Desde una perspectiva teológica, que es la que cuenta, basas tu argumentación en la peor fuente posible. Si lo único que deseaba Simón era cambiar los huesos por los poderes curativos de Pedro, no habrían sido necesarios mayores esfuerzos para conseguir los huesos reales. Cualquier osamenta de mujer habría servido, y eso es lo que creo que es: la osamenta de una mujer del siglo I elegida al azar, no de la Virgen.

—Contraataco esa argumentación con la afirmación de Saturnino de que Simón se sintió decepcionado porque los huesos no le transmitieron el poder de curar. Si no eran los huesos de la Virgen, él no habría sospechado o confiado en que le hubieran conferido tal don.

—Desisto de continuar esta discusión —dijo James, mientras alzaba una mano—. Como ya he dicho antes, he renunciado a intentar que cambies de opinión. Pero en cuanto a mi poder de pararte los pies, escucha esto: a menos que aceptes la condición a la que he aludido, pienso acudir a las autoridades hoy mismo. Creerás que se trata de una maniobra desesperada, pero estoy desesperado por la Iglesia y por mí. Afirmaré que el osario es un fraude y que tú eres un ladrón, de modo que en lugar de ser considerado un cómplice, lo más probable es que me vean como un héroe por arriesgarme a desenmascarar este ataque blasfemo contra la Iglesia.

—No te atreverás —dijo Shawn, pero sin mucha convicción. Al fin y al cabo, de haberse visto atrapado en un conflicto similar al de James, él habría hecho lo mismo. Todo lo que él ganaba con el asunto del osario, James lo perdía.

—Voy a ponerme en contacto con la Comisión Pontificia para la Arquelogía Sagrada, explicaré cómo abusaste de su confianza, y dejaré que se pongan en contacto con sus homónimos de los gobiernos taliano y egipcio, que no se tomarán nada bien tus payasadas y solicitarán tu detención. Y la tuya, Sana. Ignoro si concederán la extradición, pero no me cabe duda de que el osario y su contenido serán devueltos de inmediato, así como el códice y la carta de Saturnino.

—¡Me estás chantajeando! —gritó Shawn.

—¿Cómo calificas tú lo que me estás haciendo?

—Esto es indignante —continuó Shawn.

—¿Cuál es la condición de la que has hablado? —preguntó Sana.

—Por suerte, hay un individuo sensato en la conspiración —dijo James—. La condición es muy sencilla e inofensiva. He encontrado a un joven encantador, incluso radiante, que ha dedicado su vida a María y ha vivido en un monasterio mariano durante los últimos ocho años. Quiero que le escuchéis y sintáis su pasión, y no quiero que lo hagáis como dos barcos que se cruzan en la noche, lo cual os permitiría cerraros de oídos y erigir una muralla alrededor de vuestros corazones. Quiero que paséis un tiempo con él. Siendo realistas, ¿cuánto tiempo más creéis que exigirá el estudio del contenido del osario?

Shawn miró a Sana, quien contestó.

—Mi contribución, como ya he dicho, va muy bien. Siempre que no se produzcan sorpresas, una semana a lo sumo.

—A mí me cuesta más precisarlo —admitió Shawn—. Todo dependerá de cuánto tarde en desenrollar los manuscritos. Yo diría, y espero, que después de uno o dos ciclos más de trescientos sesenta grados, será el cien por cien más fácil. Por lo que he visto, la humedad original causó más problemas a las páginas más cercanas a la superficie del rollo. Con esa variable en mente, yo diría que entre una semana y dos meses.

—Muy bien —dijo James—. Aceptaré que invitéis a Luke Hester a alojarse en vuestra casa durante una semana. Pero hay que aprovechar el tiempo, como ya he dicho. Tenéis que ocuparos de él e interesaros en la historia de su vida, que no ha sido muy fácil. Ese hombre ha sufrido, pero con la ayuda de la Virgen ha superado sus dolores y tormentos. En otras palabras, tenéis que ser hospitalarios con él, como si fuera un verdadero invitado, el hijo de unos amigos íntimos.

—¿Qué significa ser hospitalario? —preguntó Shawn con cautela. En ciertos aspectos, la condición parecía demasiado sencilla. En otros, pensaba que sería capaz de volverle loco. A Shawn nunca le había gustado hablar de trivialidades, excepto con mujeres hermosas en bares, con la ayuda de lubricante alcohólico.

—Creo que intuitivo —dijo James.

—¿Cuántos años tiene este hombre? —preguntó Sana.

—Dejaré que lo adivines tú —contestó James—. Existe cierta contradicción entre su edad y su apariencia. Descubrí que era muy fácil hablar con él, y como ya he dicho, es encantador e inteligente. Es posible que arrastre algunas cicatrices psicológicas de su infancia, pero yo no las percibí cuando me entrevisté con él.

—Espero que no nos estés enchufando uno de esos jóvenes cristianos renacidos que se dedican al proselitismo —dijo Shawn—. No estoy seguro de poder aguantar una semana con él.

—Ya he dicho que es encantador —repuso James—. Hablo en serio. También le he contado toda la historia del osario, así que tendréis mucho de que hablar. Y ahora lo que me gustaría saber es si habéis comprendido bien cuál es el trato. Le daré un móvil para que pueda llamarme. Si lo hace para quejarse de que alguno de los dos no le trata como es debido, se acabó el pacto. ¿Comprendido?

James miró primero a Shawn y después a Sana, para recibir la aceptación de ambos. Lo último que deseaba era que uno de ellos, una vez les hubo expuesto los hechos, afirmara que no había entendido el trato. Tras una amenaza, el problema consistía en que había que cumplirlo.

—¿Cuándo empezará esta semana? —preguntó Sana.

—¿A qué hora llegaréis a casa esta tarde? —preguntó James a su vez.

—Alrededor de las cinco, diría yo —contestó Sana.

—Estará aguardando ante vuestra puerta —dijo James.

—Espera un momento —intervino Shawn, quien miró a

Sana—. Esta noche pensamos salir a cenar, porque Sana ya tuvo bastante de cocina con lo de anoche.

—Ningún problema —dijo James—. Es de lo más presentable. Será una excelente forma de conoceros en terreno neutral.

—¿Tenemos que llevar a cenar a ese desconocido? —se quejó Shawn.

—¿Por qué no? Es una buena manera de iniciar la relación. Imagino que ha pasado mucho tiempo desde la última vez que lo sacaron a cenar, si es que alguna vez sucedió eso. Piensa en la emoción que aportarás a la vida de ese hombre.

—¿Quién va a pagar? —preguntó Shawn.

—No puedo creerlo —dijo James—, pero es verdad. Eres tan tacaño como en la universidad.

—No te quepa duda —añadió Jack, que había abierto la boca por primera vez.

—Si tengo que aguantarlo, no creo que deba pagar por ello —se defendió Shawn.

—La archidiócesis cubrirá la cena de esta noche del señor Hester, pero no la tuya, manirroto. Guarda las facturas si quieres que te sean reembolsadas.

—Ningún problema —dijo Shawn—. Ahora, si no te importa, me gustaría volver al trabajo.

# 26

*17.05 h, domingo, 7 de diciembre de 2008,*
*Nueva York*

Luke Hester nunca se había sentido tan vulnerable como delante de la puerta de casa de los Daughtry, bajo el cono de luz de un foco dirigido hacia abajo. Acababa de utilizar la aldaba para avisar de su llegada, y el sonido estridente y aparatoso le había sorprendido y atizado el fuego de su nerviosismo. Se volvió y miró hacia el vehículo en el que había llegado hasta el Village, con el arzobispo sentado al volante. Saludó con timidez. El arzobispo le devolvió el saludo y alzó los dos pulgares. Luke le imitó; deseaba sentir la mitad de la confianza que el arzobispo afirmaba albergar en él, y con ello intentar convencer al equipo que formaban marido y mujer de que no publicara artículos perjudiciales para la Virgen María y la Iglesia. Lo que le había producido más pasmo era la afirmación del cardenal de que el doctor Daughtry gozaba de la ayuda y las atenciones de Satanás. Como consecuencia, a Luke le aterrorizaba enfrentarse a quienquiera que fuera a abrir la puerta.

Tal vez el motivo principal de que Luke no se hubiera permitido abandonar el monasterio solo, desde que había huido a él ocho años antes, era el miedo de tener que plantar cara a Satanás, y allí lo estaba haciendo. Y si bien se había visto obligado a lidiar con Satanás a diario durante sus años de adolescencia, por culpa de su padre impío, Luke admitía que debía de ser la persona menos capacitada para enfrentarse al Príncipe de las Tinieblas.

El atavío de Luke aumentaba su inquietud y vulnerabilidad. Había sido idea de James que vestir su hábito de la Hermandad de los Esclavos de María sería demasiado para Shawn, de modo que los padres Maloney y Karlin se habían encargado de encontrarle unos cuantos tejanos y camisas. Iba vestido con un par de esas prendas, y el resto de la ropa la llevaba en la pequeña maleta con ruedas, que también contenía artículos de aseo personal que los dos padres habían ido a comprar, pues Luke no había cogido nada de eso del monasterio. Aparte de la ropa y demás productos, la maleta contenía un móvil, dinero en metálico y un rosario nuevo bendecido por el Papa en persona, como regalo especial para el cardenal. Si necesitaba algo, Luke debía llamar al padre Maloney o a su Eminencia.

De repente, la puerta de los Daughtry se abrió, y Sana y Luke se miraron. Ambos se quedaron petrificados de la sorpresa, pues ninguno de los dos cumplía las expectativas del otro. Sana era la más sorprendida, además de abrumada, como le había sucedido a James, por la apariencia angelical y juvenil de Luke, además de su aura virtuosa, pero sobre todo por sus ojos dulces e implorantes, que se le antojaron charcos azules sin fondo, y sus labios fruncidos y vulnerables. Por su parte, Luke había esperado una figura masculina carente de todo atractivo y amenazadora, como una imagen alegórica del demonio en una pintura medieval.

—¿Luke? —preguntó Sana, como si experimentara una visión.

—¿Señora Daughtry? —preguntó Luke, como si se hubiera equivocado de dirección.

Sana miró más allá del cuerpo delgado pero bien formado de Luke y distinguió a James, quien tenía encendida la luz interior de su vehículo. Le saludó con la mano para informarle de que Luke estaba a salvo. James respondió de la misma manera, y después apagó la luz interior del vehículo con la intención de marchar.

—Entra, por favor —dijo Sana con voz insegura. Le temblaban las rodillas y se sentía estupefacta por la luminosidad de Luke, sobre todo por el color y el brillo de su pelo casi albino largo hasta los hombros, y la perfección de su piel—. ¡Shawn! —llamó—. Nuestro invitado ha llegado.

Shawn salió de la cocina con un whisky en la mano derecha. Con una reacción de sorpresa similar a la de Sana, paró en seco y contempló boquiabierto a Luke.

—Santo cielo, muchacho, ¿cuántos años tienes?

—Veinticinco, señor —dijo Luke—. A punto de cumplir veintiséis.

Se había tranquilizado un poco. Shawn no parecía tan formidable o diabólico como había temido.

—Pareces mucho más joven —comentó Shawn. El muchacho tenía una piel perfecta, envidiable, y los dientes blancos como nieve recién caída.

—Mucha gente dice lo mismo —contestó Luke.

—Serás nuestro invitado durante una semana —continuó Shawn—. Bienvenido.

—Gracias, señor —dijo Luke—. Me han dicho que ha sido informado ampliamente del motivo de mi presencia.

—Te han encargado disuadirme de publicar mi obra.

—Solo si se refiere a la Santa Virgen María, Madre de la Iglesia, Madre de Cristo, Madre de Dios, mi salvadora personal, que me ha conducido hasta Cristo, María de la Inmaculada Concepción, María Reina de los Cielos, Reina de la Paz, Stella Maris y Madre de Todos los Dolores. A ella estoy entregado, y ya he empezado a rezar para que usted no la denigre al insinuar que no ascendió a los cielos en cuerpo y alma para residir con Dios: el Padre, el Hijo y el Espíritu Santo.

—Caramba —comentó Shawn, sorprendido por aquel niño-hombre al que ya consideraba incomprensible—. Menuda letanía. Tengo entendido que vives en un monasterio.

—Exacto. Soy novicio de la Hermandad de los Esclavos de María.

—¿Es cierto que no sales de allí desde hace ocho años?

—Casi ocho, y nunca he salido solo. Vine a la ciudad con algunos hermanos para someterme a una serie de pruebas médicas hace unos años, pero esta es la primera vez que salgo solo.

Shawn sacudió la cabeza.

—Me cuesta creer que una persona joven como tú esté dispuesta a rechazar su libertad.

—Sacrifico con gusto mi libertad a la Santa Madre. Quedarme dentro de los muros del monasterio me concede más tiempo para rezar por su intervención y la paz que aporta.

—¿Intervención?

—Para alejarme del pecado. Para mantenerme cerca de Cristo. Para ayudar a los hermanos en su misión.

—¡Vamos! —dijo Sana a Luke—. Te acompañaré a nuestro cuarto de invitados.

Luke estudió la cara de Shawn un momento, y después siguió a Sana escaleras arriba. Dejaron atrás el segundo piso, donde Sana dijo que Shawn dormía, y el tercero, donde Sana dijo que ella dormía, y llegaron al cuarto. Era una buhardilla que daba a la fachada del edificio.

—Aquí te alojarás —dijo Sana, y se apartó para dejar pasar a Luke a una habitación dominada por una cama de columnas de tamaño descomunal—. ¿Se parece a tu habitación del monasterio?

—No mucho —respondió Luke. Se asomó al cuarto de baño que la habitación de invitados compartía con la segunda habitación de invitados del piso. Después, abrió la cremallera de su maleta. Lo primero que sacó fue una pequeña estatua de plástico de la Virgen María, que depositó sobre la mesita de noche. Lo segundo fue una estatuilla del niño Jesús, vestido con un manto recargado y tocado con una corona. Lo dejó con cuidado al lado de la Virgen.

—¿Qué es eso? —preguntó Sana.

—El Niño Jesús de Praga —explicó Luke—. Era una de las pertenencias favoritas de mi madre antes de que falleciera.

A continuación, Luke sacó su hábito negro y lo colgó en el ropero.

—¿Es tu atuendo habitual? —preguntó Sana.

—Sí —contestó Luke—, pero el cardenal pensó que lo mejor sería utilizar la ropa de calle de sus secretarios. Por suerte, uno de ellos es casi de mi talla.

—Viste como te dé la gana —dijo Sana—. Saldremos a cenar dentro de media hora o así. Tienes tiempo para ducharte, si quieres. Yo voy a hacerlo ahora. En todo caso, nos encontraremos en la sala de estar.

Shawn, Sana y Luke volvieron a casa de los Daughtry en taxi un poco antes de las nueve y media de la noche. La cena en Cipriani Downtown se había desarrollado con bastante placidez, hasta que Luke había intentado desviar la conversación hacia su misión. Shawn, que había trasegado casi tanto alcohol como la noche anterior, había aprovechado la oportunidad para informar a Luke de que se enfrentaba a una misión imposible, y de que cuanto antes afrontara la realidad, mejor para todos. Cuando Luke insistió, Shawn se enfureció, y a partir de aquel momento la atmósfera se había ido enrareciendo, hasta que Shawn se negó a dirigir la palabra a Luke, al que insistía en seguir llamando despectivamente «muchacho».

—¿Te retiras ya? —preguntó Shawn a Sana para no hablar con Luke.

—Creo que me quedaré un rato con Luke —susurró Sana—. No quiero que informe a James de que no estamos siendo hospitalarios.

—Buena idea —dijo Shawn, mientras se apoyaba en la barandilla para subir las escaleras sin perder el equilibrio—. ¿A qué hora quieres salir por la mañana para ir al edificio de ADN?

—¿Qué te parece a eso de las nueve? —dijo Sana—. Eso me

dará tiempo para preparar el desayuno a nuestro invitado, así informará bien de nosotros.

—Otra buena idea —admitió Shawn, arrastrando las palabras—. Hasta mañana.

Mientras Shawn desaparecía poco a poco escaleras arriba, Sana se volvió hacia Luke.

—¿Qué te parece si encendemos un fuego en la chimenea? —sugirió.

Luke se encogió de hombros. No recordaba la última vez que había experimentado el placer de un fuego. En cierto modo, le ponía nervioso disfrutar demasiado después de la velada decepcionante, pues se sentía deprimido sobre sus posibilidades de vencer a Satanás.

—¡Vamos! —le animó Sana—. Lo encenderemos juntos.

Un cuarto de hora después, estaban sentados en el sofá, fascinados por el fuego chisporroteante que empezaba a ascender desde los troncos amontonados. Sana se había servido una copa de vino, mientras que Luke bebía una Coca-Cola. Fue Sana quien rompió el silencio.

—El arzobispo nos ha contado que tu vida no ha sido fácil. ¿Te importa contarme la historia?

—En absoluto —dijo Luke—. No es ningún secreto. La cuento a todos los que quieren escuchar, como un tributo a la santísima Virgen.

—Nos dijeron que habías huido de casa a la edad de dieciocho años para ingresar en el monasterio. ¿Puedo preguntar por qué?

—La causa inmediata fue la muerte de mi madre —explicó Luke—, pero la causa a largo plazo fue una infancia muy difícil dominada por un padre impío. En contraste con mi padre, que abusaba del alcohol y pegaba a su mujer, mi madre era una persona muy religiosa, convencida de que era la culpable del comportamiento de mi padre. Creía, como Eva, que había rechazado a Dios al casarse con mi padre, y que era una pecadora hasta el punto de convencerme a mí de que era un hijo nacido del pecado. Estaba tan convencida, que me dijo que si quería salvar mi alma inmortal tenía que rezar a la Virgen y consagrar mi vida a Ella, a Cristo y a la Iglesia.

—¡Santo Dios! —exclamó Sana, compadecida de la historia de Luke. Aunque no era lo mismo, creía que siempre había sufrido a causa de la prematura muerte de su padre, cuando solo contaba ocho años, hasta el punto de que ahora se preguntaba si uno de los motivos de haberse casado con Shawn era porque representaba la figura paterna que tanto echaba de menos—. ¿Entregarte a la Iglesia te sirvió de algo?

Luke lanzó una breve carcajada despectiva.

—No mucho —dijo—. Uno de los sacerdotes se dio cuenta de que era un niño problemático y, como él también tenía problemas, procedió a abusar de mí durante más de un año.

—¡Oh, Dios, no! —exclamó Sana, cada vez más compadecida de Luke. Estaba tan consternada que tuvo que reprimir las ansias de estrecharle entre sus brazos, por temor a su reacción. Tal vez malinterpretara su gesto como algo más que empatía. Al fin y al cabo, no era un niño, sino un hombre. Además, era como si Luke hubiera recitado de memoria su historia.

—Al principio, pensé que era un comportamiento relativamente normal —dijo Luke con tristeza—, pues yo creía que amaba a aquella persona, pero cuando me fui haciendo mayor me di cuenta de que estaba mal. Sin saber qué hacer, puesto que era uno de los sacerdotes más populares de la parroquia, me armé de valor y se lo conté a mi madre.

—¿Se mostró comprensiva? —preguntó Sana, preocupada por el desenlace de la historia, teniendo en cuenta lo que Luke ya había contado sobre su madre.

—Todo lo contrario. Al igual que con su falsa creencia de que era culpable de los malos tratos de mi padre, insistió en que era yo quien había seducido al sacerdote y no al revés, sobre todo cuando me preguntó por qué se había prolongado durante tanto tiempo y yo admití que me había gustado, al menos al principio. Ha sido solo durante estos últimos años que los hermanos del monasterio han conseguido hacerme comprender por fin lo que pasó en realidad, y que yo no fui responsable ni de la inadecuada relación con el sacerdote, ni del suicidio de mi madre.

—¡Oh, Dios de los cielos! —exclamó Sana, cuando una compasión sin límites se impuso a su autocontrol y borró de un plumazo cualquier duda acerca de que la historia de Luke fuera una especie de guión memorizado. Sin pensarlo dos veces, estrechó a Luke entre sus brazos, al menos hasta que percibió su rígida resistencia, en cuyo momento lo soltó—. Qué historia tan trágica —añadió compadecida. Lo miró con ternura, con el deseo de aliviar de alguna manera el sufrimiento que sentía a causa de su madre, aunque hubiera afirmado que los hermanos le habían prestado su apoyo. También experimentó una definida rabia contra la Iglesia por haber abusado de él, y entonces comprendió mejor las opiniones actuales de Shawn.

# 27

*17.15 h, martes, 9 de diciembre de 2008,*
*Nueva York*

El lunes y el martes habían sido días buenos para todo el mundo, salvo para James; Luke había llamado cada mañana y las noticias no eran nada alentadoras. Después de que Shawn y Sana se fueran a trabajar, Luke había informado al cardenal de que el demonio se resistía con uñas y dientes a su intento de cambiar la opinión de Shawn. Además, Luke tenía que comunicar que Shawn rechazaba incluso hablar del tema. La respuesta de James había sido animarle a rezar con más ahínco y a no rendirse, añadiendo que él mismo y la Iglesia contaban con su éxito final. Explicó que la persistencia sería la clave.

—¿Le has explicado hasta qué punto te afectará que arroje dudas sobre la ascensión de la Virgen María? —había preguntado James, con la intención de colaborar y dar aliento, pues no tenía plan C.

—Siempre que me lo permite —había contestado Luke—, aunque cambia de tema en cuanto lo saco a colación. Hasta ha amenazado con pedirme que me vaya.

—¿Y su esposa?

—Se ha mostrado de lo más hospitalaria —había dicho Luke—. Me ha pedido que le disculpara. Estoy convencido de que, si puedo lograr que cambie de opinión, ella también accederá. No está tan comprometida como él.

—Sigue intentándolo, por favor —había dicho James—. Aún queda una buena parte de la semana.

Aparte de hacer las dos llamadas a James y de tener poca suerte con Shawn, Luke se lo había pasado en grande, pese a la continua inquietud de haber salido al mundo y estar expuesto al pecado. Ambas mañanas, Sana se había despertado temprano y había preparado un suntuoso desayuno para Luke, con la excusa de que le encantaba cocinar y siempre constituía para ella una decepción que a Shawn le diera igual que fuera comida; basura o platos exquisitos. Luke había confesado que, al contrario que Shawn y los hermanos, le encantaba la buena comida, había sido recompensado con una cena espléndida la noche anterior, y ansiaba que ocurriera lo mismo aquella noche.

Aún más que la comida, a Luke le gustó que Sana volviera a casa temprano el lunes por la tarde, explicando que había efectuado maravillosos progresos en sus estudios de ADN, y que las muestras de pulpa dentaria ya se encontraban en la fase de PCR, cosa que Luke no entendió en absoluto. Daba igual, puesto que Sana había empleado el tiempo libre en acompañarle a comprar ropa de su talla, en lugar de las prendas del padre Karlin, que no le sentaban bien.

Para Luke, ir de compras había significado una experiencia deliciosa, puesto que hacía tanto tiempo que no compraba ropa que ya no se acordaba de la última vez, y agradeció los consejos de Sana cuando se probaba cosas y procuraba elegir. También disfrutó del ambiente festivo, pues quedaban catorce días para Navidad. Para rematar el día, Sana y Luke se habían quedado levantados después de la cena para disfrutar de otro fuego, lo cual concedió la oportunidad a Sana de contarle su historia, e incluso sus problemas actuales. Luke se mostró comprensivo cuando confirmó su impresión de que Shawn no la estaba tratando igual que cuando se casaron, sobre todo en el terreno de la intimidad, pues Luke sabía que Shawn dormía en un cuarto de invitados del segundo piso, mientras Sana dormía en la habitación de matrimonio del tercero. Aunque Luke no fingía entender todo lo que Sana decía, afirmó que rezaría por ella, y que no podía comprender por qué Shawn no deseaba dormir con ella, porque opinaba que era hermosa.

—Gracias por tu apoyo y las oraciones —dijo Sana—. Pero, si quieres que te diga la verdad, en este momento prefiero no dormir con él.

Igual que Sana, Shawn había efectuado auténticos progresos durante los dos días anteriores. Había llegado a la fase que deseaba, en la que desenrollar el primer manuscrito procedía con mucha más celeridad. El lunes solo había terminado una página, pero aquel día, martes, había concluido más de dos. Cuando leyó la parte desenrollada, también se sintió mejor porque Simón no era el ogro que decían. Aunque reconoció que Simón estaba escribiendo sobre sí mismo, Shawn pensó que, cuanto mejor parado saliera como persona, mejor testigo sería para la identificación de los huesos.

—¡Luke! —saludó Sana. Shawn y ella acababan de llegar a casa. Cuando oyó que Luke contestaba a lo lejos, supuso que estaría rezando sus oraciones de la tarde—. ¡Hemos llegado!

Siguió a Shawn hasta la cocina, donde sacó de las bolsas la comida que acababan de comprar. Mientras se ocupaba de ello, Shawn se sirvió un poco de whisky como primera copa de la velada. Tan solo unos días antes, Sana se había quedado preocupada por el hecho de que Shawn bebiera más cada día, pero esa noche no. De hecho, quería que bebiera tanto como le diera la gana, pues así se retiraría antes. Como había ocurrido las dos noches anteriores, ardía en deseos de pasar un rato con Luke sin la presencia de Shawn, o sin que Luke intentara sacar a colación el tema cada vez más explosivo de la Virgen María, cosa que, inasequible al desaliento, no dejaba de hacer, pese a la reacción cada vez más negativa de Shawn.

También habían sido dos días buenos para Jack, sobre todo porque lo habían sido para J.J. y para Laurie. Cuando llegó a casa el lunes por la noche, Laurie le informó de que había sido el mejor día de J.J. desde hacía meses, y no había llorado en ningún momento. Jack esperaba una historia similar aquella noche, porque Laurie le había llamado a eso de las tres para decirle que no se habían producido novedades hasta aquel momento.

Subió las escaleras a toda prisa y asomó la cabeza por la puerta de la cocina. Tal como suponía, Laurie estaba preparando la cena y J.J. jugaba en su cuna. Jack se acercó enseguida a Laurie, le dio un beso en la mejilla y miró a J.J. Vio complacido que el niño sonreía.

—Creo que esta noche nos va a permitir una cena de verdad —dijo Laurie.

—Fabuloso —contestó Jack—. ¿Vas a darle de comer y acostarle antes de lo habitual?

—Ese es el plan.

—Como se encuentra tan bien, me gustaría ir a jugar a baloncesto una hora o así.

—Creo que es una buena idea —dijo Laurie. Le guiñó un ojo—. Pero no te canses demasiado.

A Jack le gustó pensar en lo que ella había planificado para la velada, de modo que se puso el uniforme de baloncesto y bajó las escaleras en un abrir y cerrar de ojos. Puesto que, en apariencia, J.J. se encontraba tan bien como los dos días anteriores, Jack intentó controlar su entusiasmo para evitar futuras decepciones todavía más graves, pero todo iba tan bien que le resultó difícil. La mañana anterior había ido a ver a Bingham para pedirle tiempo libre, no para dejar de ir a la oficina, sino solo para quitarse de encima las autopsias. Como había supuesto, Bingham accedió de inmediato, aunque a cambio había pedido a Jack que firmara el caso de asesinato en el que el médico forense de turno había olvidado guardar las manos en una bolsa, con el fin de dar por finalizado dicho caso. Jack se alegró de poder informarle de que ya lo había hecho.

Liberado de las autopsias, Jack había podido pasar más tiempo con Shawn y Sana, cuyo trabajo también marchaba viento en popa y con celeridad. Sana esperaba llevar a cabo el secuenciado mitocondrial al día siguiente, y Jack y James confiaban en que revelara cuál era la procedencia del individuo cuyo esqueleto estaban estudiando. La cuestión residía en saber si era de Oriente Medio, en cuyo caso podía ser de la Virgen María, o de Roma, donde había sido enterrado, lo cual significaría que no podía pertenecer a la Virgen María. Mientras Jack cruzaba corriendo la calle y entraba en el parque, pensó que no dejaba de ser irónico que, justo cuando había encontrado la distracción perfecta, J.J. se encontrara mejor que nunca. Jack se preguntó si, gracias a ese cambio, sería oportuno analizar el nivel de anticuerpos de ratón de J.J. para iniciar de nuevo su tratamiento.

En opinión de Luke, la cena había sido tan deliciosa como la noche anterior y muy diferente de todo aquello a lo que estaba acostumbrado, de manera que le resultaba imposible describirlo. Por desgracia, también se había repetido el comportamiento de Shawn. Se había negado en redondo a hablar del tema de la Virgen María y el osario, y con un whisky antes de la cena y el vino, había subido borracho a su habitación, en teoría para descansar un rato. Poco después de las nueve, cuando Sana y Luke habían terminado de cenar y entrado en la sala de estar para avivar el fuego y disfrutar del vino y la Coca-Cola, respectivamente, aún no había aparecido.

—Creo que subiré a ver cómo está Shawn —dijo Sana, mientras dejaba el vino sobre la mesa, antes de relajarse de verdad.

—Estará bien —protestó Luke, pues prefería no volver a ver en toda la noche a aquel hombre embriagado y frustrante.

—Pienso más en nosotros que en él —dijo Sana con una sonrisa mientras subía las escaleras.

Luke siguió sentado en el sofá y escuchó sus pisadas en los escalones, así como el crujido de las vigas cuando entró en la habitación que utilizaba Shawn. Luke meditó sobre su comentario. No estaba seguro de a qué se refería, de modo que cuando volvió se lo preguntó.

—Quería subir antes de relajarme —explicó Sana, al tiempo que apoyaba los pies en la mesita auxiliar—, y antes de que nos sumerjamos en una interesante conversación.

Estaba ansiosa por conocer más detalles de su historia, aparte de la versión memorizada que le había contado.

—¿Se encuentra bien? —preguntó Luke. Se acordaba de su padre y de la violencia que engendraba el alcohol.

—Está acostado y sin conocimiento, si esa es tu definición de «bien».

—Desde que hablamos anoche, todavía no entiendo por qué dejó de dormir contigo.

—Es más sencillo ahora que hace seis meses, cuando fue más idea de él que mía. Nos hemos distanciado. ¿Te has dado cuenta de lo poco que me toca? Hablo de cosas sin importancia, como apoyar mi brazo sobre su hombro, así. —Sana estaba sentada a la derecha de Luke, de modo que levantó el brazo izquierdo y lo pasó por detrás del cuello de Luke. Después, retiró la mano y la apoyó sobre su rodilla—. Ni siquiera nos sentamos muy juntos, con mi mano sobre su rodilla. Cuando nos casamos, hacíamos estas cosas, no era nada más que el ansia de informarnos de que estábamos juntos, y de que nos gustaba estar juntos, como estoy haciendo ahora contigo. Pero todo eso pasó, y como ya he dicho, al principio fue él, pero ahora es compartido. Al principio, pensé que estaba relacionado con nuestra gran diferencia de edad, pero ahora ya no estoy tan segura: temo que se trata de algo más.

Luke sintió que un repentino calor invadía su pierna y ascendía hacia la ingle. Era infinitamente consciente del brazo de Sana contra su muslo y de la mano posada sobre la rodilla. Era como si sus dedos ardieran.

Sana no era consciente de la avalancha emocional que había desencadenado sin querer en la mente de Luke, con su sobrecarga hormonal. Había dejado el brazo y la mano cerca de él de un modo que consideraba platónico, pero también era un recordatorio·físico de lo cerca que se sentía de él, y había dado por sentado que el joven sentía lo mismo por ella, puesto que habían compartido pensamientos y sentimientos muy íntimos desde su llegada. De hecho, Luke era la primera persona a la que Sana había confiado los problemas cada vez más acuciantes de su relación con Shawn. Como consecuencia directa, creía que Luke comprendía algo de su vida secreta, lo cual formaba un vínculo, una atracción fraternal, un lugar especial en su mente, pues aunque Luke parecía un misterioso hombre-niño, proyectaba una percepción emocional que desmentía su apariencia juvenil. Al fin y al cabo, razonaba Sana, había observado y comentado aspectos de su relación con Shawn, y tan solo era tres años menor que ella.

De momento, Luke no pensaba. Estaba sintiendo. El calor de la mano de Sana continuaba quemando todavía su rodilla, y ahora el brazo obraba el mismo efecto hasta el extremo de la cadera. Cada latido de su corazón se repetía en su pene tumefacto, mientras sus testículos se contraían en dolorosos nudos. Necesitaba alivio. Necesitaba moverse, lo cual provocó que los músculos de sus piernas e ingle se contrajeran en espasmos rítmicos.

Al notar las contracciones musculares de Luke, Sana se sobresaltó. Estaba sentada a su lado, y de pronto se volvió para mirarle, al tiempo que su mano izquierda ascendía inocentemente sobre el muslo. Al ver el sudor que perlaba su frente y su expresión aturdida, pensó horrorizada que el hombre-niño estaba sufriendo un infarto. Se levantó de inmediato e intentó que se tumbara. Pero él se resistió con una fuerza tan increíble, que el forcejeo terminó enseguida.

—¡Vale! —gritó Sana—. ¡Me estás haciendo daño!

Luke le había agarrado las muñecas y las estrujaba hasta el punto de impedir la circulación de la sangre.

Como si despertara de una apoplejía, o al menos de un leve aturdimiento, Luke soltó a Sana, quien se puso a masajearlas al instante para restablecer la circulación.

—Dios mío, qué daño me has hecho —se quejó Sana, sin dejar de masajearse las muñecas.

Como si saliera de un trance, Luke se limitó a mirar a Sana. No intentó hablar, tan solo la miró con su rostro fláccido y atontado.

—¿Te encuentras bien? —preguntó Sana. Hasta tenía los ojos vidriosos, los labios entreabiertos. Si bien la luz del fuego dificultaba examinar su semblante, parecía más pálido que nunca—. ¡Luke! ¿Te encuentras bien? —repitió Sana. Asió sus hombros con ambas manos y le dio una pequeña sacudida—. ¡Háblame, Luke! Quiero saber si te encuentras bien.

Sana se inclinó hacia delante y estudió la cara de Luke. Sus ojos, que hacía un momento estaban concentrados en sus labios, se alzaron poco a poco. Se dio cuenta de que estaban regresando al presente, pero había algo inquietante. En vez de ser la persona feliz de antes, parecía entre furioso y consternado. Antes de que hablara, Sana comprendió de repente lo que había sucedido. No pudo reprimir una sonrisa, sobre todo porque ahora que lo pensaba, no entendía por qué había tardado tanto.

—Has tenido un orgasmo, ¿verdad? —preguntó, tranquilizada y de buen humor—. Creo que estoy en lo cierto. Bien, no te sientas avergonzado por mí. Creo que ha sido fantástico. Felicidades. Hasta lo tomaré como un cumplido. Es tranquilizador saber que alguien me encuentra sexualmente atractiva, aunque mi marido no esté por la labor.

Sana había intentado que Luke no se sintiera avergonzado, pues creía que nunca había mantenido relaciones sexuales con una mujer. No habían hecho el amor, pero su reacción había sido sexual. Confiaba en que, pese a los traumas que había experimentado desde la pubertad, existiera la posibilidad de que fuera normal.

—¡Puta! —gritó Luke de repente.

—¿Perdón? —dijo Sana. Lo había oído bien, pero no quería escuchar tal estupidez, sobre todo de labios de Luke, su amigo especial.

—¡Satanás! —replicó Luke.

—¿De veras? —preguntó con desdén Sana—. Volvemos otra vez con lo de tu padre y tu madre. La víctima es el culpable. Esta vez, todo ha pasado aquí, amigo mío —añadió Sana, al tiempo que extendía el dedo índice para tocar la cabeza de Luke.

Este apartó con violencia la mano de Sana, que lanzó un grito de dolor.

—¡Puta de Satanás! —bramó Luke, en el tono más enérgico del que fue capaz.

—Bien, hasta aquí hemos llegado —dijo Sana, alzando su mano—. Pensaba que ocupabas un lugar destacado en la lista de fanáticos religiosos, pero supongo que albergué demasiadas esperanzas sobre tus progresos. En cuanto a lo de ser bienvenido aquí, debo advertirte que bien poco queda de eso. Por lo que a mí respecta, me voy a dormir con la puerta cerrada con llave, de modo que, si se te ocurre pedir disculpas, ya lo harás mañana. No es preciso añadir que, por tu bien, creo que deberías pedir disculpas. ¡Buenas noches!

Sana se encaminó hacia la escalera, aunque sabía que su minidiscurso había caído en oídos sordos. Luke lanzó un último «¡Satanás, maldito seas por toda la eternidad!», mientras Sana empezaba a subir la vieja y ruidosa escalera.

# 28

*9.43 h, miércoles, 10 de diciembre de 2008,*
*Nueva York*

A las nueve y cuarenta y tres minutos de la mañana, James ya estaba en su despacho consultando la correspondencia y contestando a los correos electrónicos. Le asombraba cuántos asuntos de la archidiócesis podían resolverse por mediación del correo electrónico, y atribuía la mayor parte del aumento de su productividad, cifrado en un treinta por ciento, a su adaptación a las nuevas tecnologías. Lo que conseguía de manera magnífica era difundir la información y eliminar muchas llamadas telefónicas, prolongadas hasta la agonía. Para James, este último beneficio era fundamental.

Estaba levantado desde antes de las seis. Ya había leído el breviario, tomado una ducha y afeitado mientras escuchaba las noticias. Había dicho misa con su personal y desayunado con el *Times* antes de retirarse a su estudio, donde se encontraba en esos momentos. A las diez debía estar en la sala de «consultas», donde se había citado con el canciller y el vicario general. Estaba meditando sobre si debía dejar caer las primeras palabras sobre el problema del osario, cuando el teléfono sonó. Miró la pantalla LED y lo abrió de inmediato porque decía ARCHIDIÓCESIS, y James sabía que sería Lukas Hester.

—Buenos días, Eminencia —dijo Luke en cuanto James contestó—. Creo que tengo buenas noticias para usted.

James osciló hacia delante en su asiento y su pulso se aceleró. Imaginó al arcángel san Gabriel al otro lado de la línea.

—¿Ha cambiado de opinión? —preguntó jubiloso James. Tras hablar con Luke los dos días anteriores, James había desestimado sus esperanzas sobre el plan B, preocupado por el hecho de que no se vislumbrara en el horizonte ningún plan C.

—Aún no, pero estoy seguro de que lo hará.

—Eso es música celestial para mis oídos.

—Espero que siempre me tenga en la más alta consideración por esto —dijo Luke—. No ha sido fácil.

—Nunca imaginé que lo fuera —admitió James—. De hecho, estoy algo sorprendido, teniendo en cuenta lo decidido que estaba. No obstante, siempre he creído que quien ha sido fervoroso católico nunca deja de serlo, y siempre lo he creído acerca de Shawn Daughtry, pese a sus bravatas anticlericales. ¿Debo llamar para felicitarle?

—Hasta mañana no, o todo se irá al traste.

—Bien, pues esperaré de buena gana hasta mañana. ¿Qué argumentación elegiste al final?

—La solución reside menos en una argumentación que en una táctica.

—Estoy impresionado. ¿Me lo contarás en algún momento?

—Conocerá a fondo los detalles.

James sonrió. El joven hablaba a menudo como si su único contacto con el mundo exterior fuera la Biblia.

—La solución dependía de comprender más a fondo a qué me enfrentaba.

—Yo diría que tal aforismo encierra la verdad en forma de numerosos acertijos.

—Lo que debía aprender era que Satanás está conchabado tanto con el marido como con la mujer, y no solo con el marido.

—Bien, están trabajando en el mismo proyecto —comentó James.

—Me equivoqué, pues —dijo Luke—. Pensaba que eran personas diferentes, pero ambos están en ocasión de pecar.

—Gracias por esta información —repuso James—. Debo confesar que me encontraba muy cerca de la desesperación.

—Me alegro de que me haya concedido la oportunidad de servir a la Iglesia y, sobre todo, a la Virgen María.

Luke colgó. Estaba en la cocina, preparándose algo sencillo de comer. Sana no se había levantado temprano para prepararle el desayuno, y él tampoco había deseado que lo hiciera. No quería verla aquella mañana, ahora que sabía quién era en realidad.

Satisfecho con su tostada y la leche, Luke subió a su cuarto. Abrió la maleta y sacó el dinero que le habían entregado. Eran cuatrocientos dólares, una fortuna para él, mucho más de lo que necesitaba. Al fin y al cabo, no iba a tener que comprar muchas cosas, porque la casa en sí ya era perfecta.

La temperatura en el exterior era razonable, lo cual le satisfizo porque no llevaba una chaqueta muy gruesa. En el monasterio, su trabajo no exigía que saliera y, durante el invierno, pocas veces lo hacía. Aquella mañana, el mayor problema de Luke consistía en encontrar una ferretería donde pudiera comprar una buena cerradura exterior. Había sido idea suya añadir otra a las tres con las que ya contaba la puerta principal.

Al cabo de tres manzanas llegó a una de las numerosas zonas comerciales del Village, y enseguida preguntó por una ferretería. Un cuarto de hora después entraba en una de la Sexta Avenida, no demasiado lejos de Bleecker Street. En cuanto a cerraduras exteriores, había mucho donde elegir. La que eligió Luke era, según el empleado de la tienda, la más fácil de instalar.

De vuelta a casa de los Daughtry, Luke paró en dos tiendas más para comprar los dos últimos objetos de su lista. Fueron más fáciles que la cerradura, puesto que no existía otra alternativa que la marca, pero le daba igual. Con todo lo que necesitaba, llegó a casa de los Daughtry antes de mediodía.

Sana se estaba divirtiendo. El día iba progresando tan bien como los dos anteriores. Aquella mañana, antes de lo esperado, había terminado con los pasos de la reacción en cadena de la polimerasa y había pasado al sistema analizador genético 3130XL. Ahora, mediada la tarde, estaba esperando no solo completar la secuencia mitocondrial del ADN del esqueleto, sino obtener también las secuencias de diversas zonas de prueba, utilizadas para explorar las raíces genealógicas de la persona.

En cuanto el secuenciador automático inició su trabajo, Sana había salido del laboratorio para desplazarse hasta Columbia, con el fin de comprobar que se estaban encargando de todos sus experimentos. Se alegró de descubrir que todo estaba en orden. Cada uno de sus cuatro estudiantes graduados estaba trabajando de manera responsable, con el fin de enmendar que se habían relajado un poco mientras Sana asistía a la conferencia de Egipto.

Cuando Sana bajó del taxi, después de regresar de su laboratorio en el campus de la facultad de medicina, pensó un momento en Luke. Pensó en él nada más despertarse, pero prefirió no tomar decisiones precipitadas sobre el incidente de la noche, como por ejemplo contárselo a Shawn. Sabía que, si se lo decía, el hombre-niño caería en desgracia, y Shawn llamaría al arzobispo para comunicarle que había elegido muy mal a su emisario. Como eso los devolvería al punto de partida, las amenazas del arzobispo de denunciarlos, Sana quería dejar que el episodio reposara un tiempo en su mente por tres razones principales. La primera, porque se echaba la culpa de lo sucedido hasta cierto punto. Al disfrutar tanto de su compañía, y reconocer sus propias necesidades, admitía que se había excitado un poco. La segunda razón era que, si bien había sido él quien la había atacado, pensaba que se trataba en un noventa por ciento de un acto defensivo. La última razón era que confiaba en que Luke se disculparía después de haber reflexionado sobre el episodio, aunque por la mañana no había aparecido para hacerlo.

Una vez pagado el taxi, Sana entró en el edificio, enseñó su identificación a los guardias de seguridad, que ya la conocían, y subió en el ascensor. En la parte exterior del laboratorio encontró a Jack trabajando con Shawn en la traducción del primer manuscrito. Habían terminado de desenrollarlo aquella mañana, lo cual emocionó a Shawn. A medida que avanzaba en la traducción, no tenía ninguna duda de que la figura de Simón estaba a punto de rehabilitarse hasta el grado de teólogo por derecho propio. Shawn había asegurado a los demás que Simón era el primer cristiano gnóstico, o uno de los primeros, que combinaba la historia de Jesús de Nazaret con ideas gnósticas básicas, como el verdadero papel de Jesús como profesor espiritual, más que de redentor de pecados.

—¿Habéis descubierto algo importante durante mi ausencia? —preguntó Sana mientras colgaba la chaqueta en una de las taquillas.

—Estamos a punto de empezar el rollo número dos —contestó Jack—. Esperamos que en ese o en el tecero aparezca una mención a los huesos.

—Buena suerte —dijo Sana—. Voy a encerrarme en el laboratorio, a ver qué nos depara el ADN mitocondrial. Puede que obtengamos información dentro de unos minutos.

—Eso sería estupendo —admitió Shawn, enfrascado en lo que estaba haciendo.

Sana entró en el vestidor y se cambió a toda prisa. Aunque el secuenciador había terminado el proceso, no quería que la habitación se contaminara, pues tal vez volvería a analizar unas muestras, o una muestra nueva, según lo que encontrara. Cuando se hubo puesto los guantes, el traje, la capucha y las botas, entró en el laboratorio y se dirigió al secuenciador. Buscó las páginas que le interesaban más en la pila de la impresora. Tardó solo unos minutos. Eran tres, y cuando por fin las separó de las demás, volvió a mirarlas de una en una. Después, sacudió la cabeza y volvió a mirar. No podía creerlo, pero no estaba dispuesta a sentarse y comparar los dieciséis mil cuatrocientos ochenta y cuatro pares de bases de las tres páginas. Sana se sintió mareada de repente. No iba a efectuar ninguna comparación; para eso estaban los ordenadores. Se sentó para intentar deducir qué sugerían los resultados, algo que Sana, por su experiencia, consideraba imposible.

El problema era el siguiente, y Sana volvió a repasarlo para estar segura: la secuencia del ADN mitocondrial de la pulpa dentaria que había extraído del cráneo encontrado en el osario coincidía (par de base por par de base, dieciséis mil cuatrocientos ochenta y cuatro) con la de una mujer contemporánea, pues Sana había encargado al ordenador que lo repasara en cuanto estableció la secuencia, utilizando la nueva biblioteca mitocondrial internacional llamada CODIS 6.0.

Aunque encontrar una coincidencia en el mundo contemporáneo no era tan anormal, porque gemelos idénticos coincidían, el problema en este caso era que la mujer del osario contaba más de dos mil años de edad. Por excepcional que fuera esta coincidencia, la segunda era todavía más fantástica e inexplicable para Sana. La miró y sacudió la cabeza.

—No puede ser —dijo en voz alta—. Es que no puede ser.

De pronto, Sana se puso en pie de un brinco, salió corriendo del laboratorio, atravesó el vestidor y apareció sin aliento en la oficina. Shawn y Jack se llevaron un buen susto. A Sana no le importó.

—¡Lo imposible ha sucedido! —dijo con voz estrangulada.

Jack, que había perdonado el susto antes que Shawn, se acercó a ella y cogió la página impresa que sostenía. Estaba ansioso por escuchar su explicación.

—Esta es la secuencia del ADN mitocondrial de la mujer del osario —soltó Sana, dando golpes con el dorso de la mano en la página que Jack sostenía—. Esta es la misma secuencia exacta de una mujer palestina contemporánea —continuó, entregando la segunda página a Jack—. ¡Y esta secuencia, que también es la misma, es la secuencia mitocondrial de Eva!

Dio a Jack la última página. Estaba sin aliento a causa de la emoción.

Jack, intrigado, levantó la vista de las páginas.

—¿Qué quiere decir la secuencia de Eva?

—Es una secuencia determinada por un superordenador que trabajó durante semanas seguidas para determinar el antepasado común más reciente matrilineal —explicó Sana—. En otras palabras, es la secuencia del primer antepasado femenino, que toma en cuenta todas las permutaciones humanas de los dieciséis mil y pico pares de bases normales de la secuencia del ADN mitocondrial humano.

—Las probabilidades de que algo así ocurra deben de ser ínfimas —dijo Jack.

—Exacto. Por eso es imposible.

—¿Qué estáis murmurando? —preguntó Shawn mientras se acercaba.

Sana dio a Shawn la misma explicación que a Jack. Shawn se mostró igualmente despectivo.

—Algo habrá fallado en el sistema —sugirió.

—No lo creo —respondió Sana—. He hecho cientos, si no miles, de secuencias mitocondriales. Nunca ha habido el menor fallo. ¿Por qué iba a pasar ahora?

—¿Tienes más muestras de la PCR? —preguntó Jack.

—Sí —contestó Sana.

—¿Por qué no llevas a cabo otro secuenciado y análisis?

—Buena idea —admitió Sana.

—Espera un momento —dijo Shawn, al tiempo que levantaba una mano—. Dejad que os haga una pregunta, para que luego me digáis que estoy loco y que me meta la lengua donde me quepa. ¿De acuerdo?

—De acuerdo —contestaron casi al unísono Sana y Jack.

—Muy bien —prosiguió Shawn—. Existe una forma de que esta situación imposible desde un punto de vista estadístico pueda haber ocurrido...

Shawn vaciló, y paseó la vista entre Sana y Jack.

—Vale ya. ¡Dilo! —protestó Sana. Todavía tenía el pulso acelerado.

—Somos todo oídos —lo animó Jack—. ¡Dispara!

—¿Estáis seguros de poder resistirlo? —bromeó Shawn para obrar mayor efecto.

—Vuelvo al laboratorio para analizar otra muestra —dijo Sana, mientras se alejaba del banco donde se había apoyado.

—¡Espera! —exclamó Shawn, y la asió del brazo—. ¡Te lo voy a decir, lo prometo!

—Te concedo cinco segundos para empezar, o vuelvo al laboratorio —dijo Sana. Ya estaba harta. No pensaba seguir la corriente a Shawn. Estaba demasiado emocionada.

—Por un segundo, olvídate de la mujer palestina. Tenemos dos muestras idénticas: la Eva matrilineal y la mujer del osario. Aparte de compartir el mismo ADN mitocondrial, ¿en qué son similares?

Sana miró a Jack, quien le devolvió la mirada.

—No eran contemporáneas, si es eso lo que estás insinuando —contestó Sana—. La Eva matrilineal se remonta a muchos cientos de miles de años.

—No, no —dijo Shawn—. No se parecen en eso. Lo expresaré de otra forma. Creo, gracias a la carta de Saturnino, que los huesos del osario son de María, la Madre de Jesús de Nazaret. Supongamos por un momento que lo son, lo cual los convertiría en objetos extraordinariamente sagrados para muchísima gente. ¿Me sigues?

—Por supuesto —replicó Sana, impaciente.

—Bien, si también tuviéramos huesos de la Eva matrilineal, ¿en qué serían similares, además de tener la misma secuencia de ADN mitocondrial?

—Quizá tendrían también la misma secuencia de ADN nuclear —sugirió Jack.

—Quizá, pero no es eso lo que quiero oír —dijo Shawn, tan impaciente como Sana—. ¡Pensad desde una perspectiva teológica!

Jack sacudió la cabeza mientras miraba a Sana. Ella le imitó.

—Tendrás que decirnos lo que quieres oír.

—Desde un punto de vista teológico, ambas fueron creadas por Dios Padre. ¿Os acordáis de la festividad católica de la que nos habló James este domingo? Era la fiesta de la Inmaculada Concepción, que celebra la creación de María como Madre de Cristo libre de pecado. Bien, Eva también estuvo libre de pecado al principio. Como primera mujer, solo pudo crearla el propio Dios. Bien, ¿cuántas recetas, por decirlo de alguna manera, creéis que tendría Dios para los humanos? Yo diría que una sola, y en términos de secuencia de ADN mitocondrial, la que tenemos aquí es la única. Utilizó la misma receta tanto para María como para Eva, por eso es interesante señalar que salieron muy diferentes, teniendo en cuenta que son gemelas.

Durante algunos momentos, nadie habló. Cada uno estaba absorto en sus pensamientos, hasta que Jack rompió el silencio.

—Si lo que dices es así, los dos habéis demostrado sin querer, con medios científicos, la existencia de lo divino.

Tanto Shawn como Sana lanzaron una alegre carcajada, y después se abrazaron pese a la barrera del vestido, gorro, guantes y botas de Sana.

—Nuestros artículos de las revistas se convertirán en clásicos incluso antes de ser publicados —soltó Shawn. Después, se separó de Sana—. ¡Debo volver al trabajo! No sé si podré esperar a terminar los tres manuscritos. Nunca me he sentido tan entusiasmado en mi vida por un par de papelajos.

—Voy a analizar varias muestras más, solo para asegurarme por completo de los resultados —anunció Sana.

—Y mientras vosotros hacéis eso —dijo Jack, al tiempo que se ponía en pie—, yo me voy a casa más temprano de lo habitual para insistir a mi mujer en que se tome un descanso.

De hecho, Jack tenía un objetivo más concreto. Aquella mañana había llamado al oncólogo de pediatría responsable del protocolo de neuroblastoma del Memorial para preguntarle, a la luz de los días seguidos sin síntomas de J. J., si debía llevar al niño para que analizaran su nivel de anticuerpos monoclonales de ratón.

—Felicidades —gritó Jack cuando abrió la puerta que daba al pasillo. Shawn y Sana agitaron la mano como respuesta. Sana estaba entrando en el vestidor para cambiarse. Shawn había vuelto al tedioso trabajo de desenrollar el manuscrito—. ¿A qué hora mañana?

—Digamos a las diez —respondió Shawn—. Puede que haya alguna celebración esta noche.

—Por cierto —añadió Jack—, yo no diría nada a James del ADN mitocondrial hasta que esté confirmado.

—Eso será lo más misericordioso que podamos hacer —admitió Shawn.

Jack estaba a punto de marcharse, cuando pensó en otra cosa. Como comunicarse a gritos desde la puerta debía de ser molesto para los demás trabajadores del laboratorio, volvió a la oficina y se acercó a Shawn. Jack vio que Sana estaba cambiándose en el vestidor.

—Me he olvidado de la mujer palestina que también coincidía —dijo—. ¿Qué demonios quiere decir eso?

—Buena pregunta —contestó Shawn, al tiempo que echaba hacia atrás la silla. Asomó la cabeza en el vestidor y preguntó a Sana su opinión.

—Tiene que ser una pariente matrilineal directa de la mujer del osario —dijo Sana—. Es posible, porque la vida media de una sola mutación nucleótida de ADN mitocondrial es de dos mil años. Eso opino yo, al menos —concluyó Sana, mientras terminaba de vestirse.

—¿Has oído eso? —preguntó Shawn, mientras dejaba que la puerta del vestidor se cerrara.

—Sí —dijo Jack—. Es curioso pensarlo. Me pregunto si ella lo sospecha, o si alguien lo ha sospechado. Hasta me lleva a pensar si es cristiana o musulmana.

—Tal vez alguno de nosotros debería investigarla en algún momento —sugirió Shawn—, aunque tengo la sensación de que cuanto menos sepa, mejor.

—Es una idea curiosa —dijo Jack.

Se marchó por segunda vez. Mientras bajaba en el ascensor, otra idea relacionada con todo aquello cruzó por su mente. Un aspecto de la medicina alternativa que ni siquiera había tocado era la curación a través de la fe, y el motivo era que le concedía todavía menos posibilidades de ser eficaz que a algunos de los demás métodos. Algunas veces, mientras zapeaba en su vida anterior, había visto a evangelistas televisivos imponer las manos a supuestos pacientes, que se levantaban curados. No obstante, si alguien tenía el mismo ADN que la madre de Jesús de Nazaret, Jack no pudo reprimir la pregunta de si podría curar a la gente.

El ascensor llegó al primer piso y Jack salió. Casi de inmediato, los pensamientos sobre la curación a través de la fe abandonaron su mente, sustituidos por pensamientos relativos a los niveles de anticuerpos del organismo de J.J.

# 29

Aunque lo último que deseaba Shawn era parar en un colmado y comprar algo para cenar, sobre todo porque eso significaba pagar la cena de Luke, lo hizo de todos modos. No solo había sido el día más productivo en el estudio del documento, sino que Sana ya había efectuado una segunda secuenciación del ADN mitocondrial de la pulpa dental, y la secuencia era igual a la primera. Por lo tanto, era en conjunto el día más plagado de éxitos en relación con el osario, y tales progresos auguraban unos excelentes artículos en un futuro no muy lejano.

—He tenido una idea —dijo Sana, mientras Shawn y ella cargaban los comestibles en el maletero de un taxi.

—¿De veras? —preguntó Shawn con tono jocoso—. Menuda novedad.

Sana le golpeó en broma con un paquete de toallas de papel.

Llegaron a casa con esta actitud bromista. Mientras Shawn pagaba al taxista, Sana fue al maletero para sacar las bolsas con la comida. Mientras las depositaba en el bordillo, pensó en Luke y se preguntó cómo iba a comportarse. No tenía ni idea, y sus pensamientos oscilaban entre la rabia y el humor. En cuanto a cómo había reaccionado nada más concluido el episodio, imaginaba que se habría sentido avergonzado, y esperaba que quisiera disculparse, tal como ella había sugerido con energía, para poder olvidar el incidente. Tras haber pensado en su reacción durante todo el día, Sana todavía la consideraba de lo más grosera. «Puta de Satanás», murmuró de forma inaudible. Tal lenguaje, procedente de una persona con una apariencia tan angelical, la dejaba estupefacta.

—¿Tienes tú las bolsas? —preguntó Shawn. Había terminado de pagar al taxista.

—No me iría mal una ayudita —sugirió Sana.

Shawn se acercó y cogió dos bolsas que Sana ya había sacado del maletero. Asió la tercera y última, y cerró el capó del maletero con el codo.

Mientras subían hasta la puerta, Sana sacó el llavero del bolso.

—Me parece un buen momento para pensar en eso —comentó Shawn—. Creo que anoche terminamos la última botella de vino.

—Si quieres, te acercas a la Sexta Avenida más tarde y compras algo para esta noche —sugirió Sana—. La celebración que comentaste a Jack será un poco triste sin vino.

—Tal vez invite a Luke —dijo Shawn—. Le iría bien salir de casa.

—Un magnífico detalle —contestó Sana, y lo dijo en serio. Al mismo tiempo, se preguntó qué diría Shawn si le contaba que Luke la había llamado «puta de Satanás» la noche anterior. Cuando Shawn se enfadaba, exhibía un vocabulario de camionero.

Sana abrió las tres cerraduras con sus respectivas llaves, pero entonces reparó en que había una cuarta, y no cabía duda de que era nueva. Estaba a punto de preguntar a Shawn al respecto, cuando probó a abrir la puerta. Se abrió sin el menor problema, y ya no volvió a pensar en eso. Se apartó para dejar pasar a Shawn, pues cargaba con casi todas las bolsas.

—Hola, Luke —oyó Sana que decía Shawn, mientras cerraba la puerta con el pie. Se volvió y corrió los tres cerrojos. Cuando dio la vuelta de nuevo, Shawn estaba hablando con Luke, pero no era una charla cordial. Shawn le estaba diciendo que no estaba permitido fumar en su casa bajo ningún concepto.

—Solo es un cigarrillo —respondió Luke. Su tono no era defensivo ni de disculpa. Era desafiante, como si fuera él quien dictara las normas de la casa.

—Te repito que en esta casa no se fuma —repitió Shawn lenta pero tajantemente.

—Bien —dijo Luke impertérrito. Se levantó de la silla en la que estaba sentado y se dirigió hacia la puerta. En lugar de abrirla, volvió a cerrarla con una llave, que guardó en el bolsillo, y después se encaminó hacia las escaleras.

—¿Adónde cojones vas? —preguntó Shawn cuando pensó que Luke iba a subir—. ¡No me obligues a repetir las cosas!

Luke pasó por delante de las escaleras, mientras repiqueteaba con los nudillos sobre la barandilla. Parecía extrañamente indiferente, sin hacer el menor caso de sus anfitriones, que acababan de llegar a casa.

Shawn miró a Sana como si esperara que ella pudiera explicarle un comportamiento tan extravagante. El hombre había encendido un cigarrillo, pero no lo estaba fumando, ni tampoco lo tiraba. Daba la impresión de estar inspeccionando la residencia, hasta que llegó a la puerta del sótano, que estaba debajo de la escalera principal. Se detuvo, y en cuanto apoyó la mano sobre el pomo, se volvió y miró a Shawn y a Sana. Con una expresión tan despreocupada como la de antes, recitó un Ave María, y al terminar abrió la puerta del sótano, tiró dentro el cigarrillo encendido y cerró la puerta de golpe.

—¡Qué coño! —gritó Shawn a pleno pulmón.

Sin vacilar ni un momento, Shawn dejó caer las bolsas de comida sobre el sofá y corrió hacia la puerta del sótano. Nunca se supo si Shawn oyó o notó el ruido sordo que surgió de dentro. El caso es que Sana sí lo notó, porque los adornos de la repisa de la chimenea temblaron. Lo llamó, pero Shawn no le hizo caso. Su objetivo era apoderarse del cigarrillo lo antes posible y reducirlo a cenizas. Cuando llegó a la puerta, apartó a Luke a un lado, agarró el pomo, abrió la puerta y empezó a bajar, todo con el mismo movimiento. Por desgracia, una enorme bola de vapor de gasolina que buscaba una presión inferior ascendió hacia arriba y chamuscó al instante sus pestañas, cejas y casi todo su pelo. Al cabo de escasos segundos, la vieja casa de madera, con sus cientos y cientos de bolsas de aire dentro de los muros envejecidos, se convirtió en un infierno llameante, y el hecho de que el único aislamiento del edificio fuera papel de periódico antiguo desmenuzado, provocó que el fuego se propagara con mayor rapidez. Segundos después, el flujo de calor superó el punto de inflamación, de modo que todos los objetos del edificio, incluidas las personas, estallaron en llamas espontáneamente. Sana y Shawn, aunque convertidos en teas humanas, llegaron a la puerta principal, pero descubrieron que era imposible abrirla.

Un cuarto de hora después, un vecino que se fijó en el resplandor que llegaba del exterior, se asomó y llamó desesperado al 911. Once minutos después, aparecieron los coches de bomberos, pero lo único que pudieron salvar fue la chimenea.

# Epílogo

*7.49 h, jueves, 11 de diciembre de 2008,*
*Nueva York*

Como Jack no iba a hacer autopsias aquella semana, no se esforzó en llegar demasiado temprano al IML, de modo que lo hizo a las siete y cuarenta y nueve minutos de la mañana. En días normales, a esa hora ya habría elegido los casos que consideraba mejores y ya estaría en la sala de autopsias con Vinnie Amendola, dándole la matraca o viceversa. Jack aseguró su bicicleta a un lado de uno de los garajes, a plena vista de los guardias. Cuando terminó, saludó con la mano a los agentes de seguridad, tranquilizado al saber que los chicos vigilarían su bicicleta.

Como Sana y Shawn no iban a llegar hasta eso de las diez, Jack decidió terminar el papeleo de todos sus casos lo antes posible, de modo que cuando volviera a practicar autopsias lo hiciera a partir de cero, algo que no había conseguido en los trece años que llevaba trabajando allí. Como deseaba tanto un café como saber lo que estaba pasando en el depósito de cadáveres aquella mañana, Jack subió a la sala de identificación, donde sabía que uno de los mejores médicos forenses se encontraba de guardia aquella semana, la doctora Riva Mehta. Había sido compañera de oficina de Laurie durante muchos años, y era una colega dedicada, inteligente y trabajadora, más de lo que

Jack podía decir sobre demasiados miembros del personal. Percibió el olor a café antes de llegar. Aunque tomaba el pelo sin compasión a Vinnie sobre todo lo demás, Jack nunca lo hacía acerca de la preparación del café. Vinnie lo había convertido en una ciencia y, al no variar la técnica, el café no solo era bueno como brebaje oficial de la institución, sino también consistente. Al cabo de media hora de pedalear, siempre sentaba bien.

—¿Algo interesante en particular? —preguntó Jack a Riva, colocándose detrás de ella para mirar por encima de su hombro, antes de dedicar su atención al café.

—Ya era hora, vago —anunció una voz ronca.

Jack alzó la vista de la máquina de café y vio a su viejo amigo, el detective teniente Lou Soldano, dejar a un lado el *Daily News* de Vinnie y ponerse en pie. Como de costumbre, cuando Lou aparecía temprano, daba la impresión de haber estado levantado toda la noche, como así había sido, con la corbata suelta, el último botón de la camisa desabrochado, y las anchas mejillas y el cuello con barba incipiente. Para completar el cuadro, las ojeras colgaban como las de un perro de caza, hasta que se encontraban con las arrugas de su cansada sonrisa, mientras que su pelo muy corto, que nunca se preocupaba de peinar, estaba erizado. Daba la impresión de que hacía una semana que no pasaba por casa.

—Lou, viejo amigo —dijo Jack—. Justo el hombre que deseaba ver.

—¿Cómo es eso? —preguntó Lou con cautela, mientras se acercaba a la máquina de café. Se estrecharon la mano.

—No me disculpé por la ridícula conversación que te obligué a entablar. ¿Te acuerdas? Fue acerca de la quiropráctica.

—Pues claro que me acuerdo. ¿Por qué crees que has de disculparte?

—Me había embarcado en una especie de cruzada, y creo que me pasé un pueblo con un par de personas, tú incluido.

—Tonterías, pero si quieres disculparte, ¡adelante! Estás perdonado. Ahora, discúlpame a mí por presentarme tan tarde.

Llevo aquí tres cuartos de hora, pensando que entrarías por la puerta en cualquier momento.

—Esta semana no hago autopsias.

—¡Hostia! ¿Y si la próxima vez me avisas?

—Te habría avisado, de haber pensado que te interesaba. ¿Qué pasa?

—Esta noche ha sido muy ajetreada, además del caos habitual. Hubo un fuego intencionado en el West Village, en el que murieron tres personas, dos de las cuales me ha dicho el arzobispo que tú conocías.

—¿Quién? —preguntó Jack, aunque experimentó la dolorosa sensación de que ya lo sabía, sobre todo porque había sido en el West Village y el arzobispo estaba de por medio—. ¿Fue en Morton Street?

—Sí, en el cuarenta de Morton Street. ¿Los conocías bien?

—A uno más que a otro —dijo Jack, y contuvo el aliento. De pronto, sintió que las rodillas le fallaban—. Santo Dios —añadió, mientras sacudía la cabeza—. ¿Qué pasó?

—Aún lo estamos investigando. ¿De qué los conocías?

Jack dio a Lou el café que sostenía y se sirvió otro.

—Creo que lo mejor será sentarse —dijo. Una vez sentados, Jack le habló de Shawn y de Sana Daughtry, y dijo que conocía a Shawn y al arzobispo de la universidad. Hasta que Lou no explicara más, se abstuvo de mencionar el osario—. El sábado por la noche fui a cenar al cuarenta de Morton Street.

—Menos mal que no fuiste anoche —dijo Lou—. Fue el típico incendio premeditado. El acelerador fue la gasolina del sótano, pero no fue necesaria mucha ayuda. La casa era de madera, y del siglo XVIII, una trampa mortal.

—¿Habéis identificado a las víctimas?

—De una forma razonable, pero esperamos confirmación del IML. Estamos muy seguros de que dos de las víctimas son los propietarios de la casa, pero necesitamos corroborarlo. La tercera víctima ha sido más difícil de identificar. Terminamos encontrando algunas de sus pertenencias, y es el principal sospechoso del incendio. Creemos que se llamaba Luke Hester, y resulta que es uno de esos chiflados religiosos que viven en un monasterio de dudosa reputación, dedicado a la Virgen María. Al ponernos en contacto con el monasterio, averiguamos que el arzobispo de Nueva York le había encargado una especie de misión, así que lo sacamos de la cama. El arzobispo nos contó la historia. Por lo visto, esta tercera víctima, que era una especie de fanático religioso, estaba viviendo temporalmente con los Daughtry. El arzobispo teme que el fanático acabó con los tres en plan mártir, para evitar que los propietarios publicaran algo negativo sobre la Virgen María, Madre de Dios. ¿Te lo puedes creer? Eso solo pasa en Nueva York, te lo aseguro.

—¿Cómo estaba el arzobispo cuando hablaste con él? —preguntó Jack. Ni siquiera podía imaginar cuáles eran los pensamientos de James. Jack suponía que estaría destrozado.

—No estaba muy contento —admitió Lou—. De hecho, estaba hecho polvo —añadió, como si leyera los pensamientos de Jack—. En cuanto se lo dije, estuvo unos minutos sin poder hablar.

Jack no respondió, se limitó a mover la cabeza.

—Pues bien, yo solo he venido a seguir la investigación —dijo Lou—. Por si alguna pista inesperada se convierte en decisiva, habilidad por la cual eres especialmente conocido.

—¿Quién se ha encargado de los tres casos? —preguntó Jack a Riva.

—Yo —contestó Riva—, pero si quieres alguno de los tres, o todos, avísame.

—¡No, gracias! —respondió Jack. Ya había decidido ayudar a James antes que a Lou; recogería todas las pruebas del osario y se las entregaría—. Ningún problema, Lou —dijo a su amigo—. La doctora Mehta es una de las mejores. Estoy seguro de que la encontrarás más atractiva que yo, y hasta un poco más rápida.

—¿Cuándo piensas empezar, cielo? —preguntó Lou a Riva. Jack se encogió. A Riva no le gustaba que policías machistas la llamaran «cielo», tal como demostró al no molestarse en contestar. Jack dio la espalda a Riva y se interpuso entre ella y Lou. Hizo un ademán como si se cortara la garganta.

—Nada de «cielo», «cariño» o cosas por el estilo —susurró Jack a Lou.

—Lo he pillado —dijo Lou al instante. Repitió la pregunta con otra fórmula y obtuvo respuesta inmediata: un cuarto de hora.

—Un último consejo —dijo Jack—. No pierdas mucho tiempo en esta investigación. No es nada más que una triste y lamentable tragedia en que todo el mundo estaba haciendo lo que creía que debía.

—Esa impresión me llevé hablando con el arzobispo —contestó Lou—. El monje carecía de antecedentes. No obstante, el aspecto más curioso es su comportamiento profesional, excepto al final, cuando se autoinmoló. Nuestros investigadores de incendios premeditados están impresionados. No solo utilizó un acelerador, la gasolina, sino que supo cómo vaporizarla al máximo, y también utilizó regueros en el sótano para propagar el fuego a todos los rincones en el menor tiempo posible. Incluso abrió a hachazos algunos respiraderos para que el fuego ascendiera por la casa más deprisa que en circunstancias normales. El hombre era un pirómano nato.

—Llevo encima el móvil —dijo Jack, al tiempo que estrechaba la mano de Lou—. Voy ahora mismo a la residencia del arzobispo para consolarle. Supongo que se estará echando la culpa, pues fue él quien presentó a los implicados. No entiendo por qué no me llamó.

—Tienes razón en lo de que se está echando la culpa —dijo Lou—. A mí me lo ha confesado. Estoy seguro de que necesita tu compañía.

—Más de lo que me gustaría admitir —añadió Jack.

Convencido de que dejaba a Lou en buenas manos, dio media vuelta y regresó al sótano, camino de la oficina del parque móvil. Aunque le preocupaba irritar a Calvin, Jack se había propuesto tomar prestada una furgoneta de transporte de los médicos forenses con conductor durante unos treinta o cuarenta minutos. Cuando entró en el parque móvil, ya no se sintió preocupado. Los cinco conductores estaban sentados tomando café. Cinco minutos después, Jack iba de camino con Pete Molina al volante. Pete era uno de los conductores de noche a los que Jack había conocido, pero hacía poco le habían concedido el turno de día.

Fueron a toda prisa al edificio de ADN del IML, donde Jack y Pete entraron en la zona de carga y descarga. Jack entró corriendo y pidió a los agentes de seguridad que abrieran el laboratorio que los Daughtry estaban utilizando. Cerró la puerta a su espalda y procedió a toda prisa, no fuera que el equipo de investigación de Lou se enterara de la existencia del laboratorio antes de que él se llevara las reliquias. Experimentaba una repentina urgencia de que todo volviera a su legítimo propietario, un trabajo del cual se encargaría James.

Con el osario iba todo: huesos, manuscritos, hasta los restos de las muestras en las que Sana había estado trabajando en el laboratorio. Cuando todo estuvo a buen recaudo, Jack añadió dos objetos más: el códice y la carta de Saturnino, que Shawn había trasladado desde su despacho dos días antes. A continuación, Jack cargó el osario en la carretilla que Shawn había utilizado para subir las placas de cristal.

Después de comprobar por segunda vez que lo tenía todo, Jack empujó el carrito hasta el montacargas, y después bajó a la zona de carga y descarga. Por suerte, Pete seguía en su sitio. De haber llegado algún envío, tendría que haberse desplazado. Después de enseñar su identificación a otro miembro de seguridad, Jack metió el osario en la furgoneta y lo sujetó.

—Muy bien —dijo Pete, mientras ponía en marcha el motor—. ¿Adónde?

—A la residencia del arzobispo de Nueva York —dijo Jack.

Pete lo miró.

—¿Se supone que debo saber dónde está?

—La Cincuenta y una con Madison. Puedes girar a la izquierda en la Cincuenta y una y frenar ante el bordillo. Allí bajaré. No tendrás que esperar.

Jack no dio más explicaciones por dos motivos. Uno, quería que el menor número de personas supieran lo que había hecho, y dos, ya estaba pensando en qué le iba a decir a James. Jack sabía que si los papeles se hubieran invertido, el que estaría cataléptico sería él.

Una vez Pete se abrió paso entre el tráfico del centro y dobló por Madison, el trayecto hasta la catedral de San Patricio fue lento pero a ritmo constante. Al cabo de menos de media hora, Pete pudo aparcar a un lado de la residencia. En cuanto se detuvieron, Jack bajó, abrió la puerta de la furgoneta, acercó el osario al borde y lo levantó. Cuando Pete fue en su ayuda, ya había cerrado la puerta corrediza.

—Agradezco tu ayuda, Pete —dijo Jack mirando hacia atrás.

—Ningún problema —contestó Pete, mientras echaba un vistazo a la austera residencia de piedra gris.

Jack subió los peldaños con el osario, lo apoyó sobre una rodilla y llamó al timbre. Oyó un campanilleo en el interior. Siempre atento a posibles desastres, Jack se imaginó de repente dejando caer el osario por los escalones, donde se rompería y desintegraría en una serie de huesos, manuscritos, placas de cristal, el códice y la carta de Saturnino. Como consecuencia, Jack asió la piedra con mayor firmeza, y hasta estaba considerando la posibilidad de dejarla en el suelo, cuando el mismo sacerdote que le había recibido el día de la comida abrió la puerta.

—Doctor Stapleton —dijo el padre Maloney—. ¿En qué puedo ayudarle?

—Sería estupendo que me invitara a entrar —sugirió Jack con un toque de sarcasmo.

—¡Sí, por supuesto, entre! —El padre Maloney retrocedió para dejar sitio—. ¿El cardenal le está esperando?

—Es posible, pues sabe más de lo que está pasando que yo, pero no estoy seguro. ¿Qué le parece si espero donde lo hice la semana pasada?

—Una idea soberbia. El arzobispo está reunido en este momento con el vicario general, pero le informaré de que ha llegado.

—Muy bien —dijo Jack.

Ya se había alejado por el pasillo sin esperar a que le invitaran, pues recordaba muy bien dónde estaba el pequeño estudio privado. El padre Maloney le adelantó y sostenía la puerta entreabierta cuando Jack llegó. Lo primero que hizo Jack fue depositar el osario en el suelo. Lo hizo con cuidado de no estropear la pulida superficie.

—¿Puedo hacer algo por usted mientras espera?

—Si cree que va a tardar un poco, un periódico me iría bien.

—¿Le bastaría el *Times*?

—Estupendo.

El padre Maloney cerró la puerta a su espalda. Jack paseó la vista alrededor de la ascética estancia, observando los mismos detalles que en su visita anterior, incluido el fuerte olor, aunque no insoportable, a productos de limpieza y cera de suelo. Como ya empezaba a hacer calor, se quitó la chaqueta de cuero y la tiró sobre una pequeña butaca. Después, se sentó en el minisofá, exactamente en el mismo lugar de la otra vez, una prueba más de lo obsesivo que era.

Contrariamente a lo que temía, no tuvo que esperar mucho. Pocos momentos después de que el padre Maloney desapareciera, la puerta se abrió de golpe. Vestido como un simple sacerdote, James entró en la habitación. Después de cerrar la puerta, se precipitó hacia Jack e imitó el recibimiento de la semana anterior con un abrazo fraternal.

—Gracias, gracias por venir enseguida —logró articular James. Fue entonces cuando vio el osario. Como un escolar, soltó a Jack y dio una palmada—. ¡Has traído el osario! ¡Oh, gracias! Eres la respuesta a la súplica de que el osario volviera a la Iglesia. Dime, ¿está todo dentro?

James había juntado las palmas de las manos como si rezara.

—Todo está dentro —respondió Jack—. Huesos, muestras, todos los manuscritos, hasta la carta de Saturnino y el códice que la contenía. Después de lo que ha pasado, he pensado que querrías echarle mano lo antes posible.

—¿Qué opinas de esta tragedia?

—Ha sido un golpe —contestó Jack—. Me he enterado hace apenas una hora. Me lo ha dicho un amigo, el detective teniente Lou Soldano.

—Le conocí anoche —dijo James—. Vino a la residencia.

—Me lo ha dicho —explicó Jack—. Es un buen hombre.

—Lo intuí.

—¿Por qué no me llamaste en cuanto te enteraste de lo sucedido?

—No lo sé. Lo pensé, pero estaba muy confuso. Jack, no sé si soy culpable o no.

Jack miró de reojo a James.

—¿De qué estás hablando? ¿De qué crees que eres culpable?

—De asesinato —contestó James. Incapaz de mantener contacto visual con Jack, desvió la mirada—. No sé si, en el fondo de mi mente, sospechaba que esto pudiera llegar a ocurrir. Cuando uno juega con fuego, y perdona el juego de palabras, acaba quemándose. Yo sabía que la persona que estaba buscando estaría desequilibrada, tal vez incluso hasta el extremo de pensar que podía utilizar el pecado para combatir lo que él consideraba un pecado mayor. Luke me llamó ayer por la mañana para decirme que Shawn estaba a punto de cambiar de opinión y no publicar. Dijo que confiaba en el triunfo, y que se debía más a la táctica que a la argumentación. Tendría que haberme dado cuenta de que una tragedia estaba a punto de suceder, pero en cambio estaba tan satisfecho con el éxito del plan B, que no quise pensar en el significado de la palabra «táctica», tal como Luke la empleaba. Es evidente que se refería a esta horrible autoinmolación.

—¡Mírame, James! —ordenó Jack, al tiempo que le asía los hombros y le daba una leve sacudida—. ¡Mírame! —insistió. El rostro de James era una agonía de tormento, con los ojos inyectados en sangre, anegados en lágrimas, y la piel fláccida. Poco a poco, sus ojos azules se alzaron hacia los de Jack—. Yo participé en esto casi desde el primer día —continuó Jack—. En ningún momento albergaste deseos de infligir daño físico, y mucho menos de muerte hacia Shawn o Sana. ¡Nunca! Tu objetivo era encontrar a alguien apasionado y persuasivo en relación con la Virgen María, cosa que hiciste. Ir más allá y planear el asesinato de alguien es algo que tu mente o la mía son incapaces de hacer. Solo después de los hechos somos capaces de pensar en ello. Haz el favor de no magnificar la tragedia intentando asumir la responsabilidad. La responsabilidad estaba en la mente del perpetrador, cosa que nunca comprenderemos. Algo le enfureció. Es probable que nunca sepamos qué, pero hubo algo.

—¿Crees de veras lo que estás diciendo, o solo intentas aplacar mi angustia?

—Lo creo al cien por cien.

—Gracias por tu apoyo. Lo que piensas es importante para mí. Me has animado a tomarme un tiempo de respiro para pensar y rezar sobre este asunto. Voy a pedir al Santo Padre permiso para pasar un mes en un monasterio, con el fin de entregarme a la contemplación y la plegaria.

—Eso me parece un buen plan.

—Pero antes hay que dar por concluido este episodio —dijo James. Clavó sus ojos en los de Jack—. Temo que debo pedirte otro gran favor, amigo mío.

—¿Cuál?

—¡El osario! —dijo James—. Debo pedirte que me ayudes a devolverlo.

—¿Devolverlo adónde? —preguntó Jack, aunque ya lo había deducido. Lo había deducido porque él también pensaba que era la mejor solución de todo el desafortunado episodio. El osario debía volver a donde Shawn y Sana lo habían encontrado, bajo la tumba de san Pedro—. ¿Te refieres a devolverlo a Roma? —continuó Jack, y su voz enmudeció.

—Sabía que lo comprenderías —dijo James, algo recuperado de su melancolía—. Tú y yo somos los únicos enterados de esta historia. Yo solo sería incapaz de hacerlo. Debes ayudarme, y cuanto antes mejor.

Jack pensó al instante en Laurie, sobre todo teniendo en cuenta a J.J. y la necesidad de analizar sus niveles de anticuerpos, para ver si podían reiniciar el tratamiento.

—Me temo que estaré bastante ocupado estos días —dijo Jack—. ¿Cuándo pensabas hacerlo?

—Esta noche —contestó James sin vacilar—. Ya he reservado billetes para última hora de la tarde. Espero que no te sientas irritado por mi presunción al dar por sentado que vendrías. El osario nos acompañará en el mismo vuelo. Estaremos en Roma por la mañana, y mañana por la noche me ocuparé de los trámites para devolver el osario a su lugar de procedencia. Después, si quieres, puedes volver a Nueva York el sábado. Solo estarás fuera dos noches. No me obligues a suplicar, Jack.

De repente, a Jack se le ocurrió que viajar a Europa parecía una idea interesante, además de devolver el osario a su lugar de procedencia. Estaba relacionada con una de las tres hojas impresas por ordenador que había ocultado en el bolsillo interior de la chaqueta cuando había guardado todo lo demás dentro del osario. En lugar de añadir las hojas a los demás objetos, como procedían del laboratorio decidió conservarlas con la idea de meditar sobre ellas más adelante. Una de las páginas llevaba el nombre y la dirección de una paciente visitada en el campus de Ein Kerem del Centro Médico Hadassah.

—Te diré una cosa —dijo Jack—. Vendré esta noche y te ayudaré a devolver el osario con dos condiciones: la primera, que mi mujer, Laurie, y nuestro hijo de cuatro meses vengan con nosotros, siempre que yo pueda convencerla, y la segunda, que pueda contar a mi mujer toda la historia del osario.

—Oh, Jack —balbució James—. La razón de que necesite tu ayuda es evitar tener que contárselo a más gente.

—Lo siento, James, esta es mi oferta. Te aseguro que ella es tan buena o mejor que yo en lo tocante a los secretos. No poder decírselo ha sido una carga y, la verdad, no decírselo y marcharme a Roma no es propio de mi carácter. En cualquier caso, estas son las dos condiciones si quieres que te acompañe esta noche.

James meditó unos momentos, y enseguida decidió que, si tenía que correr el riesgo de decírselo a alguien, la esposa de Jack era la mejor elección.

—De acuerdo —dijo a regañadientes—. ¿A qué hora volverás?

—Si todo va bien, dentro de una hora. ¿Nos encontramos aquí o en el aeropuerto?

—Aquí. El padre Maloney nos acompañará al aeropuerto Kennedy en el Range Rover.


Jack se fue de la residencia, volvió en taxi al IML y fue a ver a Bingham. Por desgracia, este había ido al ayuntamiento a reunirse con el alcalde. Jack subió corriendo al tercer piso y entró en el despacho de Calvin Washington. Por suerte, el subdirector sí estaba, y Jack se limitó a informarle de que iba a ausentarse durante un largo fin de semana. Como Jack ya estaba fuera de los turnos de autopsias, daba igual. De todos modos, Jack se sintió mejor informando a los poderes fácticos de que iba a marcharse unos días. Bajó, liberó su bicicleta y volvió a casa. Sabía que le iba a costar convencer a Laurie.

Cuando recogió la bicicleta y entró con ella en el vestíbulo, estaba muy entusiasmado por el viaje. Le había encantado Roma las cuatro o cinco veces que había estado, y nunca había ido a Jerusalén. Guardó la bicicleta en el armario y subió las escaleras. Pasaba de mediodía, lo cual quería decir que solo quedaban unas tres horas para los preparativos. James quería que todo el mundo estuviera en la residencia a las tres.

—¡Laurie! —chilló Jack cuando llegó a la cocina, pero no la vio.

Jack siguió por el pasillo hasta el salón y la sala de estar, donde estuvo a punto de volver a chillar, pero entonces casi se estrelló contra ella, que salía del salón con un libro de autoayuda en la mano. También tenía el dedo índice apretado contra los labios.

—Está durmiendo —susurró.

Jack se sintió culpable por haber berreado de aquella manera. Sabía que no debía comportarse así, teniendo en cuenta la situación de J.J. Se disculpó profusamente con la explicación de que estaba entusiasmado.

—¿Qué demonios haces en casa tan temprano? —preguntó Laurie—. ¿Va todo bien?

—¡Estupendo! —exclamó Jack—. De hecho, quiero hacerte una proposición.

—¿A mí? —preguntó Laurie con una sonrisa. Volvió al salón y se sentó en el sofá con los pies sobre la mesita auxiliar. Había una taza de té con miel en la mesita—. No está mal. ¡Mujer ociosa! J.J. tiene otro buen día. Puede que sea la siesta más larga de su vida.

—Perfecto —dijo Jack. Se sentó sobre la mesita auxiliar para estar cerca de ella—. En primer lugar, tengo que hacerte una pequeña confesión. No te he contado toda la historia de este osario en el que estaban trabajando mi amigo el arqueólogo y su mujer. Debo decir que es fascinante. La razón de que no te lo haya dicho es que mi amigo el arzobispo me suplicó que no lo hiciera. En cualquier caso, esa orden ya no es válida, y ardo en deseos de contarte toda la historia.

—¿Qué ha motivado el cambio?

—Esa es la historia en sí. Mi amigo el arqueólogo, Shawn, y su mujer murieron anoche en un incendio ocurrido en su casa, de modo que ese es el final del examen del contenido del osario.

—¡Oh, no! Lo siento muchísimo —dijo Laurie con sinceridad—. ¿Fue en la casa adonde fuimos a verlos?

—Sí. En cuanto se prende un incendio en una de esas casas de madera, se acabó. Estallaron en llamas prácticamente.

—¡Qué terrible tragedia! —exclamó Laurie—. Y pensar que acababais de reencontraros. ¿Significa esto que has perdido otra distracción?

—No del todo.

—¿No? Acabas de decir que las muertes han suspendido el examen del osario.

—Cierto, pero el osario debe volver a su lugar de origen. Temo que mi amigo el arqueólogo y su mujer robaran la reliquia del subterráneo de la basílica de San Pedro. Estuvo enterrado al lado de san Pedro durante casi dos mil años. He prometido al arzobispo que le ayudaría a devolver el osario y volver a colocarlo donde estaba sin que nadie se entere. El arzobispo y tú seréis los únicos en conocer su existencia, y tú tendrás que prometer no contarlo a nadie, si quieres conocer todos los detalles pertinentes.

»Bien, este es el trato. Los tres, tú, J.J. y yo, volamos a Roma esta noche. Mañana por la noche, ayudaré a James a restituir el osario. El sábado, tú, J.J. y yo volaremos a Jerusalén para encontrarnos con alguien. El domingo volveremos a casa. ¿Qué te parece?

—Creo que estás mal de la cabeza —dijo Laurie, sin pensarlo dos veces—. ¿Esperas que vuele toda la noche con un niño de cuatro meses enfermo, para no estar ni tan solo un día en una ciudad extranjera, para luego volar a otra ciudad, y después volver a casa? ¿Cuánto tarda el vuelo entre Jerusalén y Nueva York, por cierto?

—No lo sé con exactitud. Bastantes horas, supongo. Pero esa no es la cuestión. Quiero que lo hagas por mí. Sé que parece una locura y que será tremendamente difícil, tal vez más de lo que imagino, pero creo que es importante para mí. Te ayudaré con J.J. Lo cargaré en brazos más de la mitad del tiempo. En Roma, contrataremos a una enfermera para que te conceda tiempo libre, y en Jerusalén haremos lo mismo. Además, ha experimentado una mejoría durante los últimos tres o cuatro días, ya he perdido la cuenta.

—Tres días —aclaró Laurie.

—Vale, tres días. Estaremos de vuelta dentro de cuatro días. Será muy útil. Si pudiera, yo mismo le daría de mamar.

—Sí, claro —resopló Laurie—. Es fácil decirlo. Bien, en el avión lo cargarás en brazos aunque se ponga nervioso.

—Sí, cargaré con él en brazos. Durante todo el vuelo, si quieres. Di que sí. Lo entenderás mejor cuando te cuente toda la historia del osario, cosa que haré en el avión esta noche. ¡Di que sí!

—Para que pueda pensar siquiera en esta idea descabellada de volar a Roma y Jerusalén con un niño enfermo, tendrás que contarme toda la historia del osario ahora mismo.

—Tardaré demasiado.

—Lo siento. Ese es el trato. Al menos, hazme una sinopsis.

Jack resumió a toda prisa los acontecimientos de los últimos días, empezando por su comida sorpresa en la residencia de James, cuando vio el osario por primera vez.

Aunque al principio dudó que la historia de Jack resultara lo bastante interesante como para justificar lo que le estaba pidiendo, Laurie acabó fascinada.

—Oh, de acuerdo, maldito seas —dijo de repente, antes de que Jack hubiera terminado el resumen—. Es probable que olvide cómo lograste convencerme en este momento de locura, pero trato hecho, aunque no lo cargues en brazos durante todo el vuelo, solo cuando te toque y no solo cuando esté dormido. También lo cargarás en brazos cuando se ponga nervioso. ¿Entendido?

—Perfecto —dijo Jack, y su rostro se iluminó. Se puso en pie de un salto—. Debo hacer los preparativos y unas cuantas llamadas. Hay que estar en la residencia del arzobispo a las tres.

—¿Y tú me hablas de hacer preparativos? —dijo con sorna Laurie, y dejó el libro a un lado—. Espero que no nos arrepintamos de esto.


En algunos aspectos, Roma supuso una decepción para Jack. En sus otras visitas, que habían sido a finales de primavera, verano y principios de otoño, el tiempo había sido diáfano, soleado y caluroso. En esta ocasión, en diciembre, Roma estaba nublada, oscura y mojada, con algo de lluvia. Para colmo, había esperado una especie de intriga de capa y espada, que implicara entrar a escondidas en el Vaticano para devolver el osario a la necrópolis. En cambio, descubrió que el Vaticano era más o menos un gigantesco club para los cardenales. Si eras cardenal, todo era fantástico.

Como James había utilizado la misma caja en que había llegado el osario, todo el mundo dio por sentado que eran sus pertenencias personales. No hubo el menor intento de insinuar que lo abrieran en el aeropuerto, ni al salir ni al llegar, ni cuando entraron en el Vaticano. Mientras James se encargaba de los trámites para que todos pudieran hospedarse en el Vaticano, en Casa di Santa Marta, llamada así por la patrona de los hoteleros, el osario y las maletas ya los estaban esperando cuando llegaron. Después de recogerlo en el aeropuerto, el equipaje se había adelantado en una furgoneta del Vaticano, mientras James y su séquito entraban en la ciudad por lo que James llamó «la ruta más pintoresca».

La Casa di Santa Marta fue construida para alojar a los cardenales durante los cónclaves, cuando debían estar concentrados en la elección de un nuevo papa, de modo que el ambiente era de lo más ascético, otra leve decepción para Jack. Cuando James le había dicho que todos se alojarían en el Vaticano, Jack se había permitido fantasear con un ambiente renacentista.

Lo que había salido mejor de lo esperado fue el vuelo nocturno y J.J. No solo el niño había dormido una larga siesta aquella tarde, sino que también había dormido durante casi toda la noche, primero en brazos de Laurie y después en los de Jack. Este gozó de mucho tiempo para contar a Laurie los detalles de la historia del osario, que había obviado por la tarde.

—¿Conseguiré verlo? —había preguntado Laurie.

—No veo por qué no —contestó Jack.

Para descartar cualquier posibilidad de error por la noche, James había contratado una visita particular a la necrópolis aquella misma tarde, en compañía de un arqueólogo de la Comisión

Pontificia para la Arqueología Sagrada. Cuando llegó la hora de la visita, J.J. se había dormido de nuevo.

—Está recuperando el sueño perdido de los últimos dos meses —comentó Laurie.

Aunque vaciló al principio, se dejó convencer por James para sumarse a la visita, después de que este encontrara varias monjas que hicieran compañía a J.J., una de las cuales iría en busca de Laurie en cuanto el niño se despertara.

La visita fue muy útil. Al principio, no podían imaginar dónde habían encontrado Shawn y Sana el osario, hasta que el arqueólogo residente explicó que, para entrar en el túnel que llegaba hasta la tumba de Pedro, había que levantar un panel de la tarima de cristal con el fin de acceder al nivel inferior de las excavaciones recientes.

Aunque Jack sentía cierta tensión y nerviosismo antes de que James y él partieran aquella noche pasadas las diez, Jack cargado con el osario y James con un enorme manojo de llaves, no tardó en calmarse. Jack había pensado que entrarían a escondidas, pero no fue así. James había ido a ver al arcipreste, otro cardenal, que también era el administrador de la basílica, y le dijo sin más preámbulos que aquella noche quería bajar a ver la Capilla Clementina y la tumba de Pedro, de modo que le entregaron el llavero y le aseguraron que dejarían las luces encendidas.

El paseo a pie desde la Casa di Santa Marta hasta la entrada por el ápside noroeste de San Pedro fue misericordiosamente breve, menos de una manzana de Nueva York. Después de que James abriera la puerta, Jack entró en la oscura y silenciosa basílica a través de lo que más tarde averiguó que era la Porta della Preghiera. Para él, entrar en la basílica fue el momento más memorable de la noche. Media hora antes, las nubes se habían alejado, al menos de forma temporal, y una luna gibosa había hecho acto de presencia. Ahora, estaba proyectando rayos de luz a través de las ventanas situadas en la base de la cúpula de Miguel Ángel, destacando de esta forma la inmensidad del interior del edificio.

—Hermosa, ¿verdad? —preguntó James, parado detrás de Jack.

—Suficiente para que me vuelva religioso —contestó Jack, solo medio en broma.

James lo guió por el crucero en dirección a la columna de San Andrés, una de las cuatro que sostenían la enorme cúpula, donde abrió con llave otra puerta que conducía a la cripta.

Tardaron otros veinte minutos en descender hasta el nivel inferior de las excavaciones y el punto exacto de la pared del túnel que conducía a la tumba de Pedro donde habían encontrado el osario. El lugar estaba señalizado por una abertura rectangular en la pared. Como la tierra estaba suelta, Jack pudo vaciarla con facilidad, y no tardó en descubrir las linternas, cubos y demás parafernalia que Shawn y Sana habían utilizado y después enterrado.

—Tendremos que llevarnos estos trastos —dijo Jack—, pero será fácil. Utilizaremos los cubos. Pero antes, ¿por qué no vas a buscar un poco de agua? Haré una pasta y sellaremos esto.

—Gran idea —dijo James—. He visto un manantial mientras veníamos.

Mientras James iba a buscar agua, Jack introdujo el osario en la pared y empezó a amontonar las piedras, la tierra y la grava alrededor de los lados. Cuando James volvió, ya estaba preparado para ocuparse de la parte exterior, y apiló tierra húmeda en el extremo del osario. Cuando terminó, era casi imposible distinguir la abertura. Mientras daba los últimos retoques, pensó en el desafortunado legado de lo que estaba haciendo al ocultar el osario. La humanidad tendría que renunciar al Evangelio de Simón. A Jack le sabía mal, y si bien nunca había albergado demasiado interés por la historia del cristianismo, ahora sí lo sentía, y siempre se preguntaría cómo había sido en realidad Simón el Mago. ¿Era el chico malo que siempre habían plasmado, o todo lo contrario?

Todo lo que Roma había sido, gris, lluviosa e inhóspita, Israel era transparente como el cristal, con un cielo azul inmaculado, de un resplandor luminoso, casi cegador. Jack, Laurie y J.J. entraron en el país a mediodía, en un vuelo de Roma a Tel Aviv, con la nariz de Jack apretada contra el cristal. Una vez más, J.J. superó las expectativas de Laurie. En cuanto el avión alcanzó altitud, se puso a dormir, y aún continuaba durmiendo cuando las ruedas tocaron la pista.

En la puerta los estaba esperando un representante de una agencia de viajes llamada Mabat, quien los ayudó a pasar el control de pasaportes y los trámites de la recogida de equipajes, y luego los acompañó hasta un coche y un conductor que los llevaría a Jerusalén. Un veterano viajero había dado a Jack el nombre de la agencia, porque quería aprovechar al máximo el breve tiempo que permanecerían en el país. El conductor, por su parte, los llevó directamente al hotel Rey David, donde los dejó en manos de un guía experto llamado Hillel Kestler.

—Tengo entendido que desean ir a una aldea palestina llamada Tsur Baher —dijo Hillel con una sonrisa—. He recibido montones de peticiones personales, pero es la primera vez que me piden ir a Tsur Baher. ¿Puedo preguntar por qué? Debo advertirles que no hay gran cosa que ver.

—Quiero conocer a esta mujer —dijo Jack, al tiempo que le daba el nombre y la dirección surgidos del ordenador cargado con CODIS 6.0 y conectado con el analizador genético 3130 XL.

—Jamilla Mohammed —leyó Hillel—. ¿La conoce?

—Todavía no —dijo Jack—, pero me gustaría pedirle un favor, un favor que pienso pagar. ¿Podría ayudarnos? ¿Habla usted árabe?

—No muy bien —admitió Hillel—, pero tampoco tan mal. ¿Cuándo quieren ir?

—Solo tenemos hoy y mañana, a menos que decidamos quedarnos más tiempo —dijo Jack—. Si no le importa, vámonos ya. Supongo que nos ha reservado un vehículo.

—Por supuesto. Tengo una furgoneta Volkswagen.

—Perfecto. Vamos, Laurie.

—¿Estás seguro de lo que estás haciendo? —preguntó Laurie, que no parecía muy convencida. Había oído la historia del osario y los resultados del ADN mitocondrial, pero aún albergaba recelos.

—Hemos venido hasta aquí. ¿Está muy lejos la aldea, Hillel?

—Tardaremos unos veinte minutos en llegar —dijo el guía.

—Veinte minutos, nada más —repuso Jack. Tomó a J.J. de brazos de su madre—. Nada se pierde con probar.

—De acuerdo —dijo Laurie al fin.

Dieciocho minutos después, Hillel entró en una aldea con una calle de tierra y un puñado de casas de hormigón en forma de cubo, de las cuales surgían vigas de acero para posteriores ampliaciones. Había algunas tiendas, incluido un estanco, unos grandes almacenes no muy grandes y una tienda de especias. También había una escuela con montones de chicos uniformados.

—Lo más fácil es visitar al *mukhtar* —dijo Hillel por encima de las voces de los niños.

—¿Qué es un *mukhtar*? —preguntó Jack.

—Significa «elegido» en árabe —respondió Hillel, que subió las ventanillas del vehículo para no tener que gritar—. Se refiere al jefe de la aldea. Sin duda conocerá a Jamilla Mohammed.

—¿Conoce al *mukhtar* de Tsur Baher? —preguntó Jack. Estaba sentado en el asiento del copiloto. Laurie iba detrás, con J.J. en la silla para niños.

—No. Pero da igual.

Hillel aparcó y entró en los grandes almacenes. Durante su ausencia, varios escolares se acercaron y miraron a Jack. Este sonrió y los saludó con la mano. Algunos niños le devolvieron el saludo con timidez. Después, un hombre salió del establecimiento y los ahuyentó.

Un momento después, Hillel volvió a salir. Se acercó a Jack. Este bajó la ventanilla.

—En la tienda hay una zona de descanso —explicó Hillel—.

Es el bar del pueblo, y resulta que el *mukhtar* está en él. He preguntado por Jamilla, y ha enviado a buscarla. Si quiere conocerla, está invitado a entrar.

—Estupendo —dijo Jack. Bajó de la furgoneta y abrió la puerta corredera para que hicieran lo propio Laurie y J.J.

El interior del almacén estaba atestado de toda clase de productos del suelo al techo, desde comestibles hasta juguetes, desde artículos de ferretería hasta papel para ordenador. El bar que Hillel había mencionado estaba en la parte posterior, con una sola ventana que daba a un patio trasero de tierra que albergaba una nidada de polluelos esqueléticos.

El *mukhtar* era un anciano vestido de árabe, con la piel correosa y curtida por la intemperie. Estaba fumando un narguile. No cabía duda de que le encantaba tener compañía, y pidió al instante té para todos. También se puso muy contento al saber que los Stapleton eran de Nueva York, porque tenía familia en la ciudad y había ido dos veces. Mientras estaba explicando qué partes de Brooklyn había visto, Jamilla Mohammed entró. Al igual que el *mukhtar*, iba vestida de árabe. No se cubría la cabeza por completo, pero su vestido era negro, como su pañuelo. La piel al descubierto de las manos y la cara era del mismo color y consistencia que la del *mukhtar*. No cabía duda de que la vida había sido dura para ambos.

Por desgracia, Jamilla no hablaba inglés, pero como el *mukhtar* sí, Jack habló con Jamilla por mediación de aquel. En primer lugar, le preguntó si tenía experiencia como curandera. Contestó que alguna, pero sobre todo con sus hijos, que eran ocho, cinco chicos y tres chicas.

Le preguntó si había estado enferma alguna vez. Contestó que no, aunque el año anterior un coche la había atropellado en Jerusalén y había estado ingresada una semana en el hospital de Hadassah, con huesos rotos y hemorragia. A continuación, Jack le preguntó si intentaría curar a su hijo apoyando la mano sobre su cabeza y declarándole curado de su cáncer. Jack sacó varios cientos de dólares y los dejó sobre una mesa baja. Explicó que se los daba en consideración por sus esfuerzos. Después, tomó a J.J. de manos de Laurie y se acercó a la mujer.

Por un momento, dio la impresión de que a J.J. le gustaba ser el centro de atención. Emitió gorgoritos de alegría cuando Jamilla hizo lo que le pedían. El *mukhtar* tradujo mientras Jamilla decía que a partir de aquel momento el cuerpo del niño quedaría libre de toda enfermedad. Era evidente que se sentía cohibida y no estaba acostumbrada a tal papel.

Laurie observaba la escena, y también se sentía cohibida. Jack le había contado sus planes, y aunque a ella se le antojaba algo embarazoso, también opinaba que era inofensivo, y si Jack quería en serio tirar adelante, ella no se opondría. Ahora que estaba sucediendo, no sabía qué pensar. En el caso de Jack, sucedía todo lo contrario. Cuando se le había ocurrido la idea, quiso llevarla a la práctica como una forma de apurar todas las posibilidades. El osario poseía cierta aura mística, y quería aprovecharla. Ahora que estaba asistiendo a una curación mediante la fe, sin embargo, se sentía estúpido, como si se agarrara a un clavo ardiendo. Bien, era justo eso.

—¡De acuerdo! —exclamó Jack de repente, cuando pensó que la cosa se había prolongado en exceso, y apartó a J.J. de las manos de Jamilla—. ¡Ha sido estupendo! ¡Muchísimas gracias!

Recogió el dinero, se lo dio a Jamilla y se encaminó hacia la salida. De repente, deseaba estar muy lejos, olvidar la situación. Sabía que sus actos estaban espoleados por la impotencia, como aquellos pacientes desesperados que caían en manos de la medicina alternativa. Pero el motivo de que Jack deseara volver a la furgoneta cuanto antes era que tenía miedo de ponerse a llorar.


—Muy bien —dijo el doctor Urit Effron. Trabajaba en el hospital universitario de Hadassah en Ein Kerem, Jerusalén—. Estas son las imágenes de la gammacámara E-Cam Siemens, y así nos haremos una idea mejor de por qué la orina de ayer de su hijo era normal en metabolitos de catecolaminas.

Jack y Laurie se inclinaron hacia delante. Los dos estaban muy interesados. El día anterior, tras salir de Tsu Baher, habían regresado a Jerusalén, donde decidieron acudir a urgencias del hospital de Hadassah. El episodio con la curandera los había animado a hablar de J.J., sobre todo porque su comportamiento era de lo más normal. Habían decidido comprobar si podían conseguir un análisis del nivel de anticuerpos de proteínas de ratón, con el fin de reiniciar el tratamiento en cuanto volvieran a casa.

Lo que averiguaron fue que deberían regresar al Memorial de Nueva York para realizar la prueba, pero el oncólogo pediatra residente que los recibió se ofreció a practicar los análisis de sangre necesarios para saber el nivel de actividad de los tumores de J.J., teniendo en cuenta que se encontraba tan bien. Ante el asombro de todos, sobre todo de los padres, los resultados habían salido normales. En aquel momento, el residente se había ofrecido a repetir la prueba definitiva del neuroblastoma, llamada gammagrafía con MIBG.

Como estaban bien enterados acerca de la prueba, así como sobre sus riesgos y beneficios, desde que habían diagnosticado a J.J., tanto Jack como Laurie se sentían ansiosos por repetirla. Querían saber en qué punto se encontraban después de la primera ronda del tratamiento en el Memorial. Después de la inyección de yodo radiactivo del día anterior, habían regresado para la gammagrafía. En aquel momento, las primeras imágenes estaban saliendo de la máquina.

—Bien, esto es lo que hay —dijo el doctor Effron—. El ácido homovanílico y el ácido vanililmandélico son normales porque ya no existen tumores.

Jack y Laurie intercambiaron una mirada cautelosa. Ninguno quería hablar, no fuera a disolverse el trance en el que se encontraban y volvieran a la realidad. ¡Daba la impresión de que J.J. estaba curado!

—Es una noticia excelente —dijo el doctor Effron, al tiempo que alzaba la vista de la pantalla para comprobar que los padres le habían oído—. Tres hurras por el Memorial. Su hijo es uno de los afortunados.

—¿Qué está intentando decirnos? —se obligó Laurie a preguntar.

—Los neuroblastomas, sobre todo en pacientes jóvenes como su hijo, pueden ser impredecibles. Pueden resolverse de repente... Curarse, si lo prefieren así. O pueden responder al tratamiento de esta manera. ¿El de su hijo estaba extendido o muy extendido?

—Muy extendido —dijo Laurie, mientras empezaba a aceptar lo que estaba viendo, ningún tumor, y lo que estaba oyendo, que J.J. estaba curado. ¿Había sido una remisión espontánea, como sugería el doctor Effron, el anticuerpo de ratón del Memorial, o Jamilla? Laurie no tenía ni idea, pero en aquel momento le daba igual.